JUDITH TARR

Judith Tarr (1955-) a publié depuis 1985 plusieurs séries et romans isolés, à mi-chemin de la fantasy et du récit historique, qui sont autant de diamants précieux. D'abord la trilogie médiévale *The Hound and the Falcon* (1985-1986), où des elfes sont présentés comme le résultat d'une mutation naturelle, puis les cinq volumes d'*Avaryan* (1987-1994), dont l'intrigue se déroule dans un monde imaginaire, où se croisent magie et intrigues politiques.

Elle revient ensuite à des textes plus proches de l'Histoire, mais toujours teintés de fantastique, ayant pour décor l'Égypte ou les croisades, comme héros Alexandre le Grand ou Charlemagne. Ses livr[illegible]nt par le soin a[illegible]s historiques, [illegible]on et de l'atmos[illegible]

Son écr[illegible]ne chacun de [illegible]. La publication par Pocket du cycle d'*Avaryan* constitue l'arrivée en France d'une nouvelle très grande dame de la fantasy. Ce récit d'un affrontement guerrier et surnaturel inaugure une grande série à l'image de celles des *Derynis* de Katherine Kurtz, ou des *Hérauts de Valdemar* de Mercedes Lackey.

SCIENCE-FICTION

Collection dirigée par Jacques Goimard

JUDITH TARR

HÉRITIER DU SOLEIL

Titre original :
THE HALL OF THE MOUNTAIN KING

Traduit de l'américain par
Simone Hilling

Si vous souhaitez recevoir régulièrement
notre zine « **Rendez-vous ailleurs** », écrivez-nous à :

« Rendez-vous ailleurs »
Service promo Pocket
12, avenue d'Italie
75627 PARIS Cedex 13

ISBN 2-266-09083-6

L'Héritier du Soleil
N
50 Km
Han-Uveryen (Plateaux de la Mort)
ASAN-I-IANON (Murailles de Ianon)
SHAIOS
Bois de la Déesse
Asan-Gentan
Royaume de Sirion
Vallée d'Ilien
Palais d'Han-Ianon
MEHEN
HAN-IANON
Tours de l'Aube
ARKHAN
MARCHES DE L'OUEST
Rivière Ihen
SUVEIEN
ASAN-I-IANON
MEDRAS
Asan-Unyan
EVEIEN
Rivière Amilien
Principauté d'Arjan
ILENI
Col du Soleil
Asan-Abardan
ASAN-I-IANON
YRIOS
Rivière Umihen
Col de la Nuit
Satrapie d'Ivaryaz (Empire Asanian)

CHAPITRE 1

Debout sur les remparts, le vieux roi regardait en direction du Sud. Ses longs cheveux blancs flottaient au vent qui gonflait sa cape. Mais ses yeux ne cillaient pas, son visage restait impassible, aussi sévère et immuable qu'une statue taillée dans l'obsidienne.

Les murs tombaient à pic au-dessous de lui, pierre sur pierre, château et falaise sertis dans la verte Vallée, champs et forêts déferlant sur le bastion montagnard de la forteresse. Au nord, à l'ouest et au sud, les montagnes formaient une muraille ininterrompue. A l'est s'ouvrait la Porte d'Han-Ianon, col qui constituait l'unique accès au cœur de son royaume, entouré par les Tours de l'Aube. Les dieux eux-mêmes les avaient érigées voilà des temps immémoriaux, du moins le disait-on. Puis ils avaient disparu, laissant derrière eux ces monuments, merveilles du Nord. Elles étaient hautes, elles étaient imprenables, et elles étaient belles, construites en une pierre aussi rare que magnifique. Gris-argent à la clarté des lunes et des étoiles, blanc-argent à la lumière du soleil, elles rayonnaient à l'aube de toutes les couleurs du jour qui s'éveille : blanc, argent, rose, rouge sang et émeraude clair. Cette même pierre scintillait encore sous ses pieds, bien que le soleil fût maintenant haut dans le ciel, en équilibre au-dessus des Tours de l'Aube. C'était un bon présage, disaient les prêtres, que la pierre de l'aube eût gardé si longtemps son rayonnement. Contre toute raison, malgré tant d'années d'espérance sans espoir, il voulait encore y croire.

De son poste à la Porte Sud, Vadin voyait la haute silhouette, écrasée par la distance. Tous les matins, elle était là, entre le lever du soleil et la deuxième heure, par tous les temps, même au cœur de l'hiver ; elle était là depuis des années, disait le peuple, depuis avant même la naissance de Vadin.

Il réprima un bâillement. Monter la garde était le service le moins fatigant d'un écuyer royal, mais c'était aussi le plus ennuyeux. Et il manquait de sommeil ; il avait eu quartier libre la veille, avec deux écuyers, ses cadets, et ils avaient bu, joué aux dés, bu à nouveau. Il avait eu de la chance au jeu, et à la fin, il avait gagné le droit d'avoir la fille le premier. Cette fois, pensant à elle, ce fut un sourire qu'il réprima.

Qu'il réprima impitoyablement, jusqu'à ce qu'il devienne imperceptible. Le vieil Adjan, le maître d'armes, exigeait peu des jeunes vauriens qu'il instruisait. Simplement l'obéissance absolue à tous ses ordres, la perfection absolue à la caserne et à l'exercice, l'immobilité absolue quand ils montaient la garde. On pouvait bouger sous l'abri du casque ; on pouvait, à intervalles réguliers, faire les cent pas entre les deux piliers du portail, moment où l'on pouvait lever le regard vers la silhouette noire et floue du roi. Le reste du temps, on se transformait en une statue de pierre noire et de bronze poli, et l'on enregistrait le moindre mouvement autour de son poste. C'était un supplice au début, cette immobilité. Inexpérimenté, élevé en sauvageon au château de son père dans les montagnes d'Imehen, il n'avait pas imaginé plus grande torture que de rester debout en armure pendant des heures, la lance inclinée selon un angle et pas un autre, sous le soleil qui lui tapait sur la tête, la pluie qui le fouettait au visage, ou le vent qui le mordait jusqu'aux os. Maintenant, c'était devenu simplement monotone. Il avait appris à se mettre à l'aise tout en ayant l'air d'être au garde-à-vous, à laisser ses yeux observer par eux-mêmes en permettant à son esprit de vagabonder à sa guise. De temps en temps, son esprit revenait à ce qu'observaient ses yeux, contemplant les gens qui allaient et venaient dans la ville déployée au-dessous de lui. Certains s'approchaient du château, gamins admirant les grands gardes dans leur splendide uniforme — un devant chacune des entrées secondaires, et une demi-compagnie à la Porte des Dieux qui faisait face à l'est — serviteurs, touristes, et un noble par-ci par-là entrant ou sortant du château. Au début de la garde de Vadin, le Prince Moranden en personne était sorti avec toute une cohorte de seigneurs et de domestiques, vêtus et armés pour la chasse. Le fils du roi avait eu un regard pour le grand écuyer dégingandé en sentinelle, un signe de reconnaissance, un bref sourire. Homme fier que ce prince, mais jamais trop pour s'intéresser à un écuyer.

Vadin leva les yeux vers le soleil. Plus longtemps à attendre avant que Kav vienne le relever. Puis une heure d'équitation, une heure d'escrime, et le soir, il était de service auprès du roi. Honneur insigne que ce dernier devoir, rarement accordé à un écuyer dans sa première année. Adjan le lui avait annoncé d'un ton revêche, mais il était toujours revêche ; plus important, Adjan n'avait ajouté aucun sarcasme mordant. Il s'était contenté de grommeler :

— Reste pas bouche bée, mon garçon, et arrête de lambiner. Le soleil va se lever.

Ce qui signifiait qu'il était satisfait de sa recrue, la plus jeune et la plus inexpérimentée de toutes, les dieux seuls savaient pourquoi ; mais Vadin avait appris à ne pas discuter avec la fortune.

Pendant que son esprit ruminait, son œil avait enregistré de lui-même, indépendamment de sa volonté : la vieille servante de Dame Odiya détalant faire une course pour sa maîtresse ; un ancien du conseil et sa suite ; une bande de paysans venus au marché, prenant le temps de badauder devant l'éblouissante merveille qu'était le château. Quand ils redescendirent vers la ville, ils laissèrent derrière eux un homme, immobile au milieu de la route et qui fixait les remparts.

Non, pas un homme. Un garçon de l'âge de Vadin peut-être, ou d'un ou deux ans plus jeune, car sa barbe commençait juste à pousser. Il se tenait très droit, très fier, et n'était manifestement pas un paysan. Il ne pouvait être que Ianyen, noir d'ébène qu'il était, pourtant il était vêtu comme les gens du Sud, d'un pantalon et d'une veste, et il portait au côté une courte épée de la même origine. La flamme d'or qu'il portait au cou, torque de prêtre du Soleil, et le large serre-tête blanc le désignaient comme un initié faisant son voyage de sept ans. Il semblait jeune pour cela, mais pas trop ; et cela expliquait ce visage de Ianyen surmontant la vêture des Cent Royaumes. Les pantalons étaient sans doute une punition pour une infraction quelconque.

Le prêtre cessa de contempler les remparts et se mit à marcher, se rapprochant de la porte. Vadin cilla. Etait-ce le monde qui chancelait, ou alors…

Si l'entraînement de Vadin ne lui avait pas été inculqué jusqu'aux moelles, il aurait éclaté de rire. Ce garçon au visage de seigneur montagnard, qui se comportait comme s'il dépassait tout Han-Ianon, était à peine plus grand qu'un enfant. Plus il approchait, plus il semblait petit. Puis il leva les yeux, et le souffle de Vadin s'arrêta. Ils étaient pleins de… ils flambaient de…

Ils se détournèrent. Ce n'était plus qu'un prêtre déguenillé en pantalon, qui n'arrivait même pas à l'épaule de Vadin. Et Vadin se battit les flancs pour se réveiller. L'inconnu avait presque franchi la porte. Avec une hâte qui aurait fait froncer les sourcils à son maître d'armes, Vadin abaissa sa lance pour lui barrer le chemin. L'étranger s'arrêta. Il n'était pas effrayé ; pas visiblement furieux. Il aurait plutôt eu l'air amusé.

Grands dieux, comme il était hautain ! Vadin prit son ton le plus dur, qui était aussi le plus grave, et tonna de la façon la plus satisfaisante :

— Au nom du roi, halte-là, étranger. Tu viens des Cent Royaumes ?

— Oui.

La voix du prêtre était aussi étonnante que ses yeux, une bonne octave plus grave que celle de Vadin, mais claire comme le cristal, avec les douces inflexions du Sud.

— Oui, j'en viens.

— Alors, je dois te conduire devant Sa Majesté.

Immédiatement, spécifiait l'ordre, sans exception, indépendamment de tout autre ordre ou devoir. Sous le masque stoïque de la sentinelle, Vadin commençait à s'amuser. Il eut l'immense satisfaction de héler un guerrier armé, et chevalier adoubé en plus, et de lui ordonner — avec tout le respect qui lui était dû — de garder la porte jusqu'à l'arrivée de sa relève.

— Service du roi, dit-il, ayant soin de ne pas prendre un ton trop joyeux. Ordre permanent.

L'homme n'eut pas à demander lequel. Le torque et le pantalon le renseignaient assez.

Leur propriétaire observait tout cela avec à peine l'ombre d'un sourire. Alors que Vadin aurait dû le conduire, il s'arrangea pour passer devant et avança sans hésitation, sans demander son chemin. Il avait une démarche souple de chasseur, étonnamment rapide, qui balançait doucement la longue tresse noire lui tombant dans le dos jusqu'à la taille. Vadin dut allonger le pas pour rester à son niveau.

Le roi tourna le visage vers le cruel soleil. Une fois de plus, il montait vers le zénith ; une fois de plus, il ne lui apportait aucun espoir. Autrefois il l'aurait maudit, mais le temps avait émoussé en lui la rage comme tant d'autres choses. Même le présage de la pierre de l'aube ne voulait rien dire. Elle ne reviendrait pas.

— Monseigneur.

L'habitude et la royauté le firent lentement se retourner, avec une dignité royale. L'un de ses écuyers se tenait devant lui, en armure de sentinelle. Le nouveau, le petit seigneur d'Imehen, sur lequel, contre son habitude, Adjan fondait de grands espoirs. Avec son garde-à-vous impeccable, il faisait honneur à son maître.

— Sire, dit-il, d'un ton assez clair quoique avec un peu de raideur, un voyageur est arrivé des Cent Royaumes. Je te l'amène comme tu l'as ordonné.

Le roi vit alors l'inconnu, perdu jusque-là dans l'ombre du garde, ombre lui-même, petit, mince et noir. Mais quand il releva la tête, le grand garde rapetissa au point de disparaître. Il avait un visage qu'on n'oublie pas, finement ciselé, avec une fierté d'oiseau de proie, ni beau ni laid, mais simplement et suprêmement lui-même. Ses yeux rencontrèrent ceux du roi sans ciller, avec une assurance et un calme royaux ; il sourit presque, mais pas tout à fait.

Presque, mais pas tout à fait, le roi lui rendit son sourire. L'espoir renaissait une fois de plus. S'enflait, tremblait au bord de la peur.

Le garçon s'éloigna du garde, d'un pas seulement, comme pour se débarrasser de sa présence importune. Quelque chose dans ce mouvement trahit la tension sous-jacente. Pourtant, il parla d'une voix égale et, contrairement à son visage, très belle.

— Je te salue, monseigneur, et je loue la courtoisie de ton serviteur.

Le roi regarda Vadin, qui eut soin de rester inexpressif.

— Lui as-tu résisté ? demanda le roi à l'étranger.

— Pas du tout, monseigneur. Mais, ajouta le garçon avec son demi-sourire, je me suis montré quelque peu hautain.

Vu la lueur dansant dans les yeux de l'écuyer, ce n'était rien moins que la vérité. Le roi réprima un éclat de rire, en vit le reflet dans les yeux clairs et brillants, et le perdit dans un élancement du souvenir et d'une très, très ancienne douleur. Il n'avait pas ri ainsi, ni rencontré une telle joyeuse intrépidité depuis...

Sa voix résonna, dure et tranchante.

— Tu es des Cent Royaumes, mon garçon ?

— D'Han-Gilen, sire.

Le roi prit une profonde inspiration. Son visage ne s'était pas radouci. Pourtant, son cœur battait à grands coups dans sa poitrine.

— D'Han-Gilen, dit-il. Dis-moi, mon garçon, as-tu entendu parler de ma fille ?

— De ta fille, monseigneur ?

La voix était calme, mais les yeux s'étaient déplacés, et contemplaient maintenant les étendues méridionales d'Han-Ianon.

Le roi suivit son regard.

— Autrefois, j'avais une fille. A sa naissance, j'en fis mon héritière. Quand elle était encore jeune fille, je la consacrai au Soleil. Et quand elle devint femme, elle s'en alla comme le doivent tous les enfants du Soleil, pour accomplir le voyage de sept ans des prêtresses. Le voyage terminé, elle aurait dû revenir, prêtresse et sage, avec des histoires merveilleuses à raconter. Mais sept ans passèrent, et sept autres encore, et elle ne revint pas. Et à présent, sept ans ont passé trois fois, aucun homme ne l'a vue, et elle ne m'a pas donné signe de vie. Je n'ai entendu que des rumeurs contradictoires, des histoires d'étrangers venus du Sud. Une prêtresse du Nord, voyageant dans les Cent Royaumes, aurait renoncé à ses vœux et à son héritage pour épouser un prince du Sud ; mais non, elle aurait dédaigné le prince pour régner en grande prêtresse dans le Temple du Soleil d'Han-Gilen ; elle serait devenue folle et voyante, et aurait annoncé que le dieu lui avait parlé dans ses visions ; elle serait... morte.

Il y eut un silence. Brusquement, le roi se retourna, sa cape tournoyant autour de lui.

— Fou, dit-on de moi. Fou, parce que je viens ici, jour après jour, année après année, priant pour le retour de ma fille. Je deviens vieux et mourrai bientôt, mais je ne nomme pas d'héritier, alors que mon fils emmène mes jeunes guerriers à la chasse, ou dort près de sa dernière conquête. Homme fort que le Prince Moranden de Ianon, grand guerrier et meneur d'hommes. Il est plus que digne de s'asseoir sur le trône.

Le roi découvrit les dents, davantage rictus que sourire.

— Aucun homme ne devrait pleurer ainsi une fille quand un tel fils orne sa demeure. Ainsi disent les hommes. Ils ne le connaissent pas aussi bien que moi.

Il serra les poings, durs et noueux, maigres comme des serres d'aigle.

— Jeune homme ! Sais-tu quelque chose de ma fille ?

Le jeune prêtre avait écouté, impassible. A ces mots, il fouilla dans sa besace et en sortit un objet scintillant, un torque d'or et de cuivre montagnard torsadés.

Le roi chancela. De jeunes mains fortes le soutinrent, l'aidèrent à s'asseoir sur le parapet. Il vit vaguement le visage penché sur lui, calme et immobile ; mais une ancienne douleur assombrissait ses yeux.

— Morte, dit-il. Elle est morte.

Il prit le torque entre des mains qui ne parvenaient pas à maîtriser leur tremblement.

— Depuis quand ?

— Cinq hivers.

Sa colère flamba.

— Et tu as attendu si longtemps ?

Le garçon releva le menton ; ses narines palpitèrent.

— Je serais venu plus tôt, monseigneur, mais il y avait la guerre et on me l'a interdit, tous les hommes étaient nécessaires. Ne me reproche pas ce qui n'est pas de mon fait.

Il y avait un temps où un garçon, et même un homme fait, aurait été fouetté pour une telle insolence. Mais le roi ravala sa colère de crainte qu'elle n'éteignît son chagrin.

— Qu'était-elle pour toi ?

Le garçon le regarda dans les yeux.

— C'était ma mère.

Le roi était au-delà du choc, au-delà de la surprise. Car cette rumeur aussi était parvenue jusqu'à lui : elle avait mis un fils au monde. Et pour une prêtresse unie au dieu et concevant un enfant d'un simple mortel, le châtiment était la mort. La mort pour elle, pour son amant, et pour leur descendance.

— Non, dit le jeune étranger, dont tous les traits la rappelaient d'une façon poignante. Elle n'est pas morte pour moi.

— Comment, alors ?

Le garçon ferma les yeux, en proie à une douleur aussi vive et profonde que celle du roi ; sa voix s'éleva, douce comme s'il ne lui faisait pas confiance.

— Sanelin Amalin était une très grande dame. Elle arriva à Han-Gilen à la fin de la guerre contre les Neuf Cités, quand tout le peuple pleurait la mort du prophète du prince qui était aussi son frère bien-aimé. Elle se dressa au milieu des rites funéraires, et prédit le destin de la principauté, et le Prince Rouge en fit sa prophétesse. Peu après, sa grande sainteté la fit accepter au temple d'Han-Gilen. Nulle ne fut plus sainte et plus profondément vénérée. Pourtant, certains la haïssaient pour cette sainteté même, et parmi eux, celle qui était la grande prêtresse avant la venue de Sanelin, femme dure et fière qui avait cruellement traité l'étrangère et avait été déposée pour cette raison. Dans l'obscurité des lunes, il y a cinq hivers, cette femme et certains de ses partisans l'attirèrent hors du temple sous prétexte d'une maladie qu'elle seule pouvait guérir. Je crois… je sais qu'elle vit la vérité. Pourtant, elle sortit. Je la suivis, le prince sur mes talons. Nous sommes arrivés trop tard. Ils me jetèrent à terre et m'assommèrent, blessèrent cruellement mon seigneur, frappèrent ma mère au cœur, et s'enfuirent.

Il prit une inspiration saccadée.

— Ses dernières paroles furent pour toi. Elle souhaitait que tu aies connaissance de sa gloire, de sa mort. Elle dit : « Mon père m'aurait faite à la fois reine et prêtresse. J'ai été davantage que l'une et l'autre. Il me pleurera, mais je crois qu'il comprendra. »

Le vent soupira sur les pierres. Vadin remua, dans des crissements de cuir et de bronze. Dans le monde d'en bas, des enfants braillèrent, un étalon hennit, et une voix de fausset beugla une chanson à boire. Très bas, le roi dit :

— Tu racontes une noble histoire, étranger qui te dis mon parent. Pourtant, bien que je sois peut-être fou, je ne radote pas encore. Comment se fait-il qu'une grande prêtresse ait engendré un fils ? Avait-elle renoncé à ses vœux ? Avait-elle épousé le Prince Rouge d'Han-Gilen ?

— Elle ne renonça jamais à ses vœux, et ne fut que l'épouse d'Avaryan.

— Tu parles par énigmes, étranger.

— Je dis la vérité, monseigneur grand-père.

Les yeux du roi flamboyèrent.

— Tu es fier pour quelqu'un qui, de ton aveu même, n'est le fils d'aucun homme.

— Ce que tu dis est vrai.

Le roi se leva. Il était très grand, même parmi ceux de son peuple ; il dominait de très haut le garçon, qui pourtant ne trahissait aucune crainte. Cela aussi, c'était Sanelin : il était petit comme sa mère originaire de l'Ouest, et malgré tout absolument indomptable.

— Tu es son portrait même. Comment ?

Sa main serra l'épaule du garçon avec une force cruelle.

— *Comment ?*

— Elle était l'épouse du Soleil.

Si brillants étaient ces yeux, si brillants et terribles. Le roi abaissa devant eux toutes ses défenses.

— C'est un titre. Un symbole. Les dieux ne marchent pas dans le monde comme autrefois. Ils ne couchent pas avec les filles des hommes. Pas même avec celles qui sont saintes, leurs prêtresses. Plus de nos jours.

Le garçon ne dit rien, leva seulement les mains. La gauche saignait, aux endroits où les ongles s'étaient enfoncés dans les chairs. La droite ne pouvait pas saigner. De l'or y flambait, le disque du Soleil entouré de ses rayons emplissait tout le creux de la paume.

Le roi cligna des yeux devant son éclat. Une sainte terreur menaçait de l'anéantir. Mais il était fort et il était roi ; il faisait remonter son lignage aux fils de dieux inférieurs.

— Il est venu, dit l'enfant du grand dieu, lors de sa vigile au Temple d'Han-Gilen, où se trouve son image la plus sacrée. Il vint et il l'aima. De cette union, je fus conçu ; quant à elle, elle souffrit et fut glorifiée. On peut dire qu'elle en est morte, de l'envie de ceux qui se disaient saints eux-mêmes mais ne pouvaient supporter la vraie sainteté.

— Et toi. Pourquoi t'ont-ils laissé vivre ?

— Mon père m'a défendu.

— Pourtant il l'a laissée mourir, elle.

— Il l'a prise près de lui. Elle en fut heureuse, monseigneur. Si tu avais pu la voir — mourant, elle rayonnait et elle riait d'allégresse. Elle avait enfin son amant, tout à elle à jamais.

Il rayonnait lui-même en parlant, rayonnement à peine atténué par le chagrin.

Le roi ne pouvait pas participer à cette radiance. Ni l'étranger la soutenir pendant longtemps. Il laissa retomber ses mains, voilant l'éclat du signe divin. Sans lui, il n'était pas différent d'un voyageur ordinaire, déguenillé et las, cuirassé d'un orgueil qui avoisinait le défi. Il garda la tête haute, le regard ferme, mais ses poings se fermèrent à ses côtés.

— Monseigneur, dit-il, je ne te demande rien. Si tu le veux, je m'en irai.

— Et si je te demande de rester ?

Les yeux noirs s'allumèrent. Les yeux de Sanelin, pleins du feu du soleil.

— Si tu me demandes de rester, je resterai, car c'est la voie que le dieu m'a tracée.

— Non le dieu seul, dit le roi.

Il leva une main comme pour toucher l'épaule du garçon, mais le mouvement avorta.

— Va, maintenant. Prends un bain ; tu en as grand besoin. Mange. Repose-toi. Mon écuyer veillera à satisfaire tous tes désirs. Puis je te parlerai encore.

Comme ils obéissaient :

— Comment t'appelle-t-on, mon petit-fils ?

— Mirain, monseigneur.

— Mirain.

Le roi savoura le nom.

— Mirain. Elle a bien choisi.

Il se redressa.

— Qu'est-ce qui te retient ? Va !

CHAPITRE 2

On l'appelait la reine qui ne l'était pas. Légalement, elle était la concubine du roi, fille captive d'un rebelle des Marches Occidentales, mère de son unique fils reconnu. Dans son pays, cela aurait suffi à en faire l'épouse du roi, et de son enfant l'héritier du trône et du château ; ici, où ils avaient rejeté les anciens dieux et la grande déesse pour devenir les esclaves du Soleil, une concubine n'était que cela, et son fils demeurerait inéluctablement un bâtard.

Elle ne s'abaissait pas à l'amertume. Elle possédait le plus haut titre que permettaient ces apostats, celui de Première Dame du Palais ; elle avait un royaume à elle, le gynécée du château, avec ses appartements et ses cours, interdits et protégés comme il se devait, avec ses propres eunuques pour monter la garde. Mais ils se faisaient vieux, hélas, et le roi ne lui permettait pas d'en acheter d'autres ; et quand elle avait suggéré imprudemment qu'il lui envoie de jeunes esclaves de son choix, avec un chirurgien pour les rendre aptes à son service, sa rage avait failli l'effrayer.

Ils retournaient à la barbarie, ici. Ils avaient peu d'esclaves, et pas d'eunuques. Bientôt, sans aucun doute, ils se mettraient à porter des pantalons, raseraient leur barbe, et affecteraient les accents efféminés du Sud.

Elle contempla son reflet dans le grand miroir ovale, qui avait été le bouclier de son père ; elle l'avait fait argenter et polir à grands frais, pour ne jamais oublier d'où elle venait. La ravissante vierge qu'il reflétait autrefois avait disparu depuis longtemps, avec ses yeux de lynx et son tempérament impétueux. Maintenant, les yeux étaient calmes comme ceux du lynx avant de bondir. Et le visage était encore beau, masque de déesse, parfait et implacable.

Elle écarta du geste une servante avec ses fards et ses brosses, arracha le voile des mains de l'autre et le drapa elle-même. Doliya s'attardait trop longtemps au marché ; au diable la vieille commère, ne pourrait-elle jamais faire une simple course sans traîner dans tous les débits de vin rencontrés sur sa route ? Non que ses retards n'aient pas été profitables ; les secrets s'échappaient souvent quand le vin déliait la langue des hommes, et l'ouïe de Doliya était d'une finesse perverse.

— Haute Dame.

La voix de son chef eunuque, affaiblie par l'âge. Affaiblie comme il l'était lui-même, grotesque et dégingandé avec ses membres d'araignée, qui n'avait jamais appris à ramper, à courber l'échine et à se comporter en serviteur normal. Son père avait été l'ennemi du père de la dame ; cela avait amusé le vieux monstre de massacrer toute cette lignée à l'exception du plus jeune fils, puis de faire castrer et dresser l'enfant pour le donner comme esclave à sa fille. C'était un réconfort pervers que de le voir si vieux tandis qu'elle semblait tellement plus jeune, tout en sachant qu'elle avait une bonne année de plus que lui.

Il avait l'habitude de ses regards noirs et ne s'en effrayait pas.

— Haute Dame, répéta-t-il, il est une chose que tu devrais savoir.

Son ton égal, son visage inexpressif lui en apprirent long. Quelle que fût la nouvelle qu'il lui apportait, il s'en réjouissait ; ce qui signifiait qu'elle ne serait pas heureuse de l'entendre. Tel était le jeu qu'il jouait, lui son ennemi juré, lui le serviteur fidèle et irréprochable. Un service impeccable, lui avait-il dit un jour qu'il était encore assez jeune pour laisser échapper ses secrets, pouvait être une puissante vengeance. Elle n'oserait jamais lui faire totalement confiance ; elle n'oserait jamais ne pas lui faire confiance. Elle avait ri et avait relevé le gant, et faisant de lui le chef de ses eunuques.

— Parle, lui dit-elle enfin, savourant un vin glacé dans un gobelet d'argent et tourmaline.

Il sourit. La nouvelle devait être amère, et il n'était pas pressé de l'annoncer. Il s'assit dans un fauteuil jumeau de celui de la dame, demanda du vin et l'obtint, but encore plus lentement qu'elle. Enfin, il posa sa coupe, entrelaça ses longs doigts, se permit un second sourire.

— Un étranger s'est présenté au roi, Haute Dame. Un étranger du Sud, prêtre du dieu brûlant.

Malgré son sang-froid, elle se raidit ; l'amusement de l'eunuque s'amplifia.

— Il apporte des nouvelles de l'héritière du roi, partie depuis si longtemps, certains diraient avec ta complicité, bien que ce soit certainement erroné. Tu peux te réjouir, Haute Dame. Sanelin Amalin est morte.

La dame haussa un sourcil.

— Dois-je m'en étonner ? Vain espoir, mon vieil ami. Je le sais depuis très longtemps.

Il continua à sourire.

— Bien sûr que tu le sais, Haute Dame. Savais-tu aussi qu'elle avait mis au monde un fils ? Un fils de son grand dieu, qui porte le soleil dans sa main, enveloppé dans sa divinité comme dans une cape. De mes propres yeux, je l'ai vu. Il a parlé avec le roi ; les gens du roi le servent ; il loge, Haute Dame, dans la chambre de l'héritier du roi.

Elle resta parfaitement immobile. Son cœur s'était arrêté, puis il revint à la vie, martelant les murs de sa cage. Ginan sourit. Elle imagina des chairs arrachées aux os par le fouet, forma la pensée avec grand soin et la projeta vers lui, sur ces yeux brillants. Les yeux s'éteignirent ; il devint gris, le sourire mourut. Mais la satisfaction de l'esclave ne pouvait pas mourir si facilement. Tous ses soins et toutes ses intrigues — les femmes venues au roi qui ne pouvaient pas concevoir d'enfant pour supplanter son fils ; celle qui avait conçu grâce à ses sortilèges mais n'avait pas pu accoucher d'un enfant vivant et était morte en couches — tout cela pour rien. Parce qu'elle n'était pas allée jusqu'à supprimer elle-même l'héritière, s'en remettant pour cela au Voyage, et, si cela échouait, aux vœux de la prêtresse. Sanelin ne connaîtrait jamais d'homme, ne porterait jamais d'enfant. Et si elle revenait, si elle montait sur le trône, comme il serait facile de lui jeter un sort, de distiller un poison, pour faire que Moranden, fils d'Odiya d'Umijan, devienne le roi légitime de tout Ianon.

La dame avait presque eu de l'admiration pour l'héritière, presque, presque. Insupportable petite sainte, elle avait pourtant trouvé le moyen à la fois de déjouer son ennemie et de préserver la sainteté de son nom. Il semblait que les barbares avaient cru son mensonge ; le garnement avait eu la vie sauve. A moins que…

Ginan la connaissait assez pour interpréter la lueur fugitive dans ses yeux. Son sourire lui revint, impénitent.

— Non, Haute Dame, ce n'est pas un imposteur. C'est le portrait vivant de sa mère.

— Laid et petit comme un nain ? Ah, le pauvre enfant.

— Aussi grand qu'il a besoin de l'être, et bien au-dessus d'avoir besoin de beauté. C'est un jeune homme remarquable, Haute Dame ; il a un port de roi.

— Pourtant, c'est un prêtre, dit-elle d'un ton pensif.

— Un prêtre qui est un roi, Haute Dame, qui peut se marier et engendrer des fils. Comme certains avaient pensé que ferait la princesse si elle devenait reine, dans l'intérêt du royaume. Comme il semble qu'elle l'ait fait.

— Il n'est pas encore roi, articula lentement Odiya.

Elle se resservit du vin et leva son gobelet.

— Et il ne le sera pas tant que j'aurai le moindre pouvoir dans ce royaume. Que la déesse m'en soit témoin.

Vadin fit exactement ce qu'on lui ordonnait. Cela l'empêcha de penser. Il ne comprenait pas la moitié de ce qu'il avait entendu sur les remparts ; et il n'était pas certain de croire le reste. Que cet étranger fût le fils de la fille du roi, femme pleurée depuis si longtemps qu'elle semblait aussi lointaine qu'une légende, oui, peut-être pouvait-il le croire. Mais que ce garçon eût été engendré par un dieu…

Mirain prit un bain, dont il avait effectivement grand besoin, et laissa les serviteurs emporter ses pantalons troués et lui apporter un kilt décent. D'abord, ils durent en trouver un ; puis il insista pour qu'on lui rase le visage, qui deviendrait aussi lisse que celui d'une femme. Le visage de Vadin se contracta à ce spectacle. Les serviteurs en furent atterrés, et le plus âgé s'enhardit à lui faire des remontrances, mais Mirain ne voulut rien entendre.

— Ça tient chaud, dit-il, avec son accent précieux. C'est laid, et ça gratte.

Il sourit devant leur air choqué, les choquant un peu plus, puis s'assit devant le repas qu'ils avaient préparé sur la table. Perché dans un fauteuil taillé aux mesures des gens de Ianon, dévorant des gâteaux au miel et riant de l'air outragé des serviteurs, il faisait encore plus jeune qu'il ne l'était. Il n'avait pas l'air du fils du Soleil.

Il avala le dernier gâteau jusqu'à la dernière miette, se lécha les doigts et soupira.

— Je n'ai pas mangé si bien depuis mon départ d'Han-Gilen.

Le plus vieux serviteur s'inclina d'un degré. Mirain s'inclina d'un demi-degré en réponse, mais en souriant.

— Je vous félicite de votre service, messieurs.

C'était un congé. Ils obéirent, tous sauf Vadin. Il resta à son poste près de la porte, sans rien dire, et il eut sa récompense : Mirain accepta sa présence.

Dès que les hommes furent partis, le visage de Mirain s'immobilisa. Il ne ressemblait plus à un enfant. Lentement, il se retourna, ouvrant et refermant la main droite, fronçant les sourcils jusqu'à devenir le portrait du roi son grand-père. Son nez se plissa légèrement. Vadin devina pourquoi. L'appartement où les gens du roi l'avaient conduit était luxueux, propre et bien entretenu, mais sentait le renfermé. Aucuns pieds, à part ceux des serviteurs, n'avaient foulé ce magnifique tapis d'Asanion depuis des temps immémoriaux ; personne ne s'était penché sur l'appui de la fenêtre comme il le faisait en ce moment, regardant en bas le jardin clos de murs ou en haut, par-dessus les remparts, les montagnes de Ianon.

Sur le rebord de la fenêtre, il tourna la main, paume en l'air. Des lunules d'or aveuglantes jouèrent sur son visage, sur les murs et le plafond, sur le visage de Vadin. Elles disparurent quand ses doigts se fermèrent ; il tourna les yeux vers le soleil qui les avait engendrées.

— Ainsi, tu m'as conduit ici, monseigneur, dit-il. Poussé, plutôt. Et maintenant ? Le roi est en deuil, mais il commence à se réjouir, voyant sa fille renaître en moi. Dois-je obéir à mon destin, aux prophéties et à ses propres ordres, et rester pour lui apporter la mort ? Ou dois-je fuir pendant qu'il en est encore temps ? Car vois-tu, monseigneur, je crois que je pourrais l'aimer.

Peut-être obtint-il une réponse. Dans ce cas, elle ne le réconforta pas. Il prit une longue inspiration qui s'étrangla sur un son inarticulé. Cri, hoquet de rire amer.

— Oh oui, j'aurais pu refuser. Han-Gilen m'aurait gardé. Je n'étais pas étranger là-bas malgré mon visage différent, tête d'aigle fantomatique au milieu de tous les rouges, les bruns et les ors ; j'étais le prince adoptif, le fils de la prêtresse, sacré, vénéré, protégé. Protégé !

Ici, plus de doute sur le rire, plus de doute sur l'amertume.

— Ils me protégeaient jusqu'à ce que mort s'ensuive. Au moins, si je meurs ici, je mourrai de ma propre folie et de rien d'autre.

Il se tourna vers le soleil. Ses yeux en étaient pleins, sans en être aveuglés. Quand ils virent Vadin, il sursauta, comme s'il avait oublié la présence de l'écuyer. Sans doute, pensa Vadin, n'en avait-il pas eu conscience, pas plus qu'il n'avait conscience du sol sous ses pieds.

A moins, bien sûr, qu'il ne monte vers lui et le fasse tomber. Son examen fut à la fois nonchalant et approfondi, inspectant l'écuyer comme un bœuf au marché. Notant avec un juste intérêt l'étroit visage anguleux avec sa jeune barbe incertaine ; le long corps dégingandé dans la livrée royale ; la lance posée près d'un pied, serrée avec assez de force pour blanchir les phalanges proéminentes.

Les yeux de Mirain scintillèrent de dédain, Vadin le vit. *Son* corps à lui n'était pas du tout dégingandé, et il semblait le savoir. Il avait une façon de pencher la tête qui était à la fois arrogante et amicale, et un haussement de sourcils qu'une courtisane aurait dû étudier, tant il était désarmant.

— Je m'appelle Mirain, dit-il, comme tu l'as entendu. Comment dois-je t'appeler ?

Congédié, eut-il envie de répondre sèchement. Mais la discipline prévalut.

— Vadin, monseigneur. Vadin alVadin d'Asan-Geitan.

Mirain s'appuya au rebord de la fenêtre.

— Geitan ? C'est en Imehen, n'est-ce pas ? Ton père doit aussi s'appeler alVadin ; ma mère m'a dit que le seigneur de Geitan est toujours un Vadin, comme le roi de Ianon est toujours Raban, comme mon grand-père, ou Mirain.

Comme cet intrus. Vadin se redressa jusqu'à son dernier pouce.

— C'est exact, monseigneur.

— Ma mère m'a aussi appris à parler le Ianyen. Pas très bien, j'en ai peur ; j'ai vécu trop longtemps dans le Sud. Voudras-tu être mon professeur, Vadin ? Je suis une honte pour moi-même, avec le visage que j'ai et ce grasseyement sortant de la bouche d'un petit prince Gileni.

— Tu ne restes pas !

Vadin se mordit la langue trop tard. Adjan l'aurait fait fouetter pour ça.

L'étranger ne cilla même pas. Il ôta le serre-tête de son Voyage, le tourna dans sa main et soupira faiblement.

— Peut-être ne le devrais-je pas. Je suis un étranger ici ; mon Voyage n'a pas plus d'un an. Mais, dit-il, et ses yeux flamboyèrent, prenant Vadin au dépourvu, il y a encore tous les devoirs que ma mère m'a imposés. Raconter à son père sa gloire et sa mort ; le réconforter de mon mieux. Cela, je l'ai fait. Mais elle m'a aussi commandé de prendre sa place, la place que ses vœux et son destin l'avaient forcée d'abandonner, et pour laquelle elle me mit au monde et me forma.

— Elle avait grande confiance dans le sang et le destin, dit une nouvelle voix.

Celle qui avait parlé s'avança dans le silence. Très

svelte, toute vêtue de gris soutaché d'argent à l'encolure, en tenue de chanteuse sacrée. Son visage était aussi beau que sa voix, aussi calme et indéchiffrable.

— Effectivement, dit Mirain, aussi calmement qu'elle. N'était-elle pas visionnaire ?

— Certains diraient qu'elle était folle.

— Aussi folle que son père, sans aucun doute. Aussi folle que moi.

La femme se tenait debout devant lui. Elle était grande pour une femme, même pour une femme de Ianon ; Mirain lui arrivait juste au menton.

— Monseigneur t'a donné son appartement. Son propre fils n'en a jamais eu autant.

— Tu sais qui je suis.

Ce n'était pas une question.

— Maintenant, presque tout le château le sait. Les domestiques ont des oreilles et des langues, et tu as son visage.

— Mais elle était très belle. Et même la charité ne peut pas faire dire que je suis beau.

— Toute sa beauté était dans ses yeux et dans ses mouvements. Aucun tableau ou statue n'a jamais pu rendre cela.

— Ni aucune chair.

Il cessa sa plainte qui semblait ancienne, la regarda, et la gratifia d'un sourire rare et splendide.

— Tu dois être Ymin.

Malgré sa force, elle était encore femme, et ce sourire était magique. Son regard se fit chaleureux, son visage s'adoucit, un peu.

— Elle t'a parlé de moi ?

— Très souvent. Comment aurait-elle pu oublier sa sœur adoptive ? Elle espérait que tu obtiendrais ton torque. Elle disait que tu deviendrais la femme la plus ravissante et la meilleure chanteuse de Ianon. C'était une vraie prophétesse.

Ymin sourit presque.

— Ton propre torque, mon jeune seigneur, pourrait

aussi bien être en argent qu'en or. Est-ce notre Sanelin au franc parler qui t'a enseigné si grande courtoisie ?

— Elle m'a enseigné à dire la vérité.

— Alors, la douceur doit être l'héritage d'Han-Gilen, que nous autres chanteurs nommons le Pays du Miel.

— La douceur y est certes un art très estimé, bien que l'honneur le soit encore davantage. Le pire des péchés, disent-ils, est le Mensonge, et ils élèvent leurs enfants dans sa détestation.

— Peuple plein de sagesse. Ici, c'est la force qui prime, du corps le plus souvent, de la volonté un peu moins. Dans le Nord, les doux n'ont pas leur place, ni les faibles.

— Dur comme les pierres du Nord, dit-on à Han-Gilen.

Mirain se retourna vers la fenêtre. Ymin se plaça près de lui. Il ne la regarda pas.

— Pourquoi es-tu parti ? lui demanda-t-elle.

— Le temps était venu, et même passé, quoique mon seigneur prince eût voulu que j'attende encore, jusqu'à ce que ma croissance soit terminée et qu'une armée m'accompagne. Mais le dieu ne se soucie pas de la virilité. Je suis parti en secret ; j'ai marché en me cachant jusqu'aux frontières d'Han-Gilen. C'était un long voyage à faire à pied, avec l'hiver qui approchait et une cruelle guerre terminée depuis peu.

Sa voix changea, prit une nuance de fierté.

— J'y avais combattu ; bien, disait mon seigneur. J'étais son écuyer, avec le Prince Héritier Halenan. Ils nous arma tous deux chevaliers. Je les ai quittés à regret. Et la princesse, la sœur d'Haleman... elle m'aida à m'esquiver.

— Etait-elle très belle ?

Il la fixa, pour une fois muet de stupeur.

— Elle n'avait que huit ans !

Le rire d'Ymin fut franc et soudain, cascade de notes cristallines. Il fronça les sourcils ; ses lèvres frémirent.

— Peut-être concéda-t-il, sera-t-elle belle un jour. La dernière fois que je l'ai vue, elle était vêtue en garçon, de vieilles braies trouées et d'une de mes chemises — bien trop grande pour elle — et ses cheveux ne restaient jamais nattés. Pourtant, ils étaient splendides, comme ceux de son père et son frère, et de personne d'autre au monde : rouges comme le feu. Elle s'efforçait de prendre un air d'audacieux conspirateur, mais elle avait les yeux brouillés de larmes, le nez rouge, et elle pouvait à peine articuler un mot.

Il soupira.

— C'était une terreur vivante. Quand nous sommes partis à la guerre, nous l'avons trouvée dans nos bagages. « Si Mirain peut venir, dit-elle, pourquoi pas moi ? » Elle avait six ans. Son père la gronda royalement et la renvoya honteusement à la maison. Mais il donna l'ordre à son intendant de la faire instruire au maniement des armes. Elle avait gagné, à sa façon, et elle le savait.

— Tu aimais, semble-t-il, et tu étais aimé, dit-elle.

— J'ai eu de la chance.

Elle le considéra un long moment, le visage changé, de nouveau calme.

— Que feras-tu ici, monseigneur ?

Les mains sur l'appui de la fenêtre, il serra les poings à s'en faire blanchir les phalanges.

— Je resterai. Le temps venu, je serai roi. Le roi qui fait reculer les ombres, le fils du Soleil.

— Ta volonté est forte pour un homme si jeune.

— Ma volonté n'a rien à voir avec ce qui doit être.

— L'amour des dieux, dit-elle lentement, est un feu ravageur.

— Et une malédiction pour tous ceux que l'on aime. Garde ta froideur envers moi, chanteuse, si tu es sage.

Elle posa une main sur son bras. Ses yeux avaient retrouvé leur clarté, et son regard était ferme, aussi ferme que sa voix.

— Sais-tu véritablement ce que tu fais, monseigneur ? Peux-tu le savoir ? Ta mère t'a élevé, entraîné pour être ce que son destin lui avait interdit, et elle t'a commandé de le faire, de devenir le souverain de Ianon. Mais la place pour laquelle elle t'a façonné est occupée depuis vingt ans.

— Même dans le lointain Han-Gilen, on sait que le roi n'a pas de successeur désigné. Qu'il attend le retour de sa fille.

— Sait-on aussi qu'il est le seul à guetter son retour ?

Elle parlait plus rapidement, moins calmement.

— Les royaumes peuvent se créer et disparaître en une douzaine d'années. Des bébés qui n'étaient pas encore nés ont depuis engendré des descendants, dont aucun n'a souvenance d'une princesse partie pour son Voyage et qui n'est jamais revenue.

« Mais ils connaissent, ils se rappellent ceux qui sont restés ici. Ta mère avait un frère, monseigneur. Il était encore enfant à son départ. Maintenant, il est homme et prince, et son père ne lui a jamais laissé oublier qu'il ne le juge pas digne du nom d'héritier ; qu'il est bâtard, reconnu, toléré, et même aimé, mais jamais l'égal de celle qui est partie. Alors que pour le peuple, qui ne se soucie pas des passions des rois sauf en ce qu'elles déterminent la guerre ou la paix, il est leur seul prince légitime. Il a vécu parmi eux toute sa vie ; il est des leurs, il est fort et juste, et il porte assez bien sa condition princière. Ils l'aiment.

— Et moi, dit Mirain, je suis un étranger, un intrus, un prétentieux et un présomptueux.

Exactement ce que pensait Vadin ; l'écuyer ressentit un accès de crainte superstitieuse. Et un autre de contrariété. Tout cela était évident pour n'importe quel enfant, ce que Mirain n'était certes pas. Cela ne paraissait pas le troubler. Il n'était pas stupide, Vadin en était certain ; très probablement, il était fou. Cela venait de son lignage.

Mirain se mit à arpenter la pièce, pas exactement

avec nervosité ; cela semblait l'aider à réfléchir. Il recourait encore à son stratagème de sorcier, emplissant tout l'espace, dominant de très haut les deux personnes qui l'observaient. Quand il s'arrêta et se retourna, il diminua un peu.

— Supposons que je parte discrètement, chanteuse. As-tu pensé aux conséquences que cela pouvait avoir pour le roi ? Cela pourrait facilement le tuer.

— Ta présence ici le tuera aussi.

— D'une façon ou d'une autre.

Mirain pencha la tête.

— Tu pourrais parler pour mes ennemis.

— Dans ce cas, dit-elle, imperturbable, ils ont marché sur toi à une vitesse surnaturelle.

— Cela m'est déjà arrivé.

— As-tu jamais été enfant, monseigneur ?

Il retomba sur les talons, le regard dilaté et ingénu.

— Mais, Dame Ymin, que suis-je en ce moment si ce n'est un bébé à peine sevré.

Elle laissa tomber son masque et éclata de rire. Non de moquerie, mais de joie spontanée. Puis elle reprit son sérieux, les yeux toujours rieurs ; elle dit :

— Tu es de taille à te mesurer avec moi, je crois. Tu es peut-être de force à te mesurer à Ianon tout entier.

Elle redevint grave.

— Quand tu seras roi, monseigneur, et plus que roi, me laisseras-tu composer des chants pour toi ?

— Si je te l'interdisais, cela t'en empêcherait-il ?

Ymin baissa les yeux, puis releva la tête, le regard brillant.

— Non, monseigneur.

Il rit, peiné.

— Tu vois quel roi je ferai si même une chanteuse ne m'obéit pas.

— Quand il s'agit de chant, dit-elle, je n'obéis qu'au dieu.

— Et à ta propre volonté.

— Certainement.

Elle s'écarta de la fenêtre.

— Le dieu m'appelle maintenant pour chanter son office. Viendras-tu ?

Mirain fit une pause imperceptible.

— Non. Pas... tout de suite.

Elle inclina légèrement la tête.

— Alors, puisse-t-il t'apporter ses faveurs. Bonne journée, monseigneur.

Après son départ, Mirain renvoya Vadin. Pas trop tôt pour sa tranquillité d'esprit. Il fut profondément soulagé de se retrouver parmi les siens, à son aise, humain et rationnel, entraînant son corps jusqu'à ce qu'il ne soit plus qu'une seule douleur. Il poussa si loin ses limites qu'au bain, lorsque Adjan l'appela, il pensa machinalement qu'il avait mérité une réprimande à l'exercice. C'était assez terrible, mais il avait déjà survécu à la discipline du vieux soldat. C'était douloureux, mais ça passait et ça s'oubliait.

Adjan inspecta son corps nu et trempé, sans expression discernable. Malgré lui, il commença à avoir peur. Quand Adjan rugissait de rage, tout allait bien. Mais quand il gardait le silence, il était plus sage de s'enfuir. Vadin ne pouvait pas être sage. Il ne pouvait même pas couvrir sa nudité.

Au bout d'une éternité, le maître d'armes dit :

— Sèche-toi et viens au rapport. En uniforme. Sans ta lance, ajouta-t-il d'un ton acide.

Vadin se sécha et s'habilla avec autant de soin que le lui permirent ses mains tremblantes. Il se remettait à réfléchir, dans une certaine mesure. Il ne cessait de voir le visage de Mirain. Au diable, l'étranger l'avait congédié. Lui avait ordonné de sortir sans ambiguïté, et avait barricadé la porte derrière lui. Qu'avait fait le petit gredin ? Concocté un brouet de sorcière dans la cheminée de sa chambre ?

Il natta ses cheveux si serré qu'il en eut le cuir chevelu douloureux, jeta la cape écarlate sur ses épaules et alla affronter son maître.

Adjan était debout dans la cellule qui lui servait de bureau et de chambre à coucher. Sur le vieux tabouret que les écuyers appelaient le trône du jugement, siégeait le roi.

Vadin faillit les déshonorer, lui et toute sa maison. Il fut à un cheveu de tourner les talons et de s'enfuir, et s'il l'avait fait, il ne se serait pas arrêté avant d'arriver à Imehen. La fierté seule le retint, la fierté, et le regard noir et sévère d'Adjan. Son corps se mit au garde-à-vous et y resta tandis que le roi l'examinait. Il se sentit écorché vif sous ce regard scrutateur, et il sentit monter la colère. Etait-il un poulain champion pour que tous ces gens se gravent ses traits dans la mémoire ?

Sa Majesté haussa un sourcil — grands dieux, exactement comme Mirain — et dit à Adjan :

— Il promet, je te l'accorde. Mais ce poste exigera des exploits.

— Il peut faire des exploits, répondit le maître d'armes, ni plus doux ni plus poli que d'habitude. Doutes-tu de mon jugement ?

— Je te signale seulement que cette tâche mettrait à rude épreuve un soldat aguerri, et à plus forte raison un garçon dans sa première année de service.

— C'est un avantage. Il continuera son entraînement ; on lui assignera simplement d'autres obligations.

— Jour et nuit, capitaine. Quoi qu'il arrive.

— Peut-être rien.

— Peut-être la mort. Ou pire.

— Il est jeune ; il est plus brillant qu'il n'en a l'air, et il est résistant. Là où un plus vieux craquerait, il pliera et rebondira plus haut qu'avant. J'affirme que c'est le meilleur choix, sire. Tu n'en trouveras pas un meilleur dans le temps qui t'est imparti.

Le roi se caressa la barbe, regardant Vadin en fronçant les sourcils, voyant en lui à peine autre chose qu'un outil adapté à une tâche. Quelle qu'elle fût. Le cœur de Vadin battait à grands coups. Quelque chose de grand et périlleux ; quelque exploit glorieux, comme dans les ballades. C'est pour cela que son père l'avait envoyé ici. C'était cela qu'il avait demandé dans ses prières. Il n'avait plus peur ; il avait envie de chanter.

— Vadin de Geitan, dit enfin le roi, d'une voix qui sonnait comme un roulement de tambour, ton commandant m'a persuadé. Tu continueras ton entraînement avec mes écuyers, mais tu n'es plus à mon service. A partir de maintenant, tu es l'homme lige du Prince Mirain.

Vadin crut avoir mal entendu. Il ne servirait plus le roi — il servirait le prince… Moranden ? Il n'y avait qu'un prince au château. Ce ne pouvait pas être…

— Mirain, continua impitoyablement le roi, a grand besoin d'un serviteur loyal. Il est arrivé sur le tard et sans qu'on l'appelle ; il est divinement sage, mais je crois qu'il n'a pas idée de ce qui l'attend ici. Je te choisis pour être son guide et son garde.

Grand. Honorable. Périlleux. Vadin eut envie de rire. Nounou d'un bâtard de prêtresse. Il risquerait la mort, pour ça oui, la mort par le poison ou les pierres, quand tout Ianon se soulèverait contre l'imposteur.

Le roi ne lui demandait pas de choisir. Il était un objet, un domestique. Un chien à moitié dressé, muet et impuissant dont le maître tendait la laisse à un nouveau propriétaire.

Non, pensa-t-il. *Non.* Il s'en irait. Il retournerait chez lui. Non, il ne pouvait pas faire ça à son père ni à sa pauvre mère, mais peut-être que le prince le prendrait à son service. Le vrai prince, l'homme qui prenait le temps de sourire à un garde, de parler à un écuyer au marché, ou d'accueillir un garçon regrettant son foyer et effrayé d'une ville plus grande que tout ce qu'il avait jamais rêvé. Moranden avait émoussé sa terreur, lui avait donné le sentiment d'être un seigneur et un parent, et, mieux encore, s'était souvenu de lui par la suite. Moranden serait content de l'avoir à son service.

— Va maintenant, dit le roi. Garde mon petit-fils.

Vadin se prépara à hurler. Se surprit à s'incliner, muet, obéissant. S'en alla comme et où on le lui commandait.

L'étranger avait disparu. Pendant un bienheureux instant, Vadin crut qu'il avait changé d'avis ; qu'il s'était échappé quand il le pouvait encore. Puis Vadin pensa à s'approcher de la fenêtre que Mirain semblait tant aimer, et là, il vit les tresses, le torque et le visage de fille qui exploraient le jardin. Vadin prit un long moment pour se ressaisir. Puis il descendit enfin.

Mirain était accroupi dans l'herbe, penché sur ses paumes ouvertes. Quand l'ombre de Vadin arrêta le soleil, il releva la tête.

— Regarde, dit-il, levant les mains, avec précaution.

Quelque chose y palpitait, petit et bleu vif, avec un éclair écarlate à la gorge et sur les ailes iridescentes. Le dragonnet escalada l'index de Mirain, s'y enroula, battant doucement des ailes pour s'équilibrer. Mirain rit tout bas. La créature lui fit écho, quatre octaves plus haut. Puis elle s'envola brusquement, tache rapide et floue qui s'élança vers un buisson de fruits épineux.

Mirain se redressa en soupirant, puis décocha son sourire magique.

— Je n'aurais jamais cru que les gens du Nord aimaient les jardins.

— Nous ne les aimons pas, dit Vadin.

S'essayant à l'insolence, il s'assit près de Mirain — qui choisit de ne pas y faire attention.

— Le roi l'avait fait pour la femme jaune — pour la reine. Elle dépérissait entre nos pierres nues. Les champs ne lui suffisaient pas, et les cours des femmes étaient trop sévères avec leurs herbes. Il lui fallait des fleurs.

Il dit cela avec un léger rictus.

— La femme jaune, répéta Mirain. Pauvre femme, elle mourut avant que ma mère ait pu la connaître. Il paraît qu'elle était très belle et très fragile, elle-même semblable à une fleur.

— C'est ce que disent les chanteurs.

Mirain cueillit une fleur rouge. Il avait les mains petites pour un homme, mais les doigts étaient longs et fuselés, avec un toucher délicat comme celui d'une fille. Ils se refermèrent sur la fleur. Quand ils se rouvrirent, ils tenaient un fruit dur et vert. Il mûrit rapidement, s'assombrit, gonfla, moucheté d'or.

Il approcha le fruit du nez de Vadin. Un fruit épineux de printemps, aussi réel que ses yeux stupéfaits, avec son parfum doux et puissant, sa rougeur naissante.

— Oui, dit Mirain, je suis un mage, un maître-né ; je n'ai pas besoin de sortilèges pour ma magie, seulement de ma volonté ferme.

Un soleil s'alluma dans sa main. Le fruit disparut. Mirain entoura ses genoux de ses bras et se balança ; il regarda Vadin et attendit. Attendit quoi ? Une abjecte soumission ? Une terreur tremblante ?

— Une simple acceptation, dit le mage, sec comme une feuille morte.

Vadin répondit, brûlant de rage :

— Sors de ma tête !

Mirain l'applaudit.

— Bravo, Vadin ! Obéit à mon grand-père, supporte-moi, mais garde ta révolte vivante. Je déteste un serviteur servile.

— Pourquoi ? demanda Vadin. Un mot de magie, et je suis ton esclave ensorcelé.

— Pourquoi ? répéta Mirain en écho. Par ordre du roi, tu l'es déjà.

Il se redressa, soudain sévère.

— Vadin alVadin, je ne veux pas un service récalcitrant. Pour commencer, ça me fait mal à la tête. Ensuite, c'est une invitation à l'assassinat. Mais je ne m'abaisserai pas à gagner ta bonne volonté par des sortilèges. Si le loyalisme t'engage ailleurs, je ne te retiens pas. J'arrangerai cette affaire avec le roi.

La colère de Vadin se modifiait à mesure que Mirain parlait. Il avait été près de la haine. Il l'était toujours, mais d'une façon différente, plus proche de son orgueil. Au lieu de rugir, de hurler ou de frapper, il s'entendit dire avec froideur :

— Tu es un petit bâtard hautain, le sais-tu ?

— Je peux me permettre de l'être, répondit Mirain.

Vadin rit malgré lui.

— Bien sûr que tu le peux. Tu projettes d'être le roi du monde.

Il se releva et mit les mains sur ses hanches.

— Qu'est-ce qui te fait penser que tu peux te débarrasser de moi ? Je suis un bon écuyer, monseigneur. J'ai servi mon maître loyalement ; mon maître m'a donné à toi. Maintenant, je suis ton homme. Ton loyal serviteur, monseigneur.

Les yeux de Mirain se dilatèrent, fixes ; son menton se releva.

— Je refuse ton service, écuyer.

— Je refuse ton refus, monseigneur.

Je suis un idiot, mon importun seigneur.

— Cela, sans aucun doute.

Vadin en resta court ; Mirain eut un sourire félin.

— Très bien, monsieur le provocateur. Tu es mon homme, et puisse le dieu avoir pitié de ton âme.

CHAPITRE 3

La convocation du roi arriva le soir, et avec elle une robe de cérémonie, d'un blanc royal, brodée d'or et d'écarlate. Quelqu'un savait couper et coudre ; elle allait admirablement à Mirain. Il se pavana, fier comme un oiseau de soleil, et effectivement, il avait belle allure. Il avait natté différemment ses cheveux, à la mode de Ianon, bien qu'il n'eût pas laissé le coiffeur ajouter la torsade, insigne de l'héritier royal.

— Je ne le suis pas encore, dit-il, et je ne le serai peut-être jamais.

Vadin réprima un grognement, que Mirain feignit de ne pas entendre. Le coiffeur batailla avec la luxuriante chevelure noire. Non coiffée, elle était aussi sauvage que l'humeur de son propriétaire ; elle bouclait avec abandon, elle avait sa vie propre, la volonté d'échapper aux doigts patients et appliqués, et de cascader dans le dos de Mirain. Marque de son sang asanien, comme sa petitesse et sa grâce de danseur.

A la fin, le coiffeur remporta la victoire. Mirain l'applaudit ; jeune comme il était, il le gratifia d'un sourire, vite réprimé. C'était presque amusant de voir avec quelle facilité ces esclaves tombaient au pouvoir de la main de Mirain. De sa main d'or scintillante.

Le roi trônait dans la grande salle, avec, devant et au-dessous de lui, les seigneurs et les chefs de sa Cour, rassemblés pour le repas du soir. Il se leva à l'entrée de Mirain ; les autres se levèrent aussi par la force des choses. Accueil royal, devant lequel Mirain resta d'une dignité exemplaire. Il rencontra le regard du vieux roi, qui était sombre, intense, tranquillement exultant, et plein d'une bienvenue aussi ardente qu'elle était joyeuse.

— Mirain d'Han-Gilen, dit-il d'une voix vibrante, fils de ma fille. Viens t'asseoir près de moi ; partage l'honneur de ce banquet.

Mirain s'inclina et s'avança dans la grande salle où le silence se faisait sur son passage. Il marchait très droit, la tête haute. Vadin suivit dans son sillage, imitant inconsciemment son port et sa dignité.

La main du roi saisit celle de Mirain et le fit asseoir à la droite du trône, sur un siège à peine plus bas. A la place de l'héritier. Les yeux brillèrent ; les voix murmurèrent. Pas une seule fois en trois fois sept ans ce siège n'avait été occupé.

Mirain y resta parfaitement immobile, comme si le moindre mouvement avait pu le projeter dans les airs. Vadin sentait presque sa tension. Cette situation, Mirain l'avait voulue. Mais maintenant que ses plans s'étaient réalisés, il semblait assez humain pour éprouver quelques doutes. Son poing s'était fermé dans son giron. Un muscle s'était crispé sur sa joue. Il leva un peu plus le menton, à une hauteur impériale, et ne bougea plus.

Le roi s'assit près de lui. Un soupir parcourut l'assistance qui se rassit. Leur seigneur leva une main.

La porte de la salle s'ouvrit brusquement. Des silhouettes se dressèrent sur le seuil. Le Prince Moranden avança, resplendissant en écarlate et cuivre des montagnes. Grand, même pour un homme du Nord, il dominait tous les nobles assis. Ceux qui l'accompagnaient, seigneurs, guerriers, domestiques, paraissaient des ombres insubstantielles. Mais leurs yeux brillaient.

Il s'avança jusqu'au dais et s'arrêta devant le roi.

— Pardonne mon retard, sire. La chasse m'a retenu plus longtemps que je ne voulais.

Le roi resta trop immobile, parla avec trop de douceur.

— Eh bien, assieds-toi donc, et que la fête commence.

— Ah, mon père, dit Moranden, tu m'as attendu. C'était courtois, mais inutile.

— Pas du tout, mon enfant, nous ne t'avons pas attendu. Veux-tu prendre place ?

Le prince s'attarda encore. Pour la première fois, ses yeux rencontrèrent Mirain. S'immobilisèrent, se dilatèrent. Ils n'étaient qu'innocente surprise, et pourtant le sang de Vadin se glaça, de son cœur à ses poings serrés.

— Quoi, mon père ? Un invité ? Tu lui fais grand honneur.

Ses yeux s'étrécirent, ses lèvres se pincèrent.

— Non, non, j'avais oublié. C'est le garçon arrivé ce matin, le petit prêtre du Sud apportant la nouvelle que nous redoutions depuis si longtemps. Ne devrions-nous pas pleurer au lieu de nous réjouir ?

— On ne pleure pas une prêtresse que le dieu a rappelée près de lui.

La voix de Mirain était douce et égale, mais plus aiguë qu'elle n'aurait dû l'être, voix d'enfant ayant à peine atteint sa virilité. C'était une bonne feinte. Un étranger devait entendre le ténor juvénile avec son soupçon d'hésitation, comme si la voix allait se briser à tout instant, voir la peau claire et imberbe du visage, et juger le tout sur l'apparence.

C'est ce que fit Moranden, semble-t-il. Sa tension diminua. Le feu de son courroux s'adoucit en braises, couvant sous la cendre. Il contourna le dais avec désinvolture, pour s'asseoir à côté de l'héritier. Ce n'était pas sa place habituelle. Même sur un siège plus bas, il dominait de toute sa taille le fils de sa sœur.

— Eh bien, mon garçon, dit-il avec une cordialité appuyée, es-tu content de l'hospitalité d'Han-Ianon ?

— Tout à fait content, répondit Mirain, aussi candide que lui, et enchanté de te saluer enfin, mon oncle.

— Mon oncle ? dit Moranden. Sommes-nous parents ?

— Par ma mère. Ta sœur Sanelin. N'est-ce pas sa place que j'occupe ?

Moranden avait pris un demi-pain et commençait à le rompre. Il s'émietta entre ses doigts, tombant dans son assiette sans qu'il y prête attention.

— Ainsi, dit-il, c'est cela qui la retenait. Qui était son amant ? Un prince ? Un mendiant ? Quelque pèlerin ?

— Aucun mortel.

— Je suppose que tout le monde l'a crue. Au moins jusqu'à sa mort. A moins qu'ils ne l'aient tuée ?

— Ils ne l'ont pas tuée.

Mirain se tourna légèrement, dans un effort qui n'échappa pas à Vadin ; il prit une bouchée de viande et se mit à mâcher lentement.

— Alors elle t'a laissé seul, dit Moranden, et tu es venu jusqu'à nous. Un bâtard de prêtresse n'est guère le bienvenu nulle part, non ?

— Je ne suis pas un bâtard.

La voix de Mirain était aussi calme que jamais, mais elle avait baissé d'une octave.

Le roi fit un signe de la main gauche.

— Assez, dit-il durement à voix basse. Je ne tolérerai pas que vous en veniez aux coups devant moi.

Moranden se renversa dans son fauteuil.

— Aux coups, mon père ? Je ne faisais qu'échanger des propos courtois avec le fils de ma sœur. S'il l'est.

Ianon serait un butin de choix pour un vagabond ambitieux.

— Je ne mens pas, dit Mirain, finalement de sa voix normale, les narines pincées sous l'arc hautain de son nez.

— Assez ! dit sèchement le roi, frappant soudain dans ses mains.

Ymin, au milieu des courtisans, n'avait pas mangé avec eux. Elle se leva avec grâce et s'approcha d'un siège bas que les serviteurs avaient posé devant le dais. Elle s'assit, et l'un d'eux lui tendit son instrument, une petite harpe de bois doré aux cordes d'argent.

Il était assez courant qu'elle chantât dans la salle du banquet. Mais il s'agissait d'une nouvelle ballade. Elle commençait doucement, hymne à la gloire du soleil levant. Puis, à mesure que les assistants se taisaient, émus par la mélodie, elle passa à un mode plus vigoureux, sorte de mélopée racontant les exploits des dieux et des héros. D'un dieu ce soir-là, le grand dieu Avaryan, dont la face était le soleil ; d'une prêtresse, de naissance royale ; et du fils né de leur amour, né au lever de l'astre du jour, enfant du dieu, prince, Seigneur du Soleil.

Mirain renonça aux faibles efforts qu'il faisait jusque-là pour manger, les poings serrés devant lui sur la table, le visage fermé, impénétrable.

Le silence fut étrange après la longue ballade. La voix du roi le rompit, ne dissimulant plus sa joie profonde.

— Avaryan m'est témoin qu'il en est ainsi, dit-il. Voici le prince, Mirain alAvaryan, fils de ma fille, fils d'Avaryan. Voici l'héritier de Ianon !

L'écho de ses paroles s'était à peine éteint qu'un jeune seigneur se leva d'un bond : Hagan, capable d'embrasser n'importe quelle cause pourvu qu'elle fût assez nouvelle pour enflammer son caprice. Et cette cause était celle du roi.

— Mirain ! cria-t-il. Fils d'Avaryan, héritier de Ianon. Mirain !

Un par un, puis tous ensemble, les courtisans joignirent leurs acclamations aux siennes. La salle vibra de leur hommage. Mirain se leva pour le recevoir, leva sa main embrasée, les gratifiant soudain de son sourire exalté. Le vieux roi sourit. Mais Moranden contemplait son vin en fronçant les sourcils, tous ses espoirs évanouis, emportés par cette marée sonore.

CHAPITRE 4

Vadin ouvrit les yeux au tintement de la cloche matinale. Un instant, il ne sut pas où il était. Tout était trop silencieux. Aucun des cris étouffés habituels de la caserne des écuyers, de moins en moins contenus à mesure que les plus vigoureux faisaient lever les traînards à grandes bourrades. Pas même le nid douillet de ses frères à Geitan, avec le bras de Kevin jeté sur son corps, Cuthan blotti contre lui comme un chiot géant, et un ou deux chiens leur ramenant les couvertures que le bébé, Silan, avait le chic pour tirer à lui. Vadin se sentit très seul, glacé là où sa couverture avait glissé, et entouré de murs étrangers. Des murs qui brillaient comme des nuages devant Lumilune. Il les scruta.

Une silhouette s'y projeta. Les souvenirs affluèrent. Mirain le contemplait, couché dans son nouveau domaine. Il fronça les sourcils. Son suzerain était en kilt et courte cape, son épée du Sud ceinte à la taille, sans autre bijou que son torque, qu'il ne quittait pas même pour dormir. Malgré qu'il eût bu et se fût mis au lit fort tard, il semblait aussi frais que s'il avait dormi du coucher au lever du soleil.

— Allons, dit-il, debout. Voudrais-tu dormir jusqu'à midi ?

Vadin se redressa brusquement, se frottant les yeux pour en chasser le sommeil. Mirain lui tendit un kilt, aux couleurs de la livrée écarlate du roi. Vadin le lui arracha des mains.

— Tu ne dois pas faire cela !

Mirain attendit qu'il l'eût drapé et ceinturé, mais quand Vadin releva les yeux, il vit un peigne dans la main du prince et une lueur dans ses yeux. Il bondit vers lui ; Mirain l'esquiva avec une aisance féline, puis le réduisit au silence en lui mettant le peigne dans la main, ajoutant :

— Dépêche-toi ou je ne te garderai rien pour déjeuner.

Un écuyer ne mangeait pas avec son maître, et partageait encore moins son assiette et sa tasse.

— Les domestiques ont une ou deux petites choses à apprendre, remarqua Mirain lui passant cette dernière.

— Monseigneur, tu ne dois pas...

Les yeux brillants flamboyèrent.

— Me donnerais-tu des ordres, Vadin de Geitan ?

Vadin se raidit.

— Je suis un écuyer. Toi, tu es Prince Héritier de Ianon, dit-il.

— Exact.

Mirain pencha la tête.

— Le formalisme est plus facile, n'est-ce pas ? Un serviteur n'a nul besoin de sentiment pour l'homme qu'il sert. Seulement pour son titre.

— Je suis loyal envers mon seigneur. Il n'a pas à craindre la trahison.

— Et aucun espoir de te lier à lui par l'amitié ?

Vain déglutit, la gorge serrée.

— L'amitié se mérite, dit-il. Monseigneur.

Le prince se leva lentement. Son corps bien adapté évoluait avec la grâce et l'économie d'un danseur d'Ishandri. Un peu crispé maintenant, comme son visage, comme sa voix.

— J'aimerais explorer le château de mon grand-père. Le prince héritier peut-il prendre cette liberté ?

— Le prince héritier peut faire ce qui lui plaît.

Mirain haussa les sourcils. Puis, sans plus de préambule, il s'avança vers la porte. Vadin dut attraper à la diable sa cape, son épée et sa dague, et les accrocher en courant.

A cette heure, seuls les écuyers et les domestiques étaient debout. Les grands aimaient dormir après une longue soirée de bamboche, et le roi ne quittait jamais ses appartements avant la dernière cloche du matin, quand il montait sur les remparts. Sauf que ce matin, il n'avait plus besoin de faire le guet ; Vadin se demanda s'il le ferait quand même, par la seule force de l'habitude.

La forteresse de Ianon était très vaste et complexe, labyrinthe de cours et de couloirs, de salles et de chambres, de jardins et de communs, de tours et de cachots, de casernes et de cuisines, sans compter le gynécée gardé par des eunuques. Seul ce dernier échappa à l'inspection de Mirain, et cela, soupçonna Vadin, seulement pour le moment. Mirain s'approcha du garde, créature moins hermaphrodite que la plupart des monstres d'Odiya, et qui aurait presque pu être un homme, n'était son visage trop lisse ; mais le prince ne tenta ni de parler ni de passer. Il se contenta de regarder l'eunuque, qui recula lentement jusqu'au moment où il ne le put plus, car il était dos à la porte. Le visage du prince était totalement dénué d'expression.

Toujours sans un mot, Mirain pivota sur les talons. Au loin, en haut de la tour des prêtres, une unique voix chantait l'hymne au soleil levant.

A travers l'Enfilade des cours, Mirain descendit vers les postes de garde et les écuries du château. Là enfin, sa tension commença à diminuer. Son visage s'éclaira en parcourant les longues files de boxes, parmi les palefreniers dont la tâche ne leur laissait pas le loisir d'admirer le prince, devant les juments et les poulains à l'entraînement, les chevaux de chasse, de course et de trait, et, à l'écart, les grands destriers de bataille chacun dans un box blindé. Ici et là, il s'arrêtait. Il avait l'œil exercé, Vadin en convint à part lui. Il ignora la grande et hautaine jument mouchetée pour la petite grise du box voisin, la moins impressionnante des juments du roi mais aussi la plus vive. Il ne recula pas quand l'étalon du Prince Moranden le menaça de ses cornes aiguisées, et ce fut le grand cheval gris rayé qui recula, désorienté. Il persuada le bai à cornes blanches d'accepter une friandise de sa main.

Quand il se détourna vers Vadin, il souriait.

— Montre-moi le tien, dit-il.

Vadin ne savait pas à quel point Mirain l'avait désarmé, et avec quelle aisance, jusqu'au moment où il se retrouva dans l'allée secondaire, parmi les montures des écuyers. Rami, sa jument grise, paressait, déhanchée, au milieu de la rangée, la croupe juste un peu moins décharnée que la sienne ; mais la houppe de sa queue était soyeuse et fournie, les jambes longues et fines, les longues oreilles dressées, les yeux argentés très doux. Vadin fondit sous ce regard limpide.

— Elle est magnifique, déclara Mirain.

Vadin se figea, furieux.

— Ses oreilles sont trop longues, on lui voit les côtes, et elle lance des ruades.

— Mais son allure est souple comme la soie et son cœur est d'or.

Mirain était près d'elle et elle tolérait qu'il la touche. Qu'il touche même sa tête. Même ses oreilles frémissantes. Elle souffla doucement sur l'épaule de l'étranger, et Vadin sut que son cœur allait exploser de jalousie.

— Elle est à moi ! dit-il criant presque. Je l'ai élevée depuis sa naissance. Personne d'autre ne l'a jamais montée. L'année dernière, elle a gagné la Grande Course à Imehen, d'Anhei à Morajan entre l'aube et midi, et après, elle a plongé droit dans la mêlée, où les garçons rivalisent pour devenir des hommes. Elle n'a jamais faibli. Pas une seule fois. Même contre des étalons cornus.

La main de Mirain avait trouvé une cicatrice, la plus terrible, qui balafrait le cou de la nuque à l'épaule.

— Et qu'a-t-elle obtenu en échange de cela ? demanda Mirain.

— Elle a ouvert la gorge de la bête.

Vadin frissonna au souvenir du sang et des cris de l'étalon mourant, et de la douce Rami plus affolée par le combat que par la souffrance. Elle l'avait porté jusqu'à la victoire, et il s'en était à peine aperçu. Il était trop désespéré tant il avait peur pour elle.

— Les seneldi de Ianon sont célèbres même dans les Cent Royaumes, dit Mirain. Pour leur beauté, leur force, et leur grande valeur.

— J'ai vu des races du Sud.

Vadin ne leur accorda même pas l'honneur d'un grognement dédaigneux.

— Un maquignon de Poros rôdait toujours à Geitan. Tous les ans, il venait. Tous les ans, il donnait des émeraudes pour les bêtes qu'on éliminait. Des hongres, et, de temps en temps, un étalon que le châtreur n'avait pas encore coupé. Une année, il tenta de voler une jument. Après ça, on s'est assurés qu'il ne reviendrait jamais.

— Ma mère disait qu'un seigneur de Ianon pouvait pardonner le meurtre de son fils premier-né si on savait le persuader, mais jamais le vol d'un senel.

— Les fils premiers-nés sont beaucoup moins rares que les bons seneldi.

— C'est vrai, dit Mirain.

Vadin ne put déterminer s'il parlait sérieusement. Mirain prit courtoisement congé de Rami, quitta le box et regarda autour de lui. L'allée menait, dans le jour levant, à la cour des écuries, à un ou deux paddocks et aux terrains d'entraînement. Quelques poulains étaient dehors, mais Mirain ne s'attarda pas à les regarder.

Il avait entendu ce que les écuyers appelaient

l'hymne du matin : hennissements des étalons, piaffements des sabots sur le bois et la pierre, et, dominant de temps en temps ce tumulte, le cri strident et rageur d'un senel.

Mirain avança sans hésitation : dans un coin du mur, une haute grille, et, à l'intérieur, une petite hutte de pierre, avec des barreaux aux fenêtres. Trois verrous fermaient la porte, sans cesse ébranlée par de furieux coups de boutoir.

— Le Fou, dit Vadin, avant que Mirain ne l'interroge. Cette écurie était réservée à l'étalon du roi, quand il rentrait de campagne pour couvrir les juments royales. Mais le vieux chef du troupeau est mort au printemps, et ne sera pas remplacé avant la naissance des poulains de l'année. En attendant, le Fou a une prison pour lui tout seul. Il appartient au roi, descendant des meilleurs géniteurs, et mon seigneur fondait sur lui de grands espoirs : il est aussi rapide qu'une jument, avec la force d'un étalon, et ses cornes font déjà une aune de long. Mais il a aussi prouvé qu'il était vicieux. Il a tué un palefrenier avant qu'on l'enferme. S'il n'est pas dressé d'ici l'été, il sera donné à la déesse.

— Sacrifié.

La voix de Mirain était rauque de révulsion. Les prêtres du soleil n'honoraient pas leur dieu avec du sang. Il se pencha sur la grille. A l'intérieur de sa prison, le Fou hurlait sa rage.

Avant que Vadin ait pu faire un geste, Mirain avait sauté par-dessus la grille et courait vers la hutte.

Vadin s'élança à sa poursuite. Et se heurta à un mur invisible, qui tint bon malgré ses coups rageurs, et qui le laissa impuissant à tout sauf à regarder.

Mirain avait ôté les trois verrous. Quand la porte s'ouvrit dans un bruit de tonnerre, il sauta de côté. Le Fou fit irruption, écumant et agitant sa splendide crinière. Il était plus que beau. Il était à couper le souffle : c'était un empereur des seneldi, aux jambes longues et fines, au large poitrail, avec le cou arqué et le petit museau des bêtes de Ianon. Ses cornes étaient droites et acérées comme des épées jumelles ; ses sabots étaient d'obsidienne polie, sa robe d'un noir ardent. Son grand défaut était celui de Mirain. Il n'était pas grand pour sa race. Mais il l'était assez, et merveilleux à contempler. Merveilleux et mortel.

Il s'arrêta à un court empan de la grille et pivota en s'ébrouant. Il roula des yeux, rouges comme le sang, comme la folie. Il les fixa sur celui qui était debout près de la porte ouverte. Ses oreilles s'aplatirent. Il baissa la tête, les cornes en bataille. Il chargea.

Mirain était en plein sur sa route. L'instant suivant, le prince n'était plus là, le senel évitant le mur avec la rapidité d'un chat. Mirain éclata d'un rire aigu et sauvage. Le Fou fit volte-face. Le prince s'avança lentement, sans donner aucun signe de peur. Il souriait, provoquant l'étalon à le toucher. Les cornes le manquèrent d'un cheveu. Les sabots aigus ne rencontrèrent que le vide.

Le Fou s'immobilisa. Ses narines palpitèrent, écarlates comme ses yeux. Il rejeta la tête en arrière et tapa du pied comme pour dire : *Comment oses-tu n'avoir pas peur de moi ?*

— Effectivement, comment osé-je ? répliqua Mirain. Tu n'es pas plus fou que moi et beaucoup moins royal. Car tu es fils du vent matinal, mais moi, je suis fils du Soleil.

Un éclair noir frappa juste où il se trouvait. Il n'y était plus. Il était à l'écart, main sur la hanche, calme, inébranlable.

— Me menaces-tu ? Aurais-tu cette audace ? Allons, viens, sois raisonnable. On t'a peut-être volé à ton vieux royaume, mais c'était pour t'en donner un plus grand. Veux-tu être le roi de mes étalons ?

Piaffement, ébrouement, feinte.

Mirain ne bougea pas, sauf qu'il releva la tête.

— *Moi*, que je vienne à *toi*, avec cent juments derrière moi ? Un empereur paye-t-il le tribut à un roi son vassal ?

Il s'avança, largement à portée des cornes et des sabots. Le Fou n'avait qu'à se cabrer et frapper pour l'abattre.

— Je ne devrais pas me mettre en peine pour toi. Dans les écuries, il y a des seneldi qui donneraient leur âme pour me porter sur leur dos. Mais tu es un roi, et les rois, même en exil, suscitent le respect.

Le Fou le considéra, l'air quelque peu déconcerté. Mirain toucha le museau velouté. L'étalon frémit, mais ne mordit pas et ne recula pas. Sa main monta jusqu'aux racines des cornes, se posa légèrement sur la touffe de poils les séparant.

— Eh bien, seigneur, serons-nous rois ensemble ?

Lentement, la tête orgueilleuse s'inclina, renifla la main d'or, souffla dessus.

Mirain s'approcha un peu plus. Soudain, il fut sur son dos. Le Fou resta figé, puis il se cabra en hennissant. Le prince rit. Il riait encore quand le senel partit au galop, sauta la haute grille et fila vers les écuries. Hommes et bêtes s'enfuyaient devant lui.

— Le Fou ! mugit une voix grave. Le Fou s'est échappé !

— Lequel ? grommela Vadin.

D'un ton acide, mais avec une nuance — récalcitrante — d'admiration.

Ils rencontrèrent le roi qui sortait du château, tandis que derrière eux grouillait une foule tumultueuse. Le Fou s'arrêta et continua à piaffer sur place ; Mirain s'inclina devant son grand-père.

— J'ai trouvé un ami, monseigneur.

Vadin était aussi proche que chacun l'osait : juste hors de portée des sabots de l'étalon. Il aurait presque préféré être encore plus près plutôt que de braver le regard accusateur du roi. Mais ce regard était fixé sur Mirain et sur le senel qui, sans entraînement, portait son cavalier avec grâce et aisance ; et qui n'avait rien perdu de sa fierté sauvage.

La froideur s'estompa. Les lèvres minces frémirent imperceptiblement.

— Un ami en effet, mon petit-fils, et un grand seigneur seneldi. Mais je crains que tu n'aies à le soigner toi-même. Aucun homme ne voudra s'en approcher.

— Plus maintenant, dit Mirain, si personne ne s'aventure à le monter. Car, après tout, c'est un roi.

— C'est bien vrai, dit le roi, avec une nuance ironique.

— Maintenant, nous allons dans la Vallée. Viendras-tu avec nous, sire ?

Le sourire du roi s'épanouit, étonnant comme le soleil à midi et plus miraculeux.

— Certainement. Hian, selle mon destrier. Je vais chevaucher avec le prince.

Moranden les observait d'une tour du château : le garçon sur l'étalon noir, sans bride ni selle, et le vieux roi sur le destrier roux, suivis d'une foule de seigneurs, de domestiques et de badauds. Il serra l'appui de la fenêtre à s'en faire blanchir les phalanges.

— Bâtard de prêtresse, grinça-t-il en serrant les dents.

— C'est bien cruel.

Il pivota vers Ymin.

— Cruel ? *Cruel ? Toi, tu as tout ce que tu as recherché.* Toutes tes prophéties réalisées, de nouvelles ballades à chanter, et un joli garçon pour le plaisir de tes yeux. Mais moi — j'ai un royaume qu'on m'a arraché des mains.

— Tu ne l'as jamais eu, remarqua-t-elle sereinement, s'asseyant en tailleur sur le lit du prince.

— Je l'avais quand ce drôle a ensorcelé mon père.

— Ton père ne t'avait jamais déclaré son héritier.

— Et qui d'autre aurait-ce pu être ?

Elle ouvrit les mains en un geste d'ignorance.

— Qui sait ? Mais Mirain est venu. Il est le fils du dieu, Moranden. De cela, je suis certaine.

— Alors tu viens pour te moquer de moi.

— Non, pour te faire entendre raison. Ce garçon a pu apprivoiser le Fou. Que ne pourrait-il pas faire pour toi ?

— Aucun tour de mendiant ne m'entortillera dans ses sortilèges.

— Moranden, dit-elle, d'un ton soudain pressant et passionné, c'est lui. Le roi annoncé. Accepte-le. Cède devant lui.

Debout devant elle, il la saisit rudement par les épaules et la secoua.

— Je ne cède devant personne. Ni devant toi, ni, encore moins, devant un jeune bâtard.

— C'est le fils de ta sœur.

— Ma sœur ! cracha-t-il. Sanelin, Sanelin, toujours Sanelin. Regarde Moranden, comme ta sœur est fière, comme elle est majestueuse, et comme elle est sainte, si sainte ! Allons, mon garçon, sois fort ; quand ta sœur reviendra, voudrais-tu qu'elle ait honte de toi ? Ah, Sanelin, la chère enfant, où est-elle allée ? Si loin, si longtemps, et jamais un mot d'elle.

Il cracha, comme pour se purifier la bouche.

— Qui a jamais fait attention à moi ? Je n'étais que Moranden, un accident, né d'une captive. C'est elle qui était aimée. C'était elle l'héritière. Elle — femme, métisse et prêtresse qu'elle était — *elle* aurait eu Ianon. Et moi, rien. Ni trône ni royaume. Rien du tout.

— Sauf les honneurs, les titres, et toutes les richesses que tu voudrais.

— *Rien*, répéta-t-il avec une douceur haineuse.

Ymin garda le silence. Il rit, d'un rire étranglé et hideux.

— Puis elle mourut. J'appris la nouvelle ; je m'éloignai en secret et exécutai la danse de joie la plus endiablée que je connaissais ; je rêvai de mon royaume. Et maintenant, il est venu, l'enfant chétif, réclamer tout ce qu'elle avait. Tout. Avec l'assurance totale, absolue et inébranlable qu'il a le droit…

Moranden s'interrompit, rejeta la tête en arrière.

— Dois-je m'incliner devant cet intrus ? Dois-je supporter ce que j'ai enduré depuis que je suis adulte ? Par tous les dieux et les puissances inférieurs, non !

— Tu es un imbécile.

La voix d'Ymin était douce, nuancée de dédain.

— Ta mère, en revanche, dont tu répètes toutes les paroles comme un perroquet, elle est folle. A Han-Ianon, nous autres femmes nous coupons nos lisières quand nos seins commencent à pousser. Aucun doute que ce soit différent dans les Marches.

Elle se leva.

— Je vais servir mon prince. Si tu l'attaques, n'attends de moi aucune pitié. Il est mon seigneur comme tu ne l'as jamais été et ne le seras jamais.

CHAPITRE 5

A Han-Gilen et dans les pays du Sud ne régnait qu'un seul grand dieu, le Seigneur de la Lumière. Mais dans le Nord, les anciennes coutumes tenaient bon, le culte non de l'Un mais des Deux, le Seigneur de la Lumière, jumeau et égal de sa sœur la Nuit ; Avaryan et Uveryen, le Soleil et l'Ombre, liés ensemble et ennemis de toute éternité. Chacun avait ses prêtres et chacun avait ses sacrifices. Le royaume d'Uveryen était le royaume de l'air et de l'obscurité, ses prêtres étaient choisis et consacrés en secret, masqués, capuchonnés, sans nom. Ils pratiquaient ses mystères dans des bosquets sacrés et des endroits souterrains ; et ils ne toléraient jamais la présence d'un étranger.

Vadin s'accroupit derrière un rocher, cherchant à imposer le silence même à son cœur. Le chemin était long et pénible du château au lieu de culte de la déesse, ce bois sur l'éperon rocheux qu'aucune hache n'avait jamais défloré. Long chemin, dont il parcourait à pied la section finale, la plus pénible, aussi furtif que son entraînement de chasseur le permettait, et précédé de celui qui était bien meilleur chasseur que lui-même. Mais le Prince Moranden ne s'attendait pas à être suivi. Il était parti à cheval, tranquillement, un faucon sur le poignet, comme pour une chasse solitaire ; à part Vadin, personne ne l'avait vu ou n'avait osé le suivre.

Quoi que pensât Moranden de celui qui l'avait supplanté, il souriait en public et respectait les convenances. Et s'absentait aussi souvent qu'il le pouvait sous un prétexte ou un autre. La chasse le plus souvent, la fauconnerie, ou le gouvernement de ses domaines, car il était Seigneur des Marches Occidentales.

Vadin n'avait ni le devoir ni le droit de ramper derrière lui comme un espion ou un assassin. Mais Mirain était allé où Vadin ne pouvait pas le suivre, au temple d'Avaryan. C'était jour de jeûne pour les prêtres du Soleil, Lumilune ne paraissait pas, temps où le pouvoir du dieu s'affaiblissait devant la force de la Nuit ; ils allaient chanter et prier d'aube à aube, soutenant de leur force le pouvoir de leur dieu. Mirain, qui le lendemain de son arrivée était allé chanter l'hymne du soleil, y avait été mieux accueilli que partout ailleurs à Ianon, excepté par son grand-père ; après quoi, il s'était rendu au temple aussi souvent qu'il le pouvait. Et il avait déclaré sans ambages que Vadin ne devait pas l'y suivre comme un toutou, même dans les salles extérieures, ouvertes à tous les visiteurs.

Ainsi, Vadin était libre mais par une malice de l'enfer il n'y trouvait aucune joie. Mirain était déjà parti quand il s'était réveillé à l'aube ; émergeant d'un cauchemar qui l'avait hanté bien après son lever. Il avait enfilé ce qui lui tombait sous la main, avait lorgné avec répugnance le déjeuner que les serviteurs de Mirain lui avaient laissé sur la table. Sans y toucher, il s'était mis à errer au hasard, jusqu'au moment où il s'était retrouvé aux écuries. Et avait vu Moranden seller son étalon brun rayé noir.

Sans penser à ce qu'il faisait, Vadin avait jeté selle et bride sur Rami et l'avait lancée à sa poursuite. S'il avait réfléchi, il aurait découvert en lui le profond désir d'accoster ce prince qui s'était montré bon pour lui. De lui rendre la pareille, en quelque sorte. De lui expliquer une trahison que, sans doute, Moranden n'avait pas remarquée au milieu de tant d'autres.

Sans hâte mais sans lenteur non plus, et sans trop se cacher, il avait piqué droit sur le bois. Personne n'y chassait si on tenait à sa vie et à son âme, et personne n'allait pour le plaisir dans l'ombre de ces arbres. Le prince n'avait pas lâché son faucon, et n'avait jamais tourné bride, même devant les gardiens du bosquet de la déesse, ces oiseaux noirs qui semblaient infester toutes les branches. L'air était plein de leurs croassements, le sol plein de leurs fientes.

Vadin frissonna dans sa cachette. Soit que l'arrivée de Moranden eût dissimulé la sienne, soit qu'il se fût déplacé plus furtivement qu'il ne le croyait, les oiseaux ne lui avaient pas prêté attention. Pourtant, le bois lui-même semblait frémir d'indignation. Etranger qu'il était, attaché par ordre du roi au fils du Soleil, il osait violer le domaine de la Nuit. Le ciel noir d'orage projetait un sombre crépuscule sous les arbres, où, un par un, les oiseaux étaient venus se poser.

Moranden était debout, à un court jet de lance, à l'orée d'une clairière. Bien qu'ouverte sur le ciel, l'obscurité n'y était pas moins profonde. Le sol était nu, sans herbe ni fleur, avec, au centre, une dalle de pierre. Pierre brute que nulle main n'avait taillée, surgie du sol stérile, et couverte d'un monceau de fleurs, rouges comme le sang. Parodie, peut-être, des fleurs qui ornaient le temple d'Avaryan en ce temps de sa puissance déclinante.

A moins que l'autel d'Avaryan ne fût lui-même une parodie ?

De nouveau, Vadin frissonna. Ni l'endroit ni le culte ne le concernaient. Né dans le Nord, il craignait la déesse et lui témoignait le respect qui lui était dû, mais il n'avait jamais pu l'aimer. Pour Uveryen, l'amour était une faiblesse. Elle se nourrissait de la peur et de l'amertume de la haine.

Moranden était comme figé, son faucon immobile sur son poignet, son étalon attaché à l'orée du bois, excluant une fuite rapide. Vadin ne voyait pas son visage. Il redressait les épaules, les muscles tendus, sa main libre refermée en poing.

L'air obscur remua et s'épaissit. Vadin réprima un cri. Où il n'y avait rien se dressait maintenant un demi-cercle de silhouettes. Robes noires, capuchons noirs, sans visages, sans mains, sans lumière. Et ils ne parlaient pas, ces prêtres de la déesse. Ou était-ce des prêtresses ? Impossible à dire.

L'une glissa de l'avant. Moranden trembla, agité d'un spasme soudain, mais ne recula pas. Peut-être ne pouvait-il pas faire autrement.

Battement d'ailes. Le faucon s'envola de sa main, rompant ses jets. L'obscurité l'engloutit. Une unique plume tomba, froide comme l'hiver, et atterrit en spirale aux pieds du prince.

Les oiseaux de la déesse se retirèrent. Il ne restait ni sang ni os du faucon, pas même les clochettes de ses jets.

— Savoureux morceau.

La voix était dure et atone. Vadin, sursauta, regarda la silhouette noire, et vit un oiseau noir sur son épaule. L'oiseau ouvrit le bec.

— Sacrifice suffisant, dit-il. Que demandes-tu en retour ?

La main de Moranden était encore levée, comme si l'oiseau y reposait. Il l'abaissa lentement

— Qu'est-ce…

Il parlait d'une voix rauque ; il secoua la tête puis la releva, et prit une longue inspiration.

— Je ne demande rien. Je me rends à une convocation. Aucun culte n'est-il prévu ? Ai-je perdu pour rien mon meilleur faucon ?

— Il y aura un culte.

Voix humaine cette fois, venant d'au-delà du cercle, d'au-delà de l'autel, en robe comme les autres. Mais le capuchon était rabattu en arrière, révélant un visage ni jeune ni bienveillant, beau et terrible comme les fleurs de la pierre.

— Il y aura un culte, répéta la femme en s'avançant, et tu seras le Jeune Dieu une fois de plus. Mais une fois seulement. Après, nous en aurons fini avec les simulacres et le sang des bêtes muettes.

L'oiseau noir quitta son perchoir et vint se poser sur son épaule. Elle lissa ses plumes d'un doigt, en roucoulant.

Moranden était toujours tendu, mais moins effrayé, moins respectueux, plus impatient.

— Simulacres ? Que veux-tu dire ? Il *s'agit* du rite, de la danse, de l'accouplement. Du sacrifice.

— Du sacrifice, oui, dit-elle.

— Tu ne..., commença-t-il d'une voix sifflante.

Elle leva la main, en un assentiment imperceptible.

— C'est interdit.

— Par qui ?

Elle était maintenant devant lui, l'oiseau immobile sur son épaule, les yeux scintillants.

— Par qui, Moranden ? Par les prêtres de l'ardent Avaryan, et par le roi qui est leur marionnette. Il donna sa fille au Soleil, elle qui, selon une antique coutume, aurait dû être consacrée à la Nuit. Mais à la fin, la déesse a repris son sang.

— Alors la déesse devrait être satisfaite.

— Les dieux ne sont jamais satisfaits.

Moranden se redressa.

— Très bien. Une fois de plus, je ferai le Jeune Dieu. Mais ce ne sera pas une comédie. J'aurais préféré que tu me préviennes.

Sans aucun doute, cette femme était Dame Odiya, et elle était plus belle et plus terrible que ne le disait la rumeur. Elle semblait déchirée entre la rage et le rire amer.

— Tu es bel homme, mon enfant, et tout à fait au goût de la déesse. Mais tu es aussi un imbécile. Une fois de plus, ai-je dit, tu joueras le rôle du dieu. Puis tu abdiqueras en faveur d'un autre. Un autre accomplira pleinement l'antique rite.

— Et mourra ce faisant, dit durement Moranden. Je n'aime pas cela, Mère. Il fut un temps où, tous les neuf ans, un jeune homme était sacrifié pour le bien de la tribu ; et peut-être la tribu s'en trouvait-elle bien. Personnellement, j'en doute. Gaspiller est toujours gaspiller, même au nom des dieux.

— Imbécile, dit Dame Odiya.

De nouveau, l'oiseau remua. Ses serres se refermèrent sur l'épaule de Moranden. Son bec claqua à son oreille, tandis qu'il restait figé, dépouillé de son souffle et de son arrogance.

— Un sacrifice n'est jamais un gaspillage. Pas quand il peut acheter la faveur de la déesse.

— C'est un meurtre.

— Un meurtre, répéta l'oiseau avec dérision. Homme, veux-tu être roi ?

— Je veux être roi, répondit Moranden, et qu'il parle d'une voix ferme ne fut pas ce qu'il fit de moins courageux, avec cette horreur sur son épaule. Mais qu'est-ce que cela a à voir avec...

L'oiseau lui donna un très léger coup de bec à un cheveu de l'œil. Sa tête eut un soubresaut ; sa main se leva d'elle-même.

— Homme, dit l'oiseau, ce qui immobilisa la main, tu veux être roi. Que donnerais-tu pour gagner le trône ?

— N'importe quoi, grinça Moranden. N'importe quoi. Sauf...

Le bec se leva, comme une dague.

— *Sauf*, homme ?

— Sauf mon honneur. Mon âme, tu peux l'avoir. Même ma vie, s'il le faut.

— La déesse n'exige rien de tout cela. Pour le moment. Elle exige seulement une chose : donne-lui le fils de ta sœur.

Moranden devait savoir ce que la créature exigerait. Pourtant il resta comme assommé, muet de stupeur.

Sa mère parla avec douceur, presque avec bonté.

— Donne-lui ce garçon. Donne-lui l'être que tu hais le plus au monde, celui qui t'a arraché le trône et le royaume, et ne t'a rien donné que son mépris. Laisse-lui prendre ta place une fois de plus ; laisse-le mourir pour toi. Alors, tu seras roi.

Les yeux de Moranden se fermèrent ; sa bouche s'ouvrit, mi-soupir, mi-cri.

— Non !

L'oiseau resserra ses griffes jusqu'à ce que le sang coule, vermeil, sur l'épaule nue. Moranden dédaigna la douleur.

— J'aurai le trône, et je devrai sans doute tuer le petit bâtard pour l'obtenir. Mais pas comme ça. Pas en rampant dans l'ombre.

Odiya s'était redressée de toute sa taille.

— En rampant, Moranden ? Est-ce ainsi que tu me vois ? Est-ce ainsi que tu vois toute ta vie de dévotion ? Ai-je mis au monde un apostat qui nous détruira ?

— Je suis un guerrier, pas une femme ou un prêtre. Je tue au grand jour, où tous les hommes peuvent me voir.

— *Lui*, il est prêtre ! s'écria la reine qui ne l'était pas. Il est sorcier, il est mage. Pendant que tu radotes sur l'honneur, il t'ensorcellera et te rejettera dans l'ombre que tu méprises, et il te détruira.

Moranden restait inflexible.

— Soit. Au moins, je mourrai sans perdre mon honneur.

— Ton honneur, Moranden ? Y a-t-il de l'honneur à t'incliner devant lui ? Mourras-tu son esclave, toi qui es le fils unique du roi de Ianon ? Te laisseras-tu fouler aux pieds ?

— Je ne peux pas...

La voix de Moranden s'étrangla, presque en un sanglot.

— C'est une infamie. De vendre... même ça... pour trahir mon propre sang.

— Même pour être roi ? dit l'oiseau.
— J'étais fait pour être roi ! J'étais né...
— Lui aussi.
Les lèvres de Moranden se refermèrent sur sa fureur.
— Il est plus puissant que toi, dit l'oiseau. C'est celui annoncé par les prophéties, le Fils du Soleil, le dieu-roi qui rangera le monde sous son autorité, et convertira tous les hommes au culte d'Avaryan. Auprès de lui, tu n'es qu'une ombre, un poseur vide qui ose s'imaginer digne d'un trône.
— C'est un bâtard, cracha Moranden, soudain venimeux.
— C'est le Fils du soleil.
Moranden grinça des dents.
— Pour étranger et intrus qu'il soit, tout Ianon lui rend hommage. Son peuple apprend à l'aimer ; ses bêtes rampent devant lui ; les pierres mêmes s'inclinent sur son passage. *Seigneur*, l'appellent-ils tous ; *roi* et *empereur*, né du dieu, prince du matin.
— Je le hais, grinça Moranden. Je... hais...
L'oiseau claqua du bec ; il déploya ses ailes.
— Quand nous l'aurons, dit-il, tu seras roi.
Moranden leva les poings.
— Non. Vous le voulez, allez le chercher vous-mêmes. Mais faites vite, ou c'est moi qui l'aurai. A ma façon, et pas à une autre. Ou je mourrai. Et maudites soient toutes vos perfidies !
Violent, vicieux, l'oiseau lui donna un coup de bec dans la joue, perçant la chair jusqu'à l'os. La tête de Moranden fut projetée en arrière. L'oiseau s'envola.
— Damné, glapit-il. Perdu et damné !
Le bois s'emplit de battements d'ailes et de voix, de serres acérées et d'yeux moqueurs. Et, plus profond, un frémissement aussi beau qu'il était horrible : un rire de femme.

Vadin se releva en chancelant. D'immenses formes

se dressaient autour de lui, arbres antiques voilés en présence de la déesse. Des branches l'agrippaient, des racines surgissaient devant ses pieds, les rameaux le griffaient au visage, le forçant à reculer. Il se débattait contre eux, affolé, mais avec une volonté ferme et sauvage.

Il agitait les bras dans le vide. Il trébuchait douloureusement sur les pierres. Le doux parfum des fleurs l'enivrait, plus puissant que le vin, plus puissant que la fumée des rêves. Il bondit en arrière.

Peu à peu, son esprit s'éclaircit. Autour de l'autel, les oiseaux, les prêtres en longues robes, la déesse incarnée dans la femme mortelle, avaient disparu. Près de lui, presque à ses pieds, gisait celui qu'ils avaient rejeté. Son visage n'était plus qu'une plaie sanglante.

Il tomba à genoux près de Moranden. Il essuya le sang avec l'ourlet de sa cape. Moranden ne parla ni n'émit un son. Un œil fixait le ciel sans le voir ; l'autre se perdait dans le sang.

Vadin aurait pleuré s'il en avait eu le temps, ou si le lieu l'avait permis. Serrant les dents, il passa le bras inerte sur ses épaules. Bandant tous ses jeunes muscles, grommelant malédictions et prières, il releva Moranden. Puis, pas après pas, obstiné, il se mit à marcher.

Un silence de mort était tombé sur le bois. Les seuls sons étaient son souffle rauque et la respiration sifflante de Moranden à son oreille, leurs pas traînant dans l'humus, et les battements de son cœur. Des yeux l'observaient. Ils surveillaient, ils attendaient. Il sentait leur haine, froide et cruelle comme le sang et le fer.

Il la chassa, emplissant son esprit de toutes les pensées frivoles qu'il put trouver. Chansons d'amour, sexe, vin, réjouissances, et paillardises. Lentement, prudemment, il avançait, au rythme d'une chanson à boire, tandis que le bois se refermait autour de lui. Dans l'immobilité était la mort, dans la reddition la destruction, dans la terreur la damnation.

Une lueur brilla. Sans doute était-ce une illusion. Ce

bois n'avait pas de fin. Vadin y était prisonnier, jusqu'à la folie ou la mort.

La lueur s'amplifia. Et soudain, elle l'entoura, claire lumière du jour brillant sur une longue pente, avec Rami attachée à quelque distance de l'étalon de Moranden, et la Vallée au-dessous de lui. Avec un long soupir, il laissa Moranden glisser sur le sol. Son propre corps suivit, soudain amorphe. Une brume rouge s'épaissit autour de lui.

Une ombre se dressait à l'intérieur, noire, bordée de feu. Elle se pencha sur lui, déployant d'immenses ailes, criant des mots de pouvoir et de terreur. Il répondit par d'autres cris, et lutta, tirant de la force des profondeurs de sa volonté. Une main se leva, noire, mais avec en son centre un soleil.

Vadin suffoqua et se détendit. L'ombre était Mirain, avec le Fou derrière lui, les mains de Mirain qui le soulevaient avec une force démentant sa petitesse. Il y avait du sang sur son visage, sur son kilt.

— Pas le mien, dit-il de sa voix familière. Tu en es couvert.

Il déplaça le poids de Vadin sur son épaule, leva de nouveau la main. Involontairement, Vadin eut un mouvement de recul. La marque du dieu flamboyait, comme de l'or liquide.

C'était chaud, pas brûlant ; tiède comme la chair. Il le posa doucement par terre, tira un linge de nulle part, se mit à lui nettoyer le visage. Vadin le repoussa.

— Ne t'occupe pas de moi. Je n'ai besoin de rien. Aide-moi à soigner le prince.

Faible comme un enfant, Vadin se leva pourtant à grand-peine, s'écarta de Mirain et s'approcha de Moranden. Le prince était tout flasque et presque ratatiné, comme si la déesse avait pris sa vie avec son sang, et aspiré son âme. Ainsi qu'il l'avait fait près de l'autel, Vadin s'efforça d'arrêter l'hémorragie. Il ne voyait pas l'œil de Moranden, inondé de sang. S'il était crevé…

— Ce n'est pas plus que ce qu'il mérite.

Vadin pivota, livide de rage. Mirain, même l'orgueilleux Mirain, recula d'un pas. Puis il se rapprocha, baissa les yeux sur le frère de sa mère, et dit de sa jeune voix calme et royale :

— Il trame des trahisons. Il mérite bien davantage que la perte d'un œil.

— Il est ton parent.

— Il est mon ennemi.

Vadin le frappa. Mais le coup était sans force. Plus fortes furent les paroles qu'il lança sans mesure ni merci.

— Qui es-tu pour juger cet homme ? Prince hautain, tout plein de ta vertu, avec le sang du dieu dans tes veines et ton empire déployé devant toi, que sais-tu du droit, du pouvoir ou du mérite ?

Sa colère l'avait fait lever, et le soutenait, dominant Mirain de toute sa taille.

— Dès ta naissance, tu fus destiné à être roi. C'est du moins ce que tu dis. Ce que disent les ballades. Ce que je commençais à croire malgré moi. Mais maintenant…

Sa voix ne fut plus qu'un murmure.

— Maintenant, je te vois pour ce que tu es. Retourne à ton grand-père, et laisse-moi, afin que je me rappelle qui est mon véritable seigneur !

Il était bien au-delà de se soucier de sa sécurité. Mais quand sa voix se tut, son cœur battait à grands coups, et pas seulement de colère. Le visage de Mirain avait perdu toute expression, mais les yeux noirs flamboyaient. Il pouvait l'abattre d'une chiquenaude, l'aveugler comme il avait aveuglé celle qui avait trahi sa mère, transformer toutes ses belles paroles en des croassements de charognards.

Vadin releva la tête, se força à regarder en face ce regard insoutenable.

— Ou bien tu peux m'aider, dit-il avec calme. Il lui

faut un guérisseur, et vite. Ta seigneurie daignera-t-elle aller en chercher un ?

Mirain serra le poing. Vadin attendit qu'il frappe.

— Ce serait trop long de faire venir quelqu'un du château, dit Mirain.

Vadin lui tourna le dos. Pendant qu'ils parlaient, le visage de Moranden était devenu gris sous le sang de ses blessures ; ses yeux étaient vitreux, il râlait.

— Mais, dit Vadin au ciel indifférent, ses blessures sont si légères et sa force est si grande.

— La déesse est plus forte que lui.

Mirain s'agenouilla de l'autre côté de Moranden. Vadin le considéra, le regard vide. Il n'était ni prince ni ennemi maintenant, seulement une complication contrariante.

— Oui, dit Vadin d'une voix morne, elle est puissante. Le tueras-tu maintenant ? Il est à ta merci.

Mirain le regarda, avec une expression qui ressemblait à de l'horreur. Plus tard, peut-être, il trouverait en cela un faible réconfort.

— Tu es puissant.

Il posa la tête de Moranden sur ses genoux.

— Vas-y, fils du dieu, détruis ce prêtre de la nuit.

Mirain secoua la tête de droite et de gauche, comme en proie à une grande souffrance.

— Je ne peux pas. Pas comme ça. Pas...

— Alors, dit Vadin, guéris-le.

Mirain sursauta. Il n'avait jamais paru plus jeune et moins royal.

— Guéris-le, répéta Vadin sans égards. Tu es un mage, tu me l'as dit toi-même. Tu es plein à éclater de la puissance de ton père. Elle peut détruire cet homme, ou le sauver. Choisis !

— Et si je ne choisis ni l'un ni l'autre ?

Mirain avait du mal à parler, et sa voix se brisa sur ses derniers mots, à sa visible honte.

— Si tu ne choisis pas, tu n'es pas roi. Ni maintenant, ni jamais.

Mirain leva la main d'un mouvement convulsif, défense, protestation, royale indignation. Vadin tint bon, tout en détournant les yeux de la flamme d'or.

— Choisis, répéta-t-il.

La main de Mirain s'abaissa. Lentement, il la posa sur la joue de Moranden. Le prince trembla à ce contact, et se tordit comme en proie à la douleur.

La mort, pensa mornement Vadin. *Il a choisi la mort.* Comme, à sa façon, Moranden l'avait choisie, par amour pour la royauté. Ils étaient bien du même sang, ces deux-là, plus proches qu'ils ne voulaient bien le croire.

Les yeux de Mirain se fermèrent. Son visage se crispa sous l'effort. Son souffle devint rauque. Quelqu'un cria — Moranden, Mirain, Vadin, peut-être tous les trois.

Mirain s'affaissa sur ses talons. Vadin baissa la tête ; ses yeux se dilatèrent. Moranden dormait paisiblement, les yeux fermés comme dans le sommeil, le souffle égal. A l'endroit de la blessure, sur l'arcade de la pommette, à l'extrême bord de l'orbite, était une cicatrice en forme de pointe de lance. Elle s'estompa sous les yeux de Vadin, ne restant plus que comme la trace grisâtre d'une vieille blessure.

Un mouvement lui fit relever les yeux. Mirain était debout berçant sa main dorée.

— Je suis fou, dit-il. Un jour, je serai peut-être roi. Mais je ne suis pas un meurtrier. Pas même quand je peux voir…

Il fut secoué d'un frisson.

— Puisse le dieu nous protéger tous.

CHAPITRE 6

Une fois de plus, Vadin était debout dans les ombres. Des ombres claires, projetées par le feu, dansant sur les murs de la chambre royale au rythme de la musique d'Ymin. Elle ne jouait aucune mélodie qu'il reconnût, mais émettait des notes au hasard, belles comme la pluie clapotant dans un bassin.

Le roi était assis à une table près du feu. Une lampe projetait une lumière dorée sur le livre ouvert devant lui. Chose rare chez un seigneur de Ianon, il savait lire. Il lisait aussi souvent qu'il le pouvait, et y prenait assez de plaisir pour désirer apprendre les lettres compliquées d'Han-Gilen. Ou peut-être n'était-ce qu'un prétexte pour garder près de lui son petit-fils, debout, le bras sur les épaules du vieil homme, et qui lisait tout bas d'une voix claire. Au dire de tous, le roi n'avait jamais aimé les contacts, marchant à part dans l'armure de sa royauté ; mais Mirain avait percé ces puissantes défenses. Assez curieusement, le roi semblait l'accepter, et même y prendre plaisir, alors que, venant de tout autre, cette familiarité aurait été châtiée.

Ils rirent, le vieil homme et le jeune homme, à un mot d'esprit inattendu. Proches l'un de l'autre sous la lumière de la lampe, ils se ressemblaient d'une façon frappante : même fierté, même nez busqué, mêmes yeux profondément enfoncés dans les orbites. Quand

Mirain serait vieux, il serait pareil à son grand-père, pareil à une statue.

Vadin frissonna, soudain transi. Le visage de Mirain vieillit dans son esprit, devint flou et disparut. Comme si Mirain n'était pas destiné à vieillir. Comme si…

L'écuyer se secoua vigoureusement. Cette affreuse journée l'avait abruti. Les chimères de la nouvelle lune pour commencer, puis les horreurs du bois, et le reste qui se perdait dans le brouillard. Quand il essayait de réfléchir, il n'y parvenait pas, ou alors il voyait des visions de cauchemar. Et Mirain ne lui avait pas adressé un mot depuis qu'ils avaient laissé Moranden récupérer au soleil, gardé par des paroles magiques ; depuis qu'ils avaient chevauché ensemble jusqu'au château, le prince une demi-longueur devant et l'écuyer derrière, comme le voulaient les convenances. A chaque pas de Rami, Vadin s'était un peu plus enfoncé dans le silence. Mais Mirain avait fait comme s'il ne s'était rien passé, sauf qu'il n'avait tenté aucun effort pour percer la nouvelle armure de son serviteur.

Le livre fut roulé et lié, la musique se tut. Mirain s'assit aux pieds du roi, ses bras reposant sur les genoux balafrés et durcis par l'âge de son grand-père.

— Oui, dit-il avec un soupçon de sourire, je suis venu à pied d'Han-Gilen. D'abord, parce qu'on m'aurait trop remarqué à cheval, avec le prince qui me cherchait dans tout le pays, et ensuite parce que j'ai trouvé cela agréable. Une fois sorti d'Han-Gilen, personne ne connaissait mon visage, et je dissimulais ma main. Je n'étais qu'un vagabond comme un autre.

Son sourire s'élargit.

— Parfois j'étais trempé, transi ou affamé ; mais j'étais libre, et c'était magnifique. Je pouvais aller où je voulais, m'arrêter quand ça me plaisait. Je m'attardai tout un cycle de Grandlune dans un village qui avait perdu son prêtre.

— Dans un village ? dit le roi, d'une voix grave et vibrante. Parmi les gens du commun ?

— Fermiers et chasseurs, répondit Mirain. C'étaient de braves gens dans l'ensemble. Et aucun ne savait qui j'étais ni ce que j'étais. Personne ne m'appelait roi ni prince. Aucun ne s'inclinait devant moi par amour pour mon père. L'un d'eux, dit-il en riant, s'est même chamaillé avec moi. Une fille me suivait partout, et elle était promise à un homme riche du village. Sa maison avait une porte en bois, et il possédait un taureau et neuf vaches. Il ne pouvait pas tolérer un rival tel que moi, garçon chétif aux cheveux nattés comme une femme. Il m'a défié au combat. J'acceptai, bien sûr ; la dame regardait.

— Et tu as promptement abattu ce paysan pour son insolence.

Mirain rit avec insouciance.

— Je m'efforçais d'être prudent, car j'avais été entraîné au combat par des maîtres, et lui n'était qu'un laboureur. Mais il a foncé sur moi, et d'un grand mouvement tournant, m'a étendu à terre.

Le roi se hérissa. Mirain souriait. Finalement, le roi dit, avec un sourire ironique :

— Et qu'a dit la dame ?

— Elle a poussé un cri et est accourue à mon aide, ce qui était plutôt réconfortant. Mais à la fin, elle décida qu'elle aimait mieux avoir le taureau, les neuf vaches et la porte en bois plutôt qu'un amoureux au corps consacré au dieu. Je les ai mariés le jour de mon départ. Entre-temps, leur nouvelle prêtresse était arrivée, mais ils insistèrent tous les deux pour que j'officie : nul autre que moi ne devait les unir. Je leur ai prédit une douzaine d'enfants et une vie de prospérité, et tout le monde fut content.

— Toi aussi ? demanda Ymin, abandonnant sa harpe pour la chaleur du feu.

Mirain se tourna vers elle, mi-grave, mi-souriant.

— J'étais de nouveau libre. Je comprends maintenant pourquoi la loi impose un Voyage au jeune initié, même si le mien fut écourté par la force des choses. Mais pour moi, une année en a valu sept.

— Un jour, tu termineras peut-être ton Voyage, dit le roi.

Mirain serra la vieille main noueuse dans sa jeune main vigoureuse.

— Non, monseigneur. Ma mère a Voyagé pour deux tandis que tu attendais un mot d'elle. Tu n'auras plus à attendre.

Le roi passa sa main libre dans les épais cheveux ondés de Mirain ; rare caresse.

— Je t'attendrais, cela dût-il durer cent ans.

— Vingt et un ans suffisent.

Mirain releva la tête.

— Grand-père, ma présence t'embarrasse-t-elle ? Préférerais-tu que je ne sois jamais venu ?

Ymin ravala bruyamment son air, mais le roi sourit.

— Tu sais bien que non.

— Oui, reconnut Mirain, je sais. Et moi, je ne voudrais pas non plus être ailleurs.

— Même pour être libre sur les routes du monde ?

— Même ainsi.

Quand Mirain quitta le roi, il ne se coucha pas immédiatement mais s'attarda à sa fenêtre. C'était devenu une habitude, ce moment de silence avec les senteurs de la nuit qui montaient pour embaumer sa chambre. Il était arrivé au début du printemps, la neige à peine fondue dans les cols. Maintenant, le printemps s'avançait, Lumilune était sombre, mais Grandlune se levait et allait vers son plein. Devant lui, une clarté blanc bleuté baignait les remparts.

— Père, dit-il, quand tu m'as engendré, t'es-tu demandé si je serais à la hauteur de ma tâche ?

Le silence était absolu. Mirain soupira ; quand il reprit la parole, il aurait pu s'adresser à Vadin.

— Enfin, ce n'est pas comme s'il était un mortel, ou

l'un de ces milliers de petits dieux apprivoisés, pour obéir aux ordres de n'importe qui. Même de son fils.

Il posa la joue contre la fenêtre. La pierre luisait d'une lumière qui ne venait pas seulement du clair de lune, bien que l'aube fût encore loin. La pierre le connaissait, lui avait dit le roi plus d'une fois. Où qu'il fût, le château réagissait à sa présence comme à la venue du soleil.

Il se retourna, le poing droit fermé à son côté. Il ne pouvait pas le serrer comme il l'aurait fallu, la main raidie par l'or qui n'aurait pas dû s'y trouver.

— C'est douloureux, dit-il, doucement, mais tendu. Ça brûle. Ça me remplit la main comme une grande pièce d'or, une pièce chauffée dans le feu, que je ne peux jamais abandonner. Parfois plus, parfois moins ; parfois, ce n'est pas pire qu'un bout de métal trop chauffé au soleil ; parfois, je dois faire appel à toutes mes faibles forces pour l'endurer en silence. J'en suis fier, Vadin. Je n'ai jamais crié ni pleuré pour ça, et je n'en ai même jamais parlé depuis ma petite enfance. Personne ne savait quelle souffrance était la mienne, sauf ma mère et le Prince d'Han-Gilen. Et certainement — certainement, ma sœur.

Il s'interrompit, fronça le front, se détendit. Il sourit presque.

— Curieux que je pense à elle ce soir. A cause de mon humeur, sans doute ; je m'apitoie sur moi-même. Et lui donner un nom n'arrange rien. Dois-je la faire disparaître magiquement ? Regarde.

Vadin n'eut pas le choix, pas le temps de choisir. Les yeux de Mirain l'avaient saisi, ensorcelé, aspiré en eux. Il *était* Mirain. Corps sans grande beauté, centré autour d'une agonie blanche. Puis l'agonie s'estompa, maintenue à l'écart par une volonté forte comme le fer. Il vit un visage : un visage solennel d'enfant, à la peau couleur d'ambre et aux cheveux roux, éclatants comme du cuivre natif. Dès le moment où elle avait pu marcher, elle s'était faite l'ombre de Mirain ; ce qui faisait rire les beaux esprits, car il était tout noir, noir ébène et noir corbeau, et elle, elle était tout miel et feu. Mais rien ne pouvait l'éloigner de lui, ni le ridicule, ni la cruauté.

— Tu me fais honte ! s'était-il écrié un jour.

Elle avait échappé à sa nourrice, dédaigné la monture placide jugée convenable pour une demoiselle d'à peine sept printemps, et, volant le grand poney de Mirain, elle s'était lancée à la poursuite de la chasse à laquelle il participait. Elle avait maîtrisé ce diable de poney noir, ce qui n'avait pas surpris Mirain ; mais son intrusion dans la chasse, au milieu d'une bonne douzaine d'écuyers du prince, lui avait fait oublier toute charité.

— Tu me fais honte, répéta-t-il de son ton le plus froid. Je te traîne comme un boulet. Je ne veux pas de toi ici. Je ne veux pas que tu t'accroches à mes basques. Je ne veux pas…

Elle l'avait regardé. Le poney était trop grand pour elle, le tapis de selle de travers, des brindilles accrochées dans ses cheveux en désordre, mais son regard anéantissait tout cela. Ce n'était pas le regard d'une enfant.

— Tu n'as pas honte, dit-elle. Et tu ne me hais pas non plus.

Il ouvrit la bouche et la referma. Les chasseurs avaient disparu depuis longtemps, suivant la trace, indifférents à son absence. Les aboiements des chiens s'affaiblissaient dans le lointain.

Le poney rejeta en arrière sa tête dangereuse, et menaça l'étalon de ses cornes. Elle eut du mal à le retenir, mais elle y parvint sans rien perdre de sa passion.

— Je te laisse seul quand tu en as vraiment besoin. Tu le sais.

— Alors, je ne dois pas en avoir souvent besoin.

— Quand tu as voulu jouer avec Kieri dans la meule de foin…

Les joues de Mirain s'empourprèrent ; le sang battit à ses tempes. Il se jeta sur elle. Ils tombèrent par terre ensemble, leurs montures piaffant de côté et au-dessus d'eux ; lui sous elle ; elle se débattant sur lui. Elle avait un poids négligeable, mais des coudes redoutablement pointus.

Il resta allongé, hors d'haleine, s'efforçant de la maudire. Assise sur lui, elle éclata de rire.

— Hal dit que tu dois jouer autant que tu peux maintenant, avant de gagner ton torque, parce que après…

Il lui ferma la bouche de sa main marquée. Sa vue effrayait la plupart des gens, mais Elian ne craignait ni dieu ni homme, et elle la mordit.

A dessein ou par hasard, elle ne rencontra pas la marque mais la chair. Douleur sur douleur spiralante le vidèrent de toute colère et honte, et le précipitèrent, hurlant, aux confins de l'inconscience.

La petite douleur s'estompa. La grande douleur augmenta sans cause, sans fin, sans espoir de rémission. Pourtant, il la supporta, pleinement et horriblement conscient de sa présence, même quand le gouffre s'ouvrit à ses pieds. Le gouffre ne voulut pas l'avaler dans un oubli miséricordieux. Il ne voulut… pas…

La douleur disparut.

Pas totalement. Elle s'était réduite à sa plus petite dimension, état le moins douloureux qu'il connaîtrait jamais, mais après cette atroce agonie le soulagement fut si grand qu'il en aurait pleuré. Sa vue s'éclaircit, et il vit Elian agenouillée près de lui, serrant sa main sur son cœur. Le visage verdâtre, elle croassa :

— Mirain ! Oh, Mirain !

Il n'eut pas la force de retirer sa main. Il pouvait à peine parler.

— Qu'est-ce que… qu'est-ce que tu as fait ?

— J'ai enlevé la douleur, grimaça-t-elle. Ça fait mal. Comment quelque chose peut-il faire aussi mal ?

— Tu as enlevé la douleur, répéta-t-il bêtement. Tu

l'as enlevée… Elian. Bébé-sorcière. Sais-tu ce que tu as fait ?

— Ça fait mal.

Elle caressa la main aussi tendrement que si ç'avait été la sienne.

— Ça te fait toujours mal. Pourquoi, Mirain ?

— Tu peux la guérir. Elian, petite crinière de feu, tu as la magie de ton père.

Elle ne tint pas compte de ces paroles. Bien sûr qu'elle avait le pouvoir, elle l'avait toujours eu, et étant ce qu'il était, il aurait dû le savoir.

— Pourquoi ça fait-il mal, Mirain ?

— Parce que c'est la volonté de mon père.

Elle fronça les sourcils, avança le menton.

— Dis-lui d'arrêter.

Même faible comme il était, il eut envie de rire.

— Mais c'est le dieu, petite fille. Personne ne peut lui dire ce qu'il doit faire.

— *Moi*, je peux. Il te fait mal. Il ne devrait pas. Surtout ici, où c'est le plus douloureux. Ce n'est pas juste.

— Cela m'oblige à me rappeler qui je suis, ce pour quoi je suis là. Cela m'empêche de devenir trop orgueilleux.

Elle continua à froncer les sourcils, têtue.

— Ce n'est pas nécessaire.

— Non ? dit-il. J'ai été cruel avec toi. Tu as vu comme je l'ai payé.

— J'ai de bonnes dents solides. Même s'il m'en manque encore la moitié.

Elle tapota sa main, qui n'avait aucune marque de dents.

— Tu n'auras plus jamais mal tant que j'aurai mon mot à dire.

— Et je n'ai plus jamais eu mal, dit Mirain. Plus beaucoup. Mais je l'ai quittée, pour aller où me conduisait mon père. Ici, personne ne peut refroidir le feu.

Vadin en restait sans voix, muet d'horreur. Sorcellerie — âme réduite en esclavage…

— Mon père m'a forgé, dit Mirain. Il m'a façonné en vue de ses desseins. Je suis l'Epée du Soleil, son arme la plus puissante contre la Nuit. Mais il m'a formé à la ressemblance d'un mortel, chair, sang et os, et, pire que tout, esprit qui a la faculté de penser et de craindre. Je ne serai peut-être pas assez fort. Je lui faillirai peut-être. Et si j'échoue…

— Tais-toi !

Le cri de Vadin fut rauque du double effort qu'il faisait. Pour parler, et pour empêcher ses mains de serrer ce cou cerclé d'or.

— Mon corps t'appartient pour en faire ce que tu veux. Mon service t'est consacré pour autant que durera mon corps. Mais si tu recommences à toucher mon esprit, par tous les dieux qui furent jamais, je te tuerai.

— Je n'ai pas touché ton esprit, dit doucement Mirain avec calme.

— Tu ne l'as pas touché, dis-tu ? Non. Tu l'as violé.

Vu le peu d'attention que Mirain lui prêta, il aurait aussi bien pu se taire.

— Je ne t'ai pas touché. Je t'ai ouvert mon esprit et tu t'y es jeté tête baissée.

— Logique de sorcier. Tu m'as attiré dans un piège. Tu m'as violé.

— Je t'ai montré la vérité.

— Oui. A savoir que sous le prince parvenu se cache un couard.

Mirain rit. D'un rire semblant exprimer la joie sincère, sans grande nuance de moquerie. Mais les prêtres mentent bien, les princes mieux, et les prétendants à un trône mieux encore qu'eux tous.

— Je vais faire un pari avec toi, Vadin. Avant que cette année ne se termine, je gage que tu me donneras le nom d'ami. Et cela volontairement, de grand cœur, et sans le moindre regret.

— Tu seras en enfer avant.

— C'est possible, dit Mirain avec désinvolture mais sans plaisanter. Que paries-tu ?

— Mon âme.

Mirain prit une inspiration sifflante. Ses dents, féroces, se découvrirent en un large sourire.

— Je te préviens, Vadin. Je pourrais très bien la prendre.

— Je sais.

C'était à la fois merveilleux et effrayant, comme de faire la course avec l'éclair, ou de danser sur des épées.

— Et toi, qu'offres-tu comme enjeu ?

— Une place à ma droite, et le titre le plus élevé dans l'empire qui sera mien.

— Je pourrais revendiquer cela, Mirain d'Han-Gilen.

— Je sais, dit Mirain.

Sa paume projeta des flèches de lumière dans les yeux de Vadin. La poignée de main qui scella le pari fut étonnante ; elle ne réduisit pas en cendres celle de Vadin. Son feu était tout intérieur.

Ils s'écartèrent au même instant, avec la même méfiance sauvage. Moitié méfiance réciproque, moitié méfiance envers celui qui venait d'entrer dans la pièce. Quelqu'un de grand et large, aux longues enjambées, à la démarche légère. Ils se retournèrent lentement, comme parfaitement à l'aise, mais tendus.

Le Prince Moranden les regardait, dans sa posture habituelle, jambes écartées, tête haute. La marque de la déesse n'avait pas déparé sa beauté, et, à en juger sur son port, il le savait. Son regard vola vivement de l'un à l'autre. D'un frémissement de paupières, il écarta l'écuyer et se concentra sur le fils de sa sœur.

Mirain laissa le silence s'étirer, jusqu'au moment où il le rompit.

— Mon oncle, dit-il d'un ton froid et désinvolte, tu me fais grand honneur. En quoi puis-je te servir.

Les lèvres de Moranden se retroussèrent en un

rictus devant ce formalisme du Sud. Il s'assit sans qu'on l'en priât, et étendit les jambes, parfaitement à son aise. Vadin pensa au lion noir des montagnes, jamais si dangereux que lorsqu'il semble calme.

— Toi, monseigneur ? dit le prince. Me servir ? Ce serait un honneur trop grand pour l'humble mortel que je suis.

Mirain s'écarta de la fenêtre et approcha un autre siège, mais ne s'y assit pas. Debout, il était un peu plus grand que son importun visiteur. Il s'appuya contre le dossier sculpté.

— Nous sommes submergés d'honneur aujourd'hui. Je t'honore de mon service. Tu m'honores de ta présence. Est-ce la courtoisie qui t'amène enfin ? Le besoin ? Ou simplement le bon vouloir ?

Moranden éclata d'un rire sincère, mais avec une pointe d'amertume.

— Tes manières sont plus élégantes que les miennes, prince. Et si nous mettions cartes sur table ? Courtoisie est un mot dont j'ignore le sens, barbare que je suis. Le besoin… le jour où j'aurai besoin d'un de tes pareils, mon jeune neveu, tu peux être certain que je serai en fâcheuse posture.

— Alors, dit Mirain d'une voix égale, ce doit être le bon vouloir.

Moranden passa un genou sur l'accoudoir de son fauteuil.

— Oui, fils de ma sœur ! Et tellement bon que je vais même te dire une vérité. Je donnerais mon âme pour me débarrasser de toi. Je crois l'avoir déjà fait.

— Avoir donné ton âme ou t'être débarrassé de moi ? demanda Mirain.

— Les deux.

Moranden se frictionna la joue, comme si la cicatrice le faisait souffrir. Mais il eut un sourire de loup.

— Oh, bien-aimé de mon père, si l'on te donnait l'occasion et une grosse récompense, retournerais-tu d'où tu viens ?

— Quel genre de récompense ?

— Eh bien, n'importe quoi. N'importe quoi, à part le trône.

— Que tu te réserverais.

— Naturellement. Je l'attends depuis très longtemps. Depuis beaucoup plus longtemps que toi, et de beaucoup plus près.

— Ma mère était l'héritière du roi, dit doucement Mirain.

— Et cela lui importait tant qu'elle ne s'est jamais souciée de revenir pour le prouver. Mais elle était elle-même à demi étrangère. J'ai entendu parler de sa mère, la femme jaune ; l'empereur Asanian l'avait eue d'une esclave, et il pensa que ce serait une bonne plaisanterie que de la donner à un gigantesque barbare. Lui, croyant épouser une princesse, s'en enorgueillit immensément. Le prix se révéla décevant. Une fille aussi petite qu'elle, c'est tout ce qu'elle put donner à son seigneur et maître.

— Mais cette fille eut un enfant qui, quoique tout aussi petit, est au moins mâle, ce qui est un réconfort.

Moranden le toisa de la tête aux pieds.

— L'es-tu vraiment ?

— Dois-je me dévêtir pour te le prouver ?

Moranden éclata de rire. Il riait trop et avec trop d'abandon. Oui, se dit Vadin, il sentait le vin, et quelque chose d'autre, piquant et âcre. Haine ? Peur ? Il rit, les yeux brillants sous ses paupières baissées.

— Oui, par tous les dieux ! Dévêts-toi et montre-moi !

Les yeux de Mirain scintillèrent d'amertume. D'un mouvement vif, il arracha son kilt.

— Eh bien, monseigneur ?

Moranden ne se pressa pas. Il se leva tranquillement, et tourna autour du jeune prince immobile comme un acheteur au marché aux esclaves. Quand il se retrouva face à Mirain, il mit les mains sur ses hanches et pencha la tête.

— Peut-être, dit-il.

Une main fulgura vers la joue de Mirain, tâtant le jeune duvet.

— Tu ne te donnes guère de mal pour le prouver. Pourquoi te déguises-tu en eunuque ? Es-tu le favori d'un homme ?

Mirain s'assit dans le fauteuil que Moranden avait quitté, se prélassant là où Moranden s'était prélassé, souriant les dents serrées.

— Même si j'avais cette inclination, mes vœux me l'interdiraient.

— Vraiment commodes, ces vœux.

— Ils me lient ; jusqu'à ce que je monte sur le trône. Alors, j'en serai délié.

— Aucun doute que tu attendes cela avec impatience.

— Je peux attendre aussi longtemps qu'il le faudra.

De nouveau, Moranden porta la main à son visage. Il l'abaissa vivement, la ferma derrière son dos, fronçant les sourcils, le toisant au-dessus de l'arc orgueilleux de son nez. Il dit brusquement :

— Je me rappelle. Ce que tu as fait.

— Sous la contrainte.

— Tu l'as fait.

Les épaules de Moranden s'affaissèrent. Elles n'avaient pas l'habitude de l'humilité, même d'une humilité aussi hautaine que celle-là.

— Je te suis redevable de ça. De la vie, peut-être. J'étais proche de la fin quand tu m'as ramené.

— Au nom de mon père. Cela devrait te réconforter. Car si la Nuit avait eu ton âme, tu n'aurais pas pu répondre à cet appel.

— Je te suis redevable, répéta Moranden, articulant avec effort, la bouche pleine de bile. Voilà ce que je te donne en retour. Va-t'en immédiatement, et prends ce que je t'ai proposé. Emporte tout ce que tu pourras porter. Tu pourras mieux conquérir le monde à partir des Cent Royaumes que des étendues sauvages du Nord.

— Mais Ianon m'appartient de par le droit du sang et le droit de l'héritage. Quel meilleur endroit pour commencer ?

— Si nous te laissons faire.

C'était un grondement de lion. Mirain en rit. Fiévreux, ses paroles sortirent de sa bouche comme de leur propre volonté, paroles démoniaques, légères et moqueuses.

— Si vous me laissez faire, dis-tu ? Me laisser faire ? Alors qu'il t'a fallu une demi-barrique de vin pour t'amener ici ce soir ?

Il se renversa dans son fauteuil, balançant nonchalamment un pied ; mais il berçait sa main comme si elle était une créature blessée.

— Si la gratitude t'est si pénible, dois-je craindre ton inimitié ?

Moranden sembla s'enfler à la lueur du feu. Sans se souvenir d'avoir bougé, Vadin se retrouva près de son maître, épée dégainée et en garde. Au-dessus du scintillement de sa lame, il rencontra les yeux de Moranden, pleins d'une haine virulente.

— Enfant, dit Moranden d'une voix rauque, roitelet, je ne renouvellerai pas mon offre. Remerciement ou récompense ou autre chose.

— C'est parfait. Cela m'évitera l'effort de refuser.

— Tu te crois malin. Réfléchis encore, jeune imbécile. Mais ne me demande pas de te lécher les pieds.

— Je n'en rêverais même pas, dit Mirain.

Il bâilla.

— Il se fait tard et tu dois être las. Tu peux aller te coucher.

Moranden se leva, sans voix. Brusquement, il tourna les talons.

Un long moment, le prince et son écuyer contemplèrent le vide, la porte close. Moranden l'avait fermée avec une douceur plus puissante que la violence.

Mirain leva sa main brûlante, la tourna, serra le poing, défiant Moranden, niant son existence, le rejetant totalement.

— Il ne peut pas me toucher. Car il est mortel, et je suis le roi qui sera. Je… serai… roi.

CHAPITRE 7

— Tiens, voilà le chien de l'étranger qui marche en rasant les murs.

Vadin n'avait offensé personne. Il était libre pour la première fois depuis le sauvetage de Moranden, et, debout au milieu du marché, il examinait quelques fanfreluches et pensait à la fille à laquelle elles étaient destinées, avec, pour compagnons, la masse rassurante de Kav et son silence encore plus réconfortant. C'est Kav qui l'empêcha de se ruer vers la voix, refermant sa grande main sur son bras mince, ferme comme la terre sous leurs pieds.

La voix, jeune et aristocratique, visait à exaspérer et souffla avec mépris à l'oreille de Vadin :

— Ah, regardez ! Il achète des colliers et des bracelets pour son petit maître. Comment se servent-ils l'un l'autre, à ton avis ? Le garçon devient-il un homme une fois les lampes éteintes ?

— Lâche-moi ! gronda Vadin à l'adresse de Kav.

Kav ne relâcha pas son emprise. Les yeux clairs dans le large visage maussade se tournèrent vers la voix, puis se détournèrent.

La voix reprit, moqueuse :

— Ils vont bien ensemble, jambes longues et jambes courtes, aussi couards l'un que l'autre. Sais-tu ce que fera Son Altesse, dit-on, quand le royaume lui échoira ?

Il ordonnera à tous ses nobles de porter le pantalon, de raser leur barbe, et il leur fera jurer de le servir comme les esclaves servent leur maître.

Kav s'éloigna calmement mais inexorablement de la voix, en direction de la taverne. Un ou deux écuyers les y avaient précédés, déjà passablement éméchés. Vadin se débattit ; mais autant lutter contre les remparts du château. Il porta la main à sa dague.

— Non, gronda Kav de sa voix de basse.

Vadin le maudit. Kav grogna, ce qui était sa façon de rire. Ils étaient sous l'auvent ; il assit fermement Vadin entre Olvan et Ayan, et lui mit une chope dans les mains. Vadin avala la bière sure tout en criant :

— Il a eu des propos séditieux ! Il a dit... il a dit que je...

— Paroles en l'air, dit Kav.

— Va au diable ; paroles intentionnellement blessantes !

— A-t-il dit quoi que ce soit que tu n'aies pas pensé toi-même ?

— Je ne le *dis* pas.

Vadin se tut, se redressa. Tous trois le regardaient. Il avait un mauvais goût dans la bouche. Il lança :

— Oui, vous pouvez me regarder. Vous adorez le sol où il marche. Vous lui lécheriez les pieds s'il vous le demandait.

— Oui, sauf qu'il ne le demandera pas, dit Ayan, remplissant la chope de Vadin, et c'est pourquoi nous l'adorons. Ne s'entraîne-t-il pas aux armes avec nous ? Et n'a-t-il pas insisté pour cela, bravant le mécontentement du roi ? Lui, chevalier d'Han-Gilen, et dix fois supérieur à ce qu'aucun de nous deviendra ?

— Cinq fois, rectifia Vadin, acide. Vous savez ce que les gens en disent. Qu'il ne défiera jamais quelqu'un qui approche de son niveau ; il sait qu'il perdrait. Alors il nous fait passer pour des imbéciles, ses sortilèges nous obligent à l'aimer pour ça.

Olvan émit un grognement dédaigneux.

— Sottises dictées par la jalousie. Il s'instruit sous la direction d'Adjan, qui est le meilleur maître d'armes de Ianon. Et il nous enseigne des choses quand nous insistons. Il nous aime.

— Les dieux n'ont que faire d'apprendre et d'aimer. Ils règnent.

— Le prince Mirain n'est que la moitié d'un dieu, remarqua Ayan.

Mais sa voix sembla caresser le nom, et il soupira. Puis il fronça les sourcils.

— Nous savons tout cela. Nous le connaissons. Mais c'est vrai que les gens jasent, et plus à voix basse maintenant. J'étais de garde hier soir ; j'ai mis fin à une rixe, et les combattants des deux camps hurlaient qu'ils étaient fidèles au vrai prince. Ils s'entre-déchiraient.

— Qui a gagné ? s'enquit Kav.

— Personne, dit Vadin, avant qu'Ayan puisse répondre. Absolument personne.

De nouveau, sa chope était vide. Il ne se rappelait pas l'avoir vidée. Il s'en servit une autre et une autre. Il allait faire la peau à quelqu'un. Il ne savait pas encore à qui. Mais la ravissante Ledi était là pour faire diversion, même sans les fanfreluches qu'il voulait lui acheter. Une autre chope de bière, une ou deux chansons, des ébats dans le lit bien chaud de Ledi, tous les quatre avec elle, et cela fait, il se rappellerait sa rage.

— Parce que, dit-il, pas une fois, personne — personne — ne traitera Vadin alVadin de couard.

Au lever du jour, Ledi quitta le lit et l'amas informe et emmêlé, Olvan et Ayan enlacés, Kav dormant paisiblement dans son coin, et Vadin qui cherchait à tâtons le doux corps de la fille. Il rencontra quelque chose, à la peau de velours, mais dur comme l'acier ; et c'était beaucoup trop étroit et souple pour être Ledi. Il ouvrit les yeux avec effort. Son bras enlaçait amoureusement la taille de Mirain. Le prince le regardait, avec une ironie amusée. Il recula.

L'ironie s'accusa. Vadin ouvrit la bouche ; Mirain la couvrit de sa main gauche, lui faisant signe de la droite.

Dans la cour, le soleil tapant sur son crâne douloureux, Vadin ne se retint plus.

— Par trois fois les neuf enfers, qu'est-ce que tu fais là ?

Mirain le regardait d'un air entendu. Vadin revêtit à la hâte kilt, cape et ceinturon, et plongea la tête dans un bassin d'eau de pluie près de la grille. Il l'en ressortit, les idées un peu plus claires, mais tout aussi douloureuse.

— Je croyais que j'avais toute la nuit à moi.

— Tu l'as eue. Ta Ledi est une femme de grand esprit et sagesse, dit Mirain, penchant la tête.

Vadin s'efforça de maîtriser la colère qui montait en lui.

— Monseigneur, dit-il, choisissant ses mots avec soin, je te saurais gré de ne pas…

— Je ne me moque pas d'elle. Elle m'a servi du pain frais et du miel, et on a bavardé. Elle n'avait pas peur de moi.

— Et pourquoi devrait-elle avoir peur ?

Mirain le regarda. Le toisa. Avec tout l'orgueil d'un roi couronné et toute la puissance d'un dieu. Puis il redevint le Mirain qui lui arrivait juste à l'épaule, et dit :

— Je vois. Je suis petit, et par conséquent inoffensif. Qui pense différemment à Ianon ?

— Tous les écuyers du roi, plus l'un des tiens, et un certain prince.

Vadin se secoua avant de devenir trop poétique.

— Pourquoi es-tu là ? Que se passe-t-il ?

Mirain haussa les épaules. Il avait l'air très jeune, très candide, et donc, pour Vadin, très suspect.

— Ta présence me manquait.

— Tu avais Pathan. Le prince Pathan, héritier de deux fiefs et d'une principauté, qui est devenu capitaine des écuyers à la force du poignet, et qui sera fait chevalier au Solstice d'Eté. Mieux encore, il sera Jeune Champion, et dans un an ou deux, il donnera au Vieux Champion de bonnes raisons de craindre pour son titre. C'est lui qui aurait dû être ton écuyer. *Lui*, il est digne de toi.

— Tu le penses vraiment, Vadin ?

Vadin ne voulait pas se faire piéger, même par sa langue trop loquace.

— C'est ce que le roi devrait penser. Tu es la lumière de sa vue déclinante.

— Pathan est assez agréable, dit Mirain. Beau. Brillant. Pas tellement plus grand que moi, et sans qu'il en fasse des complexes. Bon partenaire au jeu des rois et des cités.

Vadin, qui n'était rien de tout cela, tapa dans ses mains.

— Tu vois ! Demande-le à ton grand-père. Il en sera terriblement honoré.

— Malheureusement, poursuivit Mirain, imperturbable, il m'ennuie à pleurer. Toute cette perfection implacable. Et cette fidélité inébranlable à l'héritier choisi de son roi. Quand il m'a réveillé — impeccablement vêtu à l'heure indue où un prêtre du Soleil doit se lever — et m'a servi avec un effacement parfait, j'ai eu du mal à ne pas hurler. Je lui ai ordonné de sortir. Je crois que j'ai été raisonnablement poli.

Vadin voyait la scène. Pathan, ce parangon de l'écuyer, modèle vers lequel Adjan les poussait tous avec une énergie inlassable, éveillant Mirain avec l'exacte courtoisie, le lavant, l'habillant, le servant sans la moindre inattention de l'esprit ou du corps, et recevant son congé de Mirain, avec cette politesse du Sud, acide et inimitable. Après, sans doute, une bonne dose de résistance à tout service que le prince préférait exécuter lui-même.

Les lèvres de Vadin frémirent ; il les mordit, elles lui échappèrent. L'éclat de rire fusa d'un seul coup.

Mirain eut un sourire malicieux. Vadin s'efforça de reprendre son sérieux, ne parvint qu'à s'étrangler à moitié.

— Toi… Pathan… tu es aussi fou que moi.

— Disons plutôt que j'ai un goût déplorable. En seneldi, en causes et en amis.

Ce dernier mot fit revenir Vadin à lui.

— Je suis ton serviteur. Monseigneur.

Les yeux noirs s'étrécirent imperceptiblement. L'orgueilleuse tête s'inclina une fois, sans rien concéder.

— Ledi va te donner à manger. Après, j'ai besoin de ton service.

Qui consista à traîner derrière lui dans toutes les rues et ruelles de la ville, au milieu de la foule de ce jour de marché, prêtant l'oreille au cours que prenaient les discours, et, sans aucun doute, les esprits, s'attardant pour écouter les commérages, vider un verre de vin, regarder une danse des épées. Comme tout bon magicien, Mirain pouvait se rendre invisible quand il le voulait. Autrement, les gens n'auraient sûrement pas cancané si librement, et ils avaient beaucoup à dire sur les deux princes, l'ancien et le nouveau.

— Je suis pour l'homme que je connais, disait un acheteur à la foire aux seneldi. Et que savons-nous de ce Mirain ? Il s'amène sans qu'on l'appelle, avec un torque et une natte de prêtre du Soleil, et il prétend être les dieux seuls savent quoi. Il pourrait s'apprêter à nous massacrer tous.

— Le prince Moranden est un homme dur, déclara la femme d'un forgeron, s'asseyant devant sa porte pour filer de la laine. Il est beau et élégant ; il a un sourire et un mot pour chacun, mais il a l'œil dur. J'ai déjà vu ça quand j'étais petite fille à Shaos. Doux comme le miel, tel était le Seigneur Keian, jusqu'au jour où son père mourut ; et les gens dirent après que le vieillard avait passé avec un peu d'aide. Et quand l'héritier monta sur le trône, il devint d'une dureté implacable. Il tua toute sa parenté, même les femmes et les enfants, il nous abrutit d'impôts jusqu'à nous affamer, et partit en guerre contre Suvein. Et il gagna, dieu merci, mais mourut en gagnant, et sa dame nous gouverna sagement jusqu'à ce que le petit seigneur Tien fût en âge de prendre sa place.

Les anciens soupirèrent tout en poursuivant au soleil leur partie de rois et cités, et le plus vieux dit :

— C'est un jour malheureux, celui où il se trouve deux grands princes et seulement un trône, et où il y a peu de chance que l'aîné cède la place au jeune intrus, héritier désigné ou non. Chacun a maintenant établi son camp ; et retenez bien ce que je vous dis, ils ne vont pas tarder à en venir aux coups.

— Il paraît que c'est déjà fait, dit le plus jeune, lançant le dé à son tour. Il paraît que le plus jeune a attaqué l'autre avec des griffes de chat, lui a ouvert le visage, et a fait appel à la magie pour le guérir.

— Par remords ? s'étonna un assistant.

— Par mépris. Et le prince aîné a une cicatrice pour lui rappeler cette insulte.

— Ce sont des étrangers, grommela le plus vieux. Tous les deux. Maintenant, si le roi avait eu le bon sens de prendre femme chez lui…

L'assistant se pencha sur l'échiquier.

— Il paraît qu'aucun d'eux n'est son parent. Le jeune serait le fils d'un enchanteur des Neuf Cités, déguisé comme l'un de nous, et ensorcelé pour ressembler à la princesse qui est morte ; l'aîné serait le fils d'un rebelle des Marches. Je me rappelle l'époque où le roi a ramené ici cette femme, et je me rappelle aussi le peu de temps qu'il fallut pour qu'elle accouche. Qui sait si elle n'était pas déjà enceinte quand il l'a prise ?

Mirain entraîna Vadin à l'écart, et juste à temps. Lui-même n'avait pas l'air trop content.

— Un enchanteur, dit-il. Des Neuf Cités.

Il rit.

— Si seulement je l'étais ! Que ferais-je de ce pauvre royaume, à ton avis ?

— Tu le transformerais en pays de morts vivants.

Mirain reprit brusquement son sérieux. Il dit très bas :

— Ne parle jamais de ce qui pourrait être. Si l'on t'entendait et qu'on te prenne au sérieux ?

— Ferais-tu ce que j'ai dit ?

— La déesse est la sœur de mon père. Elle donnerait tout son pouvoir pour que je lui appartienne, car cela le blesserait en plein cœur. Et ce ne serait pas… non, pas impossible… peut-être même pas très difficile. Peut-être… peut-être… presque facile. De la laisser… être…

Vadin saisit Mirain par les épaules et le secoua vigoureusement. Et quand il put marcher, plus ou moins, il le poussa dans une taverne et lui versa force rasades jusqu'à ce que les ténèbres commencent à quitter son esprit. Il saisit la chope et but à se noyer, hors d'haleine ; mais son regard était clair.

— Merci, dit-il enfin.

Vadin leva la main, la laissa retomber.

— J'ai fait mon devoir, dit-il.

Mirain soupira et vida sa chope. Il aurait peut-être repris la parole, mais une voix le devança, une voix claire qui attaqua un conte.

— Vraiment, messieurs, c'était un prodige : une femme blanche comme l'os, avec des yeux rouges comme le sang.

C'était un conteur, vêtu des haillons bigarrés de sa profession, avec un verre dans une main et une fille sur les genoux. Bon vin sombre et belle fille sombre. Il s'interrompit pour savourer les deux. Elle pouffa ; il lui donna un long baiser et but une longue rasade.

— Oui, blanche elle était, ce qui était une merveille et une horreur. Elle appartenait à la déesse disaient les gens. Ses parents la gardaient dans une cage en forme de temple, et la nourrissaient avec les offrandes sacrificielles — se réservant les meilleurs morceaux pour eux, bien entendu. Elle vaticinait et se contorsionnait ; ils appelaient ça des prophéties et ils les interprétaient en les faisant payer le plus cher possible. Jusqu'à des soleils d'or entiers, même, quand des chefs locaux venaient l'interroger sur leurs guerres. Ils s'en allaient toujours contents, parce qu'on leur prédisait toujours la victoire.

— Et est-ce qu'ils la remportaient ?

Le conteur se tourna vers Mirain, pas le moins du monde étonné de le voir là.

— Certains, oui, prince. Certains, non. Mais ils ne revenaient jamais pour la démentir. Jusqu'au jour où un jeune homme entra à cheval dans la chapelle. Il lui donna son offrande : un peu de pain de campagne et une poignée de baies. Ses gardiens l'auraient bien chassé à coups de fouet, mais ils étaient curieux de voir ce qu'il allait faire. Très peu de chose, en fait. Il s'assit devant la cage, la sibylle mangea ce qu'il lui avait apporté, assez salement d'ailleurs, sans le quitter de ses yeux démoniaques. Il la regardait aussi dans les yeux ; et même, il sourit.

« Il était fou, décidèrent les gardiens. Il avait l'air d'un vagabond, mais ils croyaient avoir vu des reflets d'or sous ses haillons. Peut-être était-il un prince déguisé, après tout. “Pose ta question”, lui ordonnèrent-ils enfin, comme il ne faisait pas mine de parler.

« Il ne leur accorda pas la moindre attention. Maintenant, la sibylle s'était approchée des barreaux et lui tendait les bras à travers. Ses mains étaient aussi maigres et crochues que des serres d'aigle blanc. Elle était d'une saleté repoussante ; elle empestait. Pourtant notre jeune héros lui prit la main, sourit, et dit : “Je te libérerai.”

« Les hommes de sa famille voulurent dégainer leurs dagues. Mais ils s'aperçurent qu'ils ne pouvaient pas bouger, encagés aussi sûrement que leur prisonnière, liés par des chaînes invisibles.

« “Prononcez simplement mon nom, dit l’étranger, et vous serez libres.”

« Ils s’étaient proclamés porte-parole de la prophétesse, et personne ne put articuler un mot. Mais la folle, l’idiote, la voyante muette, s’inclina aussi bas que l’étranger le voulut bien, et dit clairement : “Avaryan. Ton nom est Avaryan.” »

Le conteur fit une pause. Du débit de vin, le silence s’était répandu jusque dans la rue. Ses auditeurs attendirent, respirant à peine. Il frappa ses mains l’une contre l’autre, dans un bruit semblable à la déflagration du tonnerre.

— Et oyez, bonnes gens ! Le feu tomba du ciel, fracassa la cage et fit rentrer sous terre tous ces faux prêtres ; et leur victime, debout, était libre et saine d’esprit. Mais elle pleurait. Car l’étranger qui était le dieu — l’étranger avait disparu.

Un tonnerre d’applaudissements retentit ; une pluie de pièces tomba dans les mains en coupe de la fille. Mirain y ajouta la sienne, un solidus d’argent d’Han-Gilen. La fille eut un baiser ou une révérence pour chaque client, mais le conteur réserva son unique et profonde révérence à Mirain.

— Mon conte fut-il agréable à mon prince ?

— Il fut très bien raconté, dit Mirain. Mais je plains la pauvre sibylle. Vit-elle encore ?

— Ah, monseigneur, ceci est une autre histoire.

Mirain sourit.

— Et, bien sûr, tu nous la raconteras si nous t’en prions.

— Si mon prince l’ordonne, dit le conteur.

— Eh bien ? dit Mirain à l’adresse des auditeurs. Dois-je l’ordonner ?

— Oui ! crièrent-ils en chœur.

Mirain se retourna vers le conteur.

— Alors, raconte, avec cette pièce de cuivre pour alléger ton labeur.

— Eh bien, quel privilège que d'avoir le temps d'écouter les conteurs au marché !

Vadin l'avait vu venir. Mirain dut le sentir ; il se retourna lentement, parfaitement calme. Moranden était debout juste derrière lui. Il sourit, avec à peine un soupçon de contrariété.

— Quoi, mon oncle ? Déjà de retour de la chasse ?

Si la remarque toucha sa cible, Moranden n'en montra rien.

— Pas de chasse pour moi aujourd'hui. Mais tu ne peux pas le savoir, n'est-ce pas ? Nos problèmes ne font pas encore partie du répertoire des conteurs.

Les gens regardaient et écoutaient, détournés du conteur par l'espoir d'une querelle royale. Moranden bloquait l'unique possibilité de sortie.

— On ne trouve pas que de vieilles légendes au marché, dit Mirain. Est-il vrai, mon oncle, que les montagnards ont fait des raids dans les Marches Occidentales ?

— Une ou deux tribus, répliqua Moranden.

— Et d'autres ont profité de l'occasion, n'est-ce pas ? Ils ont pacifié les tribus, assurément, mais se retrouvant en armes et en armures, ils se sont déclarés indépendants de leur seigneur. Situation fâcheuse, et pire encore lorsque le seigneur est d'essence royale, et mon oncle. Les gens mentent sûrement en t'accusant de trop de dureté.

Les yeux de Moranden s'étrécirent et flamboyèrent, soulignés par la cicatrice maintenant livide ; le visage se contracta un peu, comme s'il souffrait. Mais la colère était plus forte, tempérée par la haine.

— Nous ne pouvons pas tous gouverner sous le soleil de l'universelle bonté, ou nous prélasser parmi la populace. Certains doivent combattre, pour soumettre le peuple.

— Comme tu le feras, monseigneur ?

— Comme je le dois. Je partirai à l'aube pour assurer tes frontières, prince héritier de Ianon. Est-ce que je mérite la bénédiction de Son Altesse ?

Mirain garda le silence, lèvres pincées. Moranden sourit.

— Ne l'oublie pas quand tu dormiras en sécurité entre ces remparts : aucun ennemi n'a jamais foulé notre sol, du moins le dit-on. Et aucun ne le foulera tant que je vivrai pour le défendre.

Mirain releva la tête.

— Inutile de te déranger pour me protéger.

— Vraiment ?

Moranden le regarda de tout son haut, le toisant avec un mépris évident.

— Alors, qui te protégera ?

— Je me garde moi-même, grinça Mirain. Je ne suis pas mauvais guerrier.

— C'est vrai, concéda son oncle. Tu tiens bien ta place parmi les jeunes.

Vadin aurait dû intervenir à ce moment. Il aurait dû intervenir depuis longtemps. Mais même son souffle était figé, ou paralysé par la magie. Il ne put que regarder, immobile, sachant ce que son dément de maître allait dire. Dire posément, avec la précision que donne une fureur glacée.

— Je suis un chevalier d'Han-Gilen, et un homme, de l'aveu de tous ; et je livre mes propres batailles. Je serai près de toi à l'aube, mon oncle ; je chevaucherai à ta droite.

— Es-tu devenu fou ?

C'est ce qu'ils avaient tous dit, Vadin plus fort que les autres, sans résultat. Ymin le répétait maintenant, face à Mirain, sans peur, bien qu'il fût encore en proie à une rage aveugle.

— Tu as perdu la raison. Moranden est un danger

pour toi, même au château sous la protection du roi. Si tu vas à la guerre avec lui, il aura ce qu'il souhaite.

— Je peux me protéger.

— Vraiment ?

Elle releva ses manches et croisa les mains sur ses avant-bras, jusqu'à ce que ses ongles démesurés, durcis d'avoir pincé les cordes de sa harpe pendant des années, semblent percer la peau et la chair jusqu'aux os. Mais sa voix ne trahit que l'impatience que provoquait sa folie.

— Tu te comportes en enfant gâté. Et il le sait bien. Il t'a cherché uniquement dans ce but, pour te placer exactement où il veut que tu sois : entre ses mains, et trop affolé par la rage et la rivalité pour te soucier de ce qui t'arrivera.

Il pivota vers elle.

— Il m'a défié publiquement. Si je ne relève pas le défi, je n'ai aucun droit ni pouvoir pour revendiquer le trône.

— Si tu refuses, tu prouves que tu es assez homme et assez roi pour ignorer une insulte.

Son visage était fermé, sa volonté implacable.

— Je partirai à l'aube.

Elle lui tendit la main.

— Mirain, dit-elle, presque suppliante, si tu ne le fais pas pour toi, fais-le pour ton grand-père. Renonce à cette folie.

— Non.

Il écarta les mains et les quitta, les laissant dans la pièce, Ymin seule et désespérée, Vadin oublié près d'un mur. La porte se referma derrière lui avec un bruit mat.

CHAPITRE 8

Vadin frissonna, s'efforçant de rester éveillé. C'était une heure indue pour être hors de son lit, au plus noir de la nuit où tant de gens mouraient, l'heure à laquelle Uveryen défiait son frère rayonnant de vaincre sa puissance. Il était transi jusqu'aux moelles, assis dans l'antichambre royale, attendant le bon plaisir du roi. Avec le sublime illogisme de l'homme encore à moitié endormi, il ne craignait pas pour sa vie. Il s'inquiétait pour ses bagages. Aurait-il dû emporter un chaud manteau de plus ? Ou un de moins ? Avait-il oublié quelque chose de vital ? L'armure de Mirain — était-elle…

— Monseigneur va te recevoir.

A ces calmes paroles, il se leva sur des jambes chancelantes. Elles s'emmêlèrent. Il les démêla avec une patience exaspérée, sous l'œil placide du domestique. Puis, calme et ordonné en apparence, il entra dans le repaire du lion.

Le roi était le roi, comme toujours, bien réveillé, parfaitement vêtu, et en quelque sorte pas tout à fait humain. Comme un homme en armure, se défendant contre le monde ; mais son armure, c'était sa chair et son sang. Vadin, s'inclinant à ses pieds, se demanda s'il avait toujours été ainsi. Roi de fer, gouvernant d'une main de fer, n'aimant rien de vivant.

Sauf Mirain. Vadin se releva sur l'ordre du roi, enfin

réveillé, et commençant à s'effrayer. Les princes ne payaient pas souvent leurs folies. Leurs serviteurs les payaient pour eux, chèrement.

Le roi était debout, proche à le toucher. Vadin déglutit. Une partie de lui-même s'étonnait. Il n'avait pas à beaucoup lever les yeux. De deux largeurs de doigt. Ou trois. Il n'avait jamais été aussi proche du roi. Il voyait une cicatrice sur sa joue ; ce devait être une cicatrice de couteau, fine et presque invisible, et qui se terminait dans la barbe nattée. Peu de rides sur le visage du roi rasé de près, la peau tendue sur les pommettes saillantes. Les mêmes pommettes que Mirain.

Mais pas les yeux de Mirain. Les yeux du roi, voilés de lourdes paupières, étaient profonds mais pas sans fond, et scrutaient Vadin, comme Vadin avait scruté le roi. Aucun dieu ne rayonnait en eux. Aucune folie non plus. Mais une lueur, faible et pourtant persistante, assez puissante pour voir l'âme d'un homme, pas assez pour y circuler.

— Assieds-toi, dit le roi.

Vadin obéit sans réfléchir. Le fauteuil était celui du roi, haut et luxueux. Le roi ne lui en laissa pas chercher un autre. Son corps las profita au mieux des coussins ; son esprit attendit, attentif à une voie d'évasion.

Le roi ranima le feu mourant, accroupi sur les talons, avivant avec soin les petites flammes fragiles. Vadin compta les cicatrices sur le dos nu et noueux. Tout homme avait des cicatrices ; elles étaient son orgueil, la marque de sa virilité. Le roi en possédait une multitude royale.

La voix du vieillard sembla sortir du feu, exprimant les pensées mêmes de Vadin.

— J'ai livré bien des batailles. Pour conquérir l'attention du roi mon père. Pour mériter le nom de prince. Pour devenir prince héritier, pour devenir roi, et pour conserver mon royaume. Grâce à la miséricorde divine, je n'ai pas eu à l'arracher à mon père. Un étalon seneldi tua le roi pour moi ; un étalon, et sa propre arrogance qui ne souffrait pas qu'aucune créature fût plus grande que lui. De la lignée de cet animal est né le Fou. C'était une revanche, en quelque sorte. Les fils du régicide serviraient les fils du roi. L'étalon lui-même, je le pris, le dressai et livrai tous mes combats avec lui, jusqu'au jour où il mourut sous moi. Abattu d'un coup d'épée, je crois. Je ne me souviens plus. Il y en eut tellement. Cela fait si longtemps.

Il semblait ineffablement vieux, ineffablement las. Vadin garda le silence. Les rois se confiaient à lui, ce qui semblait une malédiction. Ou alors, ce qui était plus vraisemblable, il ne vivrait pas assez longtemps pour que ces confidences tirent à conséquence.

Le roi s'assit sur ses talons avec une aisance qui démentait sa voix et ses paroles.

— Cela te perturbe, n'est-ce pas ? De savoir que j'ai un jour été jeune. Que je sois né, et non que j'aie surgi de la terre tout casqué et couronné ; que j'aie été un enfant, un adolescent et un jeune homme. Et pourtant, j'ai été tout cela. J'ai même eu une mère. Elle est morte quand j'étais encore aux soins des femmes. Elle avait des ennemis ; on dit qu'elle avait des amants. « Et pourquoi pas ?, s'écria-t-elle quand on vint la chercher. Une nuit par an, mon seigneur et maître me fait la charité. Tout le reste appartient à ses femmes et à ses concubines. Il répand sa semence où il lui plaît. Ne suis-je pas une reine ? Ne puis-je pas en faire autant ? » Elle paya le prix de sa présomption. Mon père m'obligea à regarder tandis qu'on la fouettait à mort, qu'on enduisait ses plaies de sel et qu'on la pendait en haut des remparts. J'étais de sang royal. Je devais savoir comment les rois disposent des traîtres. Je n'avais pas encore sept printemps.

« La leçon de mon père a porté. Un roi ne doit tolérer aucune menace à son autorité. Pas même de ceux qu'il aime, si ceux-ci se retournent contre lui. Le trône est une chose morte, mais son pouvoir est universel. Il ne connaît aucune tendresse humaine. Il ne tolère aucune compassion.

« Et en ce jour de la mort de ma mère, ses cris résonnant encore à mes oreilles, je me jurai de devenir roi ; parce que pour que j'obtienne le trône, mon père devait mourir. Je sais maintenant que c'était un homme dur, froid et souvent cruel. Il n'était pas mauvais. Il était simplement roi. Mais sur le moment et pendant longtemps après, je sus seulement qu'il avait assassiné ma mère.

Vadin ravala un bâillement. Il attendait que le coup tombe. Tout cela était bien triste et expliquait en partie la folie du roi, mais Vadin ne voyait pas ce que cela avait à voir avec Mirain. Ou avec l'écuyer de Mirain qu'il avait tiré du lit au cœur de la nuit.

— Hélas pour moi, poursuivit le roi, j'appris à haïr mon père ; j'appris à rejeter toute pitié, à être royalement implacable. Mais je n'ai jamais appris à ne pas aimer. Dans l'intérêt du royaume, je pris une reine asanienne. Elle tiendrait en respect l'Empire Doré ; elle nous enrichirait de son immense dot. Elle, n'en tenais pas compte, elle était le prix qu'on me versait : pâle créature naine, élevée comme une bête pour orner un palais occidental. Et quand elle vint, elle était effectivement petite, pas plus grande qu'une enfant de dix printemps, mais son cœur était puissant. Et dans l'art de l'amour, elle n'avait pas d'égale.

« On a dit que ce pays était trop dur pour elle. Pourtant elle apprenait à le supporter, peut-être même à l'aimer. Elle se fortifiait ; elle commençait à accepter nos coutumes. Et je l'ai tuée. J'ai semé ma semence en son sein, sachant ce que je faisais, sachant ce que je devais faire, bien qu'elle fût beaucoup trop petite pour mettre au monde l'enfant d'un roi de Ianon. Elle conçut et pendant un temps, j'osai espérer. L'enfant n'était pas gros, elle le portait bien, sans douleur. Mais son temps venu, tout alla de travers. L'enfant était à l'envers dans son sein, et luttait pour ne pas naître.

Luttait avec la force de la magie qui mit à l'épreuve tout le pouvoir des prêtres, des sages-femmes, et à la fin, des chamans que j'avais déjà prévu de bannir de mon royaume. Ils eurent l'avantage. Pas ma reine. Elle végéta un certain temps. Elle vit sa fille. Elle m'entendit donner au bébé le titre d'héritière. Puis, satisfaite, elle mourut.

« Je l'ai pleurée. Je la pleure encore. Mais elle m'avait laissé ma Sanelin, qui possédait toute la valeur de sa mère, toute sa douceur, mais qui avait la force de notre peuple.

« Oui, dit le roi, rencontrant le regard de Vadin avec la force de deux épées qui se croisent, j'ai trop aimé ma fille. Je l'aimais pour elle, et je l'aimais pour sa mère que j'avais perdue. Mais je ne l'aimais pas aveuglément. Et ce ne fut pas seulement l'amant éploré qui fit son héritière de l'enfant de sa bien-aimée. Je savais ce que nous avions fait ensemble, ma reine et moi. Dans le corps de cette vierge, mince et petite comme les femmes d'Asanian, résidait l'âme d'un empereur.

— Il est dommage qu'elle ait été femme, hasarda Vadin.

Le roi se leva. Malgré son âge, sa taille et son poids, il évoluait comme Mirain, souple comme une panthère. Vadin se raidit pour le coup de grâce.

Il ne vint jamais.

— Oui, oui, dit le roi d'une voix rauque, c'est dommage. Encore plus dommage que je n'aie pas de fils. C'était mon unique enfant ; elle était d'or pur et le Soleil me l'a prise. Je n'ai pas eu le choix. Dès son plus jeune âge, elle savait qui devait être son seigneur et son amant. Il l'avait faite pour lui-même. A la fin, il me l'enleva. Ce n'était que juste après tout ; une femme passe du seigneur son père au seigneur son mari, et elle était la fiancée d'Avaryan. Mais elle était aussi héritière de Ianon.

Parfois, on fait un pari. Vadin joua le tout pour le tout.

— Le prince Moranden…

La panthère se réveilla, grondant. C'était un éclat de rire, dur parce qu'il était si rare, saccadé parce qu'il faisait mal.

— Tu l'aimes, n'est-ce pas ? Bien des gens l'aiment. Il a de la majesté, de la fierté ; il a la beauté de sa mère. Mais elle est inféodée à la déesse. Lui n'est même pas intelligent.

— Pourquoi le hais-tu ? demanda Vadin. Que t'a-t-il fait ?

— Il est né, dit le roi, tout bas et sans rancœur. De toutes les erreurs de ma vie, la plus grande fut d'emmener en captivité la fille d'Umijan. Elle avait sucé la haine à la mamelle. Elle vint à moi dans la haine. Mais sa beauté m'avait frappé au cœur. Je pensais pouvoir l'apprivoiser. Je rêvais qu'elle en viendrait, sinon à m'aimer, du moins à m'estimer comme compagnon. Imbécile ! Le lynx ne se couche pas dans le foyer du chasseur.

— Tu aurais dû la tuer avant qu'elle n'enfonce ses griffes dans ton fils.

— Il lui a appartenu dès l'instant de la conception.

— As-tu essayé de changer cela ? Tu ne lui as jamais laissé oublier qui était ta préférée. Tu as toujours affirmé qui monterait sur le trône. Sanelin, et personne d'autre. C'est un miracle qu'il ne t'ait pas égorgé.

— Il a essayé. Plusieurs fois. Je lui ai pardonné. Je l'aime. Mais je ne lui donnerai pas mon trône.

— Et si Mirain n'était jamais venu ?

— Je savais qu'il viendrait. Non seulement c'était prédit. Non seulement le dieu m'avait promis en rêve qu'un grand prince viendrait à moi. Mais je savais que ma fille ne voudrait pas plus que moi laisser son héritage tomber dans les mains d'Odiya d'Umijan.

Vadin s'émerveilla d'être là, assis devant le roi debout, et parlant avec lui comme s'il était… eh bien, comme s'il était Mirain.

— Je ne comprends pas. J'ai connu des hommes se comportant comme s'ils n'avaient jamais été sevrés. Le prince Moranden n'est pas comme ça. Il est fort. C'est le champion de Ianon. Il n'a pas d'égal dans l'arène et très peu en dehors.

— Le monde est bien autre chose que le maniement de l'épée.

Le roi tourna ses mains, calleuses de l'avoir tant maniée, et sourit à moitié.

— Moranden est la créature de sa mère. Quand elle commande, il obéit. Quand elle hait, il déteste. Elle est la forme et lui est l'ombre. S'il montait sur le trône de Ianon, c'est elle qui régnerait. Elle règne déjà partout où il est souverain.

— Mais... commença Vadin.

Il s'interrompit. A quoi bon ? Le roi savait ce qu'il savait. Ce n'était pas un rustre d'Imehen qui lui apprendrait quelque chose.

S'il y avait quelque chose à apprendre. Vadin remua avec gêne. Moranden n'était pas un monstre. Il avait été bon avec un garçon des confins qui ne menaçait pas son pouvoir. Il pouvait être charmant si cela secondait ses desseins. Et il était honorable même quand il n'y avait aucun intérêt. C'était un mortel ; bien sûr qu'il avait des défauts. Mais même Mirain était loin d'être parfait.

Les domestiques se battaient pour servir Mirain. Le nom de Moranden provoquait des haussements d'épaules, des soupirs, l'acceptation résignée d'un devoir. Parfois, avouaient-ils, il était agréable de le servir. Parfois c'était dangereux. C'était un seigneur. Que pouvait-on en attendre d'autre ?

Il n'était pas cruel. Il n'était pas plus capricieux qu'un autre prince. Mirain était infiniment moins prévisible.

Mirain était Mirain. Même Vadin ne l'imaginait pas autrement qu'il n'était. Et il était inconcevable qu'il se laissât commander par quiconque, et encore moins qu'il laissât quiconque régner à sa place. Moranden… oui, Moranden était un peu girouette. Tout le monde le savait. Un homme pouvait conquérir sa faveur, non avec du cuivre, rien d'aussi vénal, mais ses amis étaient souvent ceux qui savaient le plus habilement le flatter. Les corvées de la royauté l'impatientaient : conseils, audiences, cérémonies innombrables et renouvelées. Au marché, il était vraiment tombé bien bas en accusant Mirain de se dérober à ces obligations, sous-entendant pour l'assistance qu'il y consacrait lui-même de longues heures. Il avait sans doute joué aux dés avec ses vassaux jusqu'à ce que le roi le convoque pour défendre les Marches.

Vadin grogna. Bientôt, il excuserait Mirain d'avoir traîné au marché alors que le royaume entrait en guerre. Mais Mirain ne traînait pas, pas vraiment. Il faisait connaissance avec son peuple.

— Si Moranden est une marionnette entre les mains d'Odiya, dit enfin Vadin, pourquoi lui as-tu donné une principauté ?

— J'ai donné une principauté à sa mère, à une condition : elle ne m'imposerait pas son fils. Je les laisserais libres de gouverner à leur guise. Dans les limites de la loi.

— Que tu avais édictée.

— Exactement, dit le roi.

Vadin se renversa dans son fauteuil.

— Où veux-tu en venir, monseigneur ? Que dois-je faire ?

— Empêche-les de se tuer l'un l'autre.

— Que j'empêche…

Vadin éclata de rire. Sa voix faillit se briser.

— Je ne sais pas ce qu'Adjan t'a dit de moi, monseigneur, mais je ne suis qu'un simple mortel. Je ne peux pas m'interposer entre l'éclair et le tonnerre.

Le roi l'empoigna comme il aurait fait d'un chiot à peine sevré, le mettant debout de force et le secouant à lui brouiller la vue.

— Tu le feras. Tu t'interposeras entre eux. Tu les empêcheras de se massacrer.

— Pour cette fois.

Le roi saisit les tresses de Vadin et lui tira la tête en arrière.

— Jamais tant que je vivrai. Jure-le, Vadin alVadin.

— Je ne peux pas, haleta Vadin. Moranden… peut-être… mais Mirain…

Le roi tira plus fort sur les nattes, véritable agonie. Il était furieux. Fou furieux.

— Monseigneur, je…

Le vieillard le lâcha. Il tomba à quatre pattes. Sa tête pulsait ; la bile l'étranglait. Tremblant, et se haïssant de trembler, il leva les yeux. Le roi s'agenouilla près de lui. Ce n'est pas de la folie, constata-t-il avec une amère lucidité, mais de l'amour. Le roi versait des larmes sur eux ; sur tous les deux. Il parla d'une voix rauque, mais sans céder. Même sa supplication fut fière.

— Tu dois essayer. Tu es mon seul espoir. Le seul qu'ils aiment tous les deux. Le seul en qui je puisse avoir confiance.

C'en était trop. Mirain et, maintenant, le roi. Vadin, accroupi, s'ébroua. Le roi le toucha. Il sursauta comme un cerf.

— C'est le prix à payer pour ta noblesse, dit le roi.

Peu à peu, Vadin cessa de trembler. Il se redressa. La moitié de ses nattes étaient défaites, les autres se défaisaient. Il les rejeta en arrière pour se dégager la vue, et regarda le roi.

— Monseigneur, je ferai tout mon possible, même si cela doit me tuer.

— Cela pourrait bien nous tuer tous.

Le roi le releva, le soutenant d'un soupçon de sa force.

— Va. Protège ton seigneur. De lui-même, s'il le faut.

La froide lumière de l'aube trouva la colère de Mirain calmée, mais sa volonté inchangée. Vadin le regarda, ne sachant s'il devait enrager ou désespérer.

— Par tous les dieux, grommela-t-il entre ses dents, si le cœur du roi se brise par amour pour ce dément, je... je...

Rami remua sous lui, troublée. Il refoula les larmes brûlantes qui lui montaient aux yeux, et foudroya le dément. Mirain ne portait aucune marque de sa qualité royale. Il était armé comme les autres d'une épée et d'une lance, vêtu d'une tunique ordinaire surmontée d'une légère armure, coiffé d'un casque ordinaire. Et pourtant, il était impossible de ne pas le remarquer, montant son démon noir sans mors et sans bride, et riant quand il lança une ruade au hongre d'un soldat.

Une haute silhouette s'approcha à pied. Le Fou s'immobilisa soudain, oreilles dressées, les yeux luisant comme des braises à la lueur des torches. Mirain s'inclina sur sa selle.

— Bonjour, Grand-Père.

— Tu vas partir, dit le roi.

Ce n'était pas une question. Un peu de son ancienne folie marquait son visage.

— Combats bien pour moi, jeune Mirain. Mais pas au point d'en mourir.

— Je n'ai pas l'intention de mourir, dit Mirain.

Se penchant sur sa selle, il baisa le roi au front.

— Attends-moi quand Lumilune reparaîtra.

— Et chaque jour d'ici là.

Brusquement, le roi se détourna pour faire face à Moranden. Le prince, occupé à rassembler ses troupes, n'était pas encore à cheval ; un palefrenier tenait son destrier par la bride. Il soutint le regard du roi, aussi calme et froid, et aussi indéchiffrable.

— Reviens-moi, dit le roi. Revenez-moi tous les deux. Vivants et valides.

Moranden ne répondit pas, mais il s'inclina et sauta en selle. Poussant son cri de guerre, l'armée s'ébranla.

Ils passèrent les Tours de l'Aube au milieu de la matinée, continuèrent vers la Vallée et le col, puis redescendirent le chemin sinueux et abrupt vers les fiefs extérieurs de Ianon. Bercé par la longue chevauchée, Vadin retrouva une sorte de paix intérieure. Le roi était bien vivant quand il l'avait quitté, Mirain était loin d'être mort, et il savait qu'un dixième des soldats appartenaient au roi. Peut-être cette expédition ne serait-elle rien de plus que ce qu'ils prévoyaient : la répression d'une rébellion, la première mise à l'épreuve de l'héritier de Ianon sur un champ de bataille. Moranden avait de l'honneur ; il ne commettrait pas un meurtre qui entraînerait la mort de son père.

Vadin prendrait les deuils quand ils viendraient. En attendant, il s'efforça de se comporter avec sagesse. Il s'ouvrit à l'air pur, à l'armée qui l'entourait, et au corps puissant qu'il chevauchait. La verte Arkhan se déployait sous les sabots de Rami ; Avaryan atteignit son zénith, puis déclina derrière le rempart des montagnes.

Mirain était un soldat exemplaire. Il chevauchait dans le rang près de Vadin, juste devant les écuyers menant les montures de secours ; il imposait une allure tranquille au Fou, l'empêchant de faire des incartades ; quand l'armée était silencieuse, il se taisait, et quand les soldats chantaient il semblait toujours connaître les chansons. Son accent, remarqua Vadin, avait changé. Son Ianyen était maintenant aussi bon que celui de Vadin, sinon meilleur ; ce n'était plus la prononciation gutturale d'Imehen, mais les intonations chantantes d'un seigneur d'Han-Ianon, claires et mélodieuses, qui pourtant portaient loin. Et la magie de sa présence agissait. Les hommes proches de lui étaient tombés sous son charme ; Vadin le regardait se répandre de proche en proche. Ils ne tombaient pas à ses pieds. Pas encore. Mais ils se réchauffaient à son égard ; quant à l'éviter, il n'en était plus question depuis longtemps.

Moranden le savait. Il ne le montrait pas, mais Vadin le sentait s'assombrir peu à peu. Au port de ses épaules. A l'irritation de son destrier.

— Ça ne peut pas marcher, tu sais.

Ils campaient à la frontière de Medras, renonçant au confort d'un château seigneurial au profit de la rapidité et de la sobriété. Par cette belle nuit claire, Mirain avait choisi de bivouaquer près de sa monture, avec un petit feu de camp, une bonne couverture, et le Fou pour gardien et rempart. L'étalon tolérait la présence de Vadin, autant pour Rami que pour Mirain. Il s'était pris d'intérêt pour la jument, chaste pour l'heure car elle n'était pas en chaleur, mais elle n'était pas encline à le décourager. Personne d'autre ne s'aventurait près de lui, ni ne semblait en avoir envie.

— Ça ne marchera pas, répéta Vadin. Tu peux éblouir les gens quand ils sont près de toi, mais dès que leur vue s'éclaircit, ils retournent aussitôt à ton oncle.

Mirain jeta dans le feu du bois mort pris au fourré voisin. Les flammes s'élancèrent, modifiant étrangement son visage, aiguisant l'arête de son nez, creusant ses joues, avivant son regard.

— Eblouir les gens, Vadin ? Comment cela ?

Vadin leva les bras avec impatience, et dit sèchement :

— Ne fais pas l'innocent avec moi. Tu séduis ses hommes juste sous son nez, et il le voit aussi bien que moi.

— Je ne...

Mirain se leva brusquement. Le Fou s'ébroua et releva la tête ; le prince le calma, se concentrant sur lui, écartant Vadin de sa pensée.

Vadin enfonça le clou.

— Ah non ? Tu leur parles comme si tu étais né dans le Nord. Avec moi, tu zézayes avec une douceur qu'on n'a jamais montrée dans le Sud. Qui prends-tu pour un imbécile ?

Le dos de Mirain exprimait un silence opiniâtre. Un œil couleur de rubis brillait juste au-dessus, sous la corne bien aiguisée du Fou. Rami broutait paisiblement à la lisière du feu, indifférente aux querelles des deux-jambes. Vadin maudit tous les mages et leur intransigeance, et pas pour la première fois. Comment un simple mortel pouvait-il leur faire entendre raison ?

Mirain pivota vers lui tout d'une pièce.

— Entendre raison ? Quelle raison ? Tu m'accuses de machinations auxquelles je n'ai jamais pensé. Tu me reproches de parler en bon Ianyen, et aussi de le pratiquer avec toi, qui me connais et qui parfois oublies de me mépriser. Que devrais-je faire ? Refuser tout contact avec ces hommes près desquels je dois me battre ?

— Plier bagages, et retourner à Han-Ianon où est ta place.

— Ah non, dit Mirain. Tu ne me feras pas rentrer. Il était déjà trop tard quand j'ai rencontré Moranden au marché.

— Vous devriez être frères, tous les deux. Vous vous haïssez trop pour être autre chose.

— Je ne le hais pas, dit Mirain, comme s'il le croyait.

Peut-être le croyait-il. Peut-être Vadin le crut-il aussi.

— Il désire ce qui m'appartient. Il ne l'aura jamais. Un jour peut-être, je pourrai lui apprendre, sinon à m'aimer, du moins à accepter la vérité.

— Es-tu vraiment si arrogant, ou juste simplet ? Les hommes de sa trempe ne renoncent jamais.

— On peut les persuader de s'écarter.

Vadin cracha dans le feu.

— Et les lunes danseront la danse des épées, et le soleil brillera pendant la nuit.

A sa grande surprise, sauf qu'il commençait à ne plus s'étonner de rien de ce que Mirain disait ou faisait, Mirain s'accroupit près de lui avec un grand sourire.

— C'est un nouveau pari, ô sceptique ?

— Je ne te volerai pas cette fois, ô insensé.

Mirain éclata de rire. Il avait les dents très blanches. Il s'allongea, la tête sur sa selle, enroulant sa couverture autour de lui, fixant des yeux brillants sur Vadin.

— Je ne le tuerai pas. Ce serait trop facile. Je le gagnerai à ma cause. De sa libre volonté, sans magie.

— Que suis-je alors ? Celui sur qui tu essayes tes coups ?

— Mon ami.

Mirain était une ombre se détachant sur l'ombre ; même ses yeux brièvement voilés par les paupières. Ils se rouvrirent brusquement, imposant silence aux protestations.

— C'est vrai, Vadin.

Vadin comprenait comment Mirain considérait Moranden. On ne pouvait pas haïr un homme affligé de folie. On le plaignait ; on ressentait le désir désespéré de le guérir. Ils étaient fous tous les deux, ces princes. Ils allaient en mourir. Et alors, qui serait roi de Ianon ?

Mirain dormait. Il avait ce don, de se plonger volontairement dans le sommeil entre deux respirations, laissant l'inquiétude aux simples mortels. Vadin se rapprocha imperceptiblement de lui. Il ne bougea pas. Le Fou non plus. L'écuyer baissa les yeux sur lui. Le feu mourant ne faisait qu'épaissir l'ombre autour de lui, mais son visage était nettement imprimé dans sa mémoire. Visage qu'on ne pouvait pas oublier. D'autres l'avaient dit — Ymin, le roi. Cela figurait dans une ballade. Mirain avait ri en l'entendant. Oui, avait-il dit, il était assez laid pour qu'on le remarque.

Il était aveugle comme une taupe et fou à lier. Emettant un son tenant à la fois du gémissement et du grondement, Vadin s'enroula dans sa couverture. Les dieux veillaient sur les affligés, disaient les prêtres. Eh bien, qu'ils veillent, et qu'ils donnent la paix à ce pauvre mortel.

Peut-être les dieux firent-ils leur devoir, après tout. Personne ne tenta de glisser du poison dans les rations de Mirain, ni de planter un poignard dans son dos. Moranden ne lui accorda pas plus d'attention qu'aux autres soldats, mais pas moins. Et Vadin n'entendit plus rien ressemblant aux commérages du marché d'Han-Ianon. Le prince Moranden se dominait et dominait ses hommes.

Le troisième jour, le temps se gâta. L'aube fut morne, le soleil levant gris et écarlate. A midi, une pluie torrentielle tomba. Les hommes enveloppèrent leurs armes dans du cuir huilé, eux-mêmes dans de grandes capes à capuchon, et pressèrent la marche sans faire de haltes.

On était au début de l'été, mais c'était une pluie du Nord, née dans les montagnes. Elle glaçait jusqu'aux os. Les hommes grommelaient, pariant entre eux si oui ou non le prince leur commanderait de s'endurcir un peu plus en campant dans la tempête. Mirain paria.

— Non, pas du tout, dit-il. Nous coucherons au chaud et au sec ce soir.

Il gagna la dague à poignée d'argent. Car, quand le crépuscule inclina vers la nuit, Moranden les guida, par un sentier tortueux, jusqu'à un château, plus petit même qu'Asan-Geitan, et plus pauvre, mais pourvu d'un toit qui les protégerait de la pluie. Les hommes poussèrent des acclamations quand les grilles s'ouvrirent en grinçant pour les laisser entrer.

Mirain se serait contenté de loger à la salle de garde avec les autres. Mais comme il se dirigeait vers le coin que Vadin leur avait réservé, la voix de Moranden les fit se retourner.

— Seigneur prince !

Moranden était détendu, affable, souriant même. Le seigneur du château, vieillard décharné, semblait sur le point de s'évanouir. Réprimant un éclat de rire, Vadin suivit Mirain à travers la cohue des soldats. Le pauvre homme était déjà terrifié d'accueillir chez lui le plus grand seigneur de Ianon ; et maintenant, voilà que ce seigneur lui présentait l'héritier du trône lui-même. Qui avait l'air d'un enfant, transi et tremblant ; qui leva la tête et le domina soudain de haut, tout plein du dieu ; qui parla au baron dans son propre patois, et gagna son âme.

Vadin les suivit tous les trois dans une sorte de stupeur. Due en partie à la pluie et au froid, en partie à la fascination. Il n'avait jamais vu de si près agir la magie de Mirain, ou avec un effet si dévastateur. Sauf que ce n'était pas de la magie, pas vraiment ; pas le moindre sortilège ou incantation. C'était sa personne même. Son visage, son port, sa présence. La connaissance infaillible de ce qu'il fallait dire, où et quand. Et ses yeux incomparables.

Ils eurent le meilleur de ce que le seigneur avait à offrir, Moranden la chambre des invités, Mirain la chambre particulière du seigneur. Les esclaves personnels du seigneur firent du feu dans la cheminée, qui fumait, mais dégagea de la chaleur ; même l'écuyer eut une chaude robe de chambre, et une coupe de vin brûlant, et les esclaves ne le laissèrent pas servir son maître. Ici, il était lui-même traité en seigneur. Ils étaient d'une maladresse pitoyable, mais moins avec lui qu'avec Mirain, dont la présence les figeait. Jusqu'au moment où le prince les gratifia d'un sourire et d'un mot ; et alors, ils se mirent en quatre pour lui plaire.

Séché et réchauffé, avec les fumées du vin montant de son estomac à sa tête, Vadin sortit de sa stupeur. A côté d'Han-Ianon, ce château était délabré, mal tenu et pas très propre, mais il y régnait une atmosphère de confort ; il se sentait chez lui. Les esclaves étaient mal lavés mais assez bien nourris ; le vin était bon, le dessus de lit magnifique. Il en fit la remarque, et Mirain sourit.

— Tissé par ta maîtresse ? demanda-t-il à celui qui

s'occupait du feu, persuadant la fumée de monter à la verticale au lieu de se répandre à l'horizontale dans la pièce.

L'esclave fit trop de courbettes profondes, mais répondit assez clairement.

— Oui, monseigneur, c'est Dame Gitani qui l'a fait. C'est bien modeste, j'en ai peur, pour vous autres grands seigneurs, mais c'est chaud ; la laine vient de nos moutons.

— Ce n'est pas du tout modeste, c'est splendide. Regarde, Vadin, la pureté de ce bleu, clair comme un ciel hivernal. Où ta maîtresse a-t-elle trouvé ces teintures ?

— Tu devras lui demander, monseigneur, dit l'esclave en s'inclinant. Elle te le dira. C'est un art de femme, monseigneur, mais comme tu es prince, elle te le dira.

Il salua une fois de plus et s'enfuit.

Mirain caressa le dessus de lit, souriant avec son ironie familière.

— Comme ils se comportent différemment avec un prince ! Quand je n'étais que prêtre, je logeais à l'écurie, ou, si la famille était pieuse, avec les serviteurs ; personne ne bégayait quand j'adressais la parole à quelqu'un. Pourtant, j'étais Mirain alors, comme je le suis toujours. Pourquoi cette différence ?

— Alors, tu n'avais pas le pouvoir. Tu ne pouvais pas condamner un homme à mort et être obéi.

Mirain posa les yeux sur Vadin.

— Est-ce cela qui fait le prince ? Le pouvoir de tuer sans sanction ?

— C'est une façon de l'exprimer.

— Non, dit Mirain. Il doit y avoir autre chose.

— Pas si tu es un marmiton dans un fort montagnard.

Le prince s'enroula dans le splendide couvre-pied, front plissé, menton sur le poing. Sans plus d'esclaves pour l'en empêcher, Vadin s'occupa de leurs affaires, mettant leurs vêtements mouillés à sécher, inspectant les armures et les armes dans leurs enveloppes protectrices. Quand il releva les yeux, Mirain dit :

— Je serai davantage qu'un bourreau de haut rang. Je montrerai au peuple ce que peut être un roi. Un guide, un gardien. Le protecteur des faibles contre les puissants.

Vadin leva les yeux au ciel, puis les étrécit pour examiner l'épée de Mirain. La lame commençait à s'émousser. Il prit la pierre à aiguiser.

— Tu te moques de moi, dit Mirain, davantage peiné que fâché. Ne connais-tu rien d'autre ? La peur, la force, et tout le pouvoir au plus fort ?

— Qu'y a-t-il d'autre ?

— La paix. Le courage. La loi qui gouverne tous les hommes, du plus faible au plus fort.

— Que tu as des rêves bizarres, monseigneur. Est-ce une maladie du Sud ?

— Maintenant, tu me railles ouvertement, soupira Mirain. Je sais. Si un roi espère gouverner, il doit gouverner par la force, ou être chassé de son trône. Mais si la force pouvait être adoucie par la compassion — s'il pouvait enseigner une autre voie, une voie plus douce, à ceux qui sont capables de la suivre ; s'il pouvait conserver ses bonnes résolutions, et ne pas s'abandonner aux séductions du pouvoir — imagine un peu, Vadin ! Imagine ce qu'il pourrait faire !

— Il ne durerait pas longtemps à Ianon, monseigneur. Nous sommes des barbares hurleurs.

Mirain émit un grognement dédaigneux.

— Tu n'es pas plus barbare que le Prince d'Han-Gilen.

— Peu probable, dit Vadin. Plutôt mourir que de porter des pantalons.

— Le Prince Orsan frémirait à l'idée de porter un kilt. Epouvantable pour monter à cheval. Tellement impudique.

— Il doit être aussi mou qu'une femme.

— Pas plus que moi.

Vadin regarda Mirain de travers.

— Tu ne minaudes pas un peu depuis un ou deux jours ?

Il esquiva l'appui-tête du lit, lancé avec une force alarmante.

— Que disais-tu sur la compassion, monseigneur ?

— J'en ai fait preuve. J'ai pris soin de te manquer.

— Tu vois ? dit Vadin. Force supérieure. C'est ce qui fait de toi le prince, et de moi l'écuyer.

— Dieux du ciel, un philosophe. L'un de ces nouveaux logiciens. Je t'apprendrai à lire, et tu seras un grand maître dans les Neuf Cités.

— Les dieux m'en préservent, dit Vadin d'un ton pénétré.

Vadin dîna dans la grande salle, assis par force avec les princes, tandis que le menu fretin était au bas bout de la table. Au moins, il put s'asseoir près de Mirain ; personne n'eut la présence d'esprit ni le courage de le lui interdire. Il gardait un œil méfiant sur Moranden, et plus méfiant encore sur l'imprévisible jeune prince, qui ensorcelait la famille de leur hôte aussi totalement qu'il l'avait fait du seigneur du château. Les femmes surtout semblaient enamourées, quoiqu'un jeune homme aux yeux de biche — le benjamin des fils, se dit Vadin — fût séduit depuis longtemps. Il servait Mirain avec quelque chose comme de la grâce, fondant au moindre mot ou regard, tremblant si son service ou le hasard lui permettait de le toucher.

— Joli, remarqua Vadin quand le garçon s'absenta pour remplir une cruche de vin.

Mirain haussa un sourcil.

— Il va me supplier de l'emmener quand je partirai. Dois-je accepter ?

— Pourquoi pas ? Il paraît récupérable.

Le sourcil se haussa un peu plus, mais Mirain se

retourna pour répondre à une question et ne reprit pas sa position première.

Laissé à lui-même, Vadin surveilla le garçon du coin de l'œil. Son amusement virait à l'aigre. Mirain ne parlait pas sérieusement, bien sûr. Il avait déjà plus de domestiques qu'il n'en supportait. Mais le garçon était extraordinairement joli. Beau, en vérité. Mince, gracieux, avec de grands yeux liquides ; sa barbe n'était encore qu'un duvet sur sa peau douce, et bien qu'il n'eût plus la tête rasée de l'enfance, et que sa chevelure eût poussé, elle n'était pas encore emprisonnée dans les tresses d'un homme. Enveloppé d'étoffes souples et paré de bijoux, il ferait une délicieuse jeune fille. D'ailleurs, il se comportait en fille, à se pâmer ainsi devant Mirain.

Vadin avait mal au front. Il s'aperçut qu'il fronçait les sourcils. Et qui était-il pour désapprouver ? Il avait eu lui-même une ou deux aventures, mais il préférait de beaucoup coucher avec une femme.

Mirain sourit au garçon. Comment s'appelait-il, déjà ? Isthan, Istan, quelque chose comme ça. Mirain lui adressait un de ses sourires de séducteur, pas assez ardent pour brûler. Le garçon se dirigea vers lui. Se ressaisit, recula, en proie à une confusion charmante. Son regard croisa celui de Vadin, il défaillit visiblement et faillit s'enfuir.

Au milieu de tous ces soupirs et roucoulades, Vadin remarqua quand même que Mirain quitta la salle, sobre et sans incident, et qui plus est sans trop s'attarder. Peut-être était-il aussi écœuré que Vadin des jeunes éphèbes.

Il dormit vite et profondément, comme toujours. Vadin, qui partageait son immense lit, resta éveillé comme toujours. Sans penser à grand-chose ; conscient du corps tiède étendu près du sien, regrettant que ce ne fût pas celui de Ledi. Une ou deux esclaves lui avaient lancé des œillades : peut-être que s'il pouvait s'éclipser...

Mirain se retourna dans son sommeil. Il se blottit contre Vadin, comme un chiot contre sa mère, se nichant contre son grand corps, soupira et ne bougea plus. Vadin soupira plus profondément. Le contact de Mirain n'avait rien de féminin, à part la peau. Et sa chevelure — elle aurait fait honte à celle d'Isthan — ou Istan. Il avait défait ses nattes ; au matin ses cheveux seraient affreusement emmêlés. Sans réfléchir, Vadin les lissa de la main. Et continua à lisser, caressant légèrement pour ne pas l'éveiller. C'était apaisant, comme de caresser son chien favori.

Ianon se serait levé en armes si les gens avaient connu cette pensée. Mirain en rirait. Il aimait avoir une apparence splendide, et en avait conscience quand cela lui arrivait, mais il était convaincu d'être laid. Non qu'il fût bel homme, et joli encore moins. Mais beau, peut-être. D'une beauté bizarre, frappante et inéluctable.

La main de Vadin s'immobilisa. Il écouta la respiration lente et puissante, contempla le bras que Mirain avait jeté en travers de son torse. Soudain, il eut envie de se libérer et de s'enfuir. Tout aussi soudainement, il eut envie d'étreindre Mirain en débitant un flot de sottises. Au risque de le réveiller et d'affronter sa colère. Vadin resta parfaitement immobile, parfaitement silencieux, s'obligeant à respirer. Inspiration, expiration. Inspiration, expiration…

Il n'avait pas encore perdu son pari. Il y était question d'amitié, pas d'amour.

Que le diable l'emporte ! pensa Vadin, sans cesser de compter ses respirations. *Qu'il soit damné ! damné ! damné !*

CHAPITRE 9

Comme Mirain l'avait prédit, Istan le supplia de l'emmener, et Mirain se montra bon envers lui, mais ferme.

— Je vais à la guerre ; et j'ai un écuyer choisi par le roi. Reste ici, grandis et prends des forces, apprends tout ce que tes maîtres peuvent t'enseigner. Et quand tes cheveux seront nattés, si tu le peux et si tu le veux toujours, viens à Han-Ianon ; tu y seras le bienvenu.

Les yeux du garçon étaient noyés de larmes, mais il les refoula. En cet instant, il ressemblait moins à un enfant, et plus du tout à une fille. Quand Mirain s'éloigna, il était dans la tour surmontant la porte, et le suivit des yeux. Vadin savait qu'il ne bougerait pas avant qu'ils ne soient hors de vue.

Mirain ne l'avait pas oublié ; ce n'était pas dans sa nature. Mais il se concentrait sur les hauts pics brumeux, au loin, qui signalaient les Marches, et sur le couvre-lit bleu, qu'on lui avait donné en souvenir, et qui était plié dans ses bagages.

Vadin, très calme, chevauchait près de lui. Le réveil avait été douloureux, surtout parce qu'il avait passé presque toute la nuit immobile et incapable de dormir ; et c'était Mirain qui, en se levant, l'avait réveillé en sursaut. Mirain avait démêlé leurs membres enlacés sans la moindre vergogne, ronchon comme il l'était toujours au saut du lit, mais s'efforçant de s'en corriger, et sans remarquer la rougeur ardente qui avait terrassé Vadin. Vadin le regarda, se souvint et se figea, horrifié. Mirain entre mille, mage et fils du dieu, lecteur des esprits, ne pouvait pas être abusé. Vadin pouvait feindre l'indifférence la plus totale, ou optant pour la sagesse, se conduire exactement comme toujours, Mirain saurait quand même. Il verrait. Et si cela lui faisait plaisir, Vadin savait qu'il en mourrait de honte ; et si cela lui déplaisait, ce serait encore pire.

Il avait apporté du vin à Vadin, toujours immobile sous le couvre-lit, et il était le même que d'habitude. Le dieu ne flamboyait pas dans ses yeux. Ils étaient encore brouillés de sommeil, mais s'éclaircissaient peu à peu, sans rien voir de malséant. Vadin avala le vin chaud et sucré, qui le réconforta. Après tout, peut-être qu'il n'avait rien à craindre. Il n'avait pas des yeux facilement énamourés, et Mirain n'envahirait pas un esprit qui résistait. Et, fils d'Avaryan ou non, il n'était pas dans sa meilleure forme au réveil. Le temps que Mirain reprenne ses esprits, Vadin s'était lui-même ressaisi.

Le vent dans la figure, frais et même froid et chargé d'une odeur de neige, il savait qu'il pouvait maîtriser la situation. Il n'était pas comme Istan. Ce n'était pas le corps de Mirain qu'il désirait, du moins pas au point de s'en trouver sans volonté. Il voulait autre chose. Peut-être quelque chose d'inouï.

— Regarde ! s'écria Mirain, levant le bras.

De grandes ailes battirent ; un aigle tomba du ciel, se posa comme un faucon dressé aux jets ; un aigle blanc des montagnes, l'oiseau royal de Ianon, compagnon des rois. Les yeux se regardèrent, le feu du soleil rencontra le feu du Soleil. Avec un cri perçant, l'aigle s'élança vers le ciel, emportant avec lui l'âme de Mirain, dont le corps vide continua à chevaucher sur la haute selle de guerrier.

Vadin baissa ses yeux embués de larmes sur les

oreilles de Rami. Par tous les démons et les dieux, il était vraiment perdu ; jaloux d'un oiseau maintenant. Et tout ça pour un sorcier génial qui voulait être roi. Qui mourrait sans doute de son désir. Les larmes lui montèrent aux yeux et débordèrent. Il jura sous le fouet du vent.

Ils abordèrent lentement les Marches, par des collines qui s'enflaient progressivement pour devenir des montagnes ; par un désert noir et stérile, le vert vaincu par la puissance de la pierre, les arbres rabougris et tordus dans le vent implacable. L'été n'avait pas encore pris pied ici. Là où poussait la verdure, c'était toujours le printemps, les neiges à peine fondues. Les pics en étaient encore couverts, défiant le soleil de les conquérir. Mais loin au-dessous d'eux, tout était vert, chaud et silencieux. Et à mesure qu'ils montaient, Vadin voyait les parois de la Vallée de Ianon par-delà le terrain vallonné, mais ni les Tours ni le Château. Les premières se dressaient à l'opposé de ce dernier, au couchant, trop bien protégé dans son cirque de montagnes.

Ils avançaient plus prudemment maintenant, derrière un réseau d'éclaireurs et d'espions, prenant la température de ce pays qui s'était soulevé contre son seigneur. Pourtant, ils n'avançaient pas furtivement comme des voleurs. Moranden voulait qu'on sache qu'il était dans les Marches, mais pas précisément où. Il pouvait traverser ouvertement un village, simple groupe de huttes à flanc de montagne, puis faire demi-tour et, par des sentiers cachés, gagner un fort éloigné ; et s'y reposer un jour, une nuit, ou seulement une heure.

— Il sème la confusion, dit Mirain. Cela inquiète les rebelles. Ils ne sont pas aussi puissants qu'ils le voudraient. Et par sa seule présence, il rappelle aux hésitants qu'ils lui ont juré fidélité jusqu'à la mort.

Un chef de clan se le rappela, et tenta d'apaiser les

deux camps. Il logea et nourrit un chef de bande, l'arrêta dans son lit, et fit prévenir le Prince Moranden de sa capture. Moranden vint, sourit, fit exécuter le rebelle sous ses yeux. Et quand le bourreau lui apporta la tête sanglante à la bouche béante, il leva la main. Ses hommes saisirent le chef de clan, et le bourreau, sous l'œil froid de Moranden, officia une fois de plus.

Vadin était habitué à la justice expéditive. Il avait grandi avec elle. Mais ce fut Mirain, élevé dans le Sud raffiné, qui regarda sans ciller, tandis que Vadin, honteusement malade, vomissait lamentablement.

— Je peux tuer, haleta-t-il. Je peux tuer au combat. Je sais que je le peux. Mais je ne peux pas... je ne pourrai jamais... par tous les dieux, ses yeux quand ils l'ont emmené. Ses yeux !

Mirain ne lui fit pas l'injure de la pitié ou de la compassion.

— Il savait ce qu'il risquait, mais il a refusé de le croire. Comme tous les traîtres.

Pendant un moment, ils eurent la garde-robe pour eux seuls. Vadin se retourna sur le seuil, le dos contre le rideau de cuir donnant sur l'escalier.

— Aurais-tu fait ce qu'a fait ton oncle ?

Mirain prit le temps de se soulager. Il faisait sombre, la flamme de la torchère vacillant au-dessus de sa tête penchée, mais Vadin le vit pincer les lèvres. Il dit enfin :

— Je ne sais pas. Je... ne sais pas.

Il rajusta son kilt.

— Je n'ai jamais été trahi.

Pour le moment. Ces mots, informulés, restèrent suspendus dans l'air lourd.

Moranden avait fait sa démonstration. Ses vassaux lui firent parvenir de nombreuses protestations de fidélité. Mais les chefs qui avaient suscité le soulèvement surent qu'ils ne pouvaient attendre aucun pardon de sa part. Rassemblant toutes leurs forces, ils s'enfuirent pour se mettre en sécurité.

— Umijan, dit le chef des éclaireurs de Moranden, qui avait crevé un cheval sous lui pour rejoindre son seigneur sur la route de Shuan à Kerath.

Vadin entendit ; Mirain, peut-être poussé par quelque prémonition, était remonté en tête de la colonne, et les gardes de Moranden n'avaient fait aucun effort pour l'en empêcher.

— Oui, répéta l'éclaireur entre deux halètements, acceptant la gourde personnelle de Moranden et buvant une longue rasade. Ils ont caché un homme à Kerath, presque mort de fièvre, mais pas tout à fait. Il a déliré avant de mourir. Umijan donnera asile aux rebelles s'ils y arrivent bientôt et s'ils prêtent les serments qu'il voudra.

Moranden resta impassible. Umijan était le cœur des Marches, son seigneur était un proche parent. Un demi-frère, prétendaient ceux qui chuchotaient aussi que Moranden n'était pas le fils du roi Raban. A part le donjon géant d'Han-Ianon, c'était la forteresse la plus puissante du royaume, et elle n'avait jamais été prise. Une fois barricadés à l'intérieur, les fugitifs pourraient tenir aussi longtemps qu'ils le voudraient. Ou que le voudrait le Baron Ustaren, et il ne céderait pas facilement. Car il était issu d'une longue lignée de rebelles, se révoltant contre toute autre autorité que la leur.

— Et si nous y arrivions les premiers ?

Tous se retournèrent à la voix de Mirain, une dague lui barrant le chemin. Son regard la força à s'abaisser.

— Et si nous arrivions à Umijan avant eux ? répéta-t-il. Que ferait alors Ustaren ?

— Impossible, grinça le capitaine le plus proche de Moranden. S'ils ont dépassé Kerath il y a plus d'un jour, chevauchant aussi vite qu'ils le devaient, ils seront à l'intérieur des remparts d'ici demain soir. Impossible de les rattraper, et encore moins de les devancer.

— Si nous réussissons, insista Mirain, le seigneur persistera-t-il dans sa trahison ? Ou se contente-t-il de jouer le jeu dans lequel on l'a élevé ? Une course, avec son aide au gagnant, son inimitié au perdant ?

L'éclaireur sourit.

— C'est exactement ça, mon prince ; tu as tout compris. Le Grand Jeu, et il y est passé maître, le seigneur d'Umijan. Mais ils ont trop d'avance. Nous ne pouvons pas les rattraper dans le temps qui nous reste.

Le destrier de Moranden piaffa, aplatissant les oreilles, l'œil fixé sur le Fou. Moranden l'empêcha de s'élancer, son mors teinté d'écume sanglante, mais il pensait à autre chose. Ses yeux fixaient Mirain. Indéchiffrables. Ils haïssaient, oui, mais pas au point d'être aveuglés. Ils s'étrécirent, évaluant le maître et sa monture.

— Très bien, fils de ma sœur, dit-il, et c'était une grande concession devant l'armée. Puisque ta seigneurie a choisi de ne pas rester à sa place assignée, dis-nous ce que tu sais et que nous ignorons encore.

— Je ne sais rien, seigneur commandant, dit Mirain sans nuance perceptible de moquerie, mais je ne crois pas que nous ayons perdu la course. Donne-moi dix hommes montés sur nos seneldi les plus rapides, des provisions que nous pourrons consommer en selle, et j'accueillerai les traîtres en ton nom aux portes d'Umijan.

— Pourquoi toi ? Pourquoi risquer le prince héritier dans une aventure où il peut trouver la mort ?

— Parce que, répondit Mirain, le Fou est le senel le plus rapide de Ianon, et qu'il ne tolère d'autre cavalier que moi. Lui seul peut gagner la course.

Tous les hommes qui étaient assez proches pour voir la scène, et ils firent passer le mot dans les rangs. Mirain défiait Moranden, dont il n'avait pas questionné les ordres jusque-là ; et Moranden ne le comprenait que trop bien. Mais il n'y avait aucune inimitié dans ce défi, ni d'un côté ni de l'autre. Pas cette fois, pas avec un ennemi commun à vaincre.

— Si j'accepte, dit Moranden, et que tu tombes aux mains des ennemis, ou que tu échoues à persuader Ustaren que tu es un roi, et non un pion dans son jeu, ce n'est pas seulement Umijan qui sera soulevé contre moi.

— Non. Je le jure par mon père. Je prends seul la responsabilité de cette tentative. Si tu m'y autorises, seigneur commandant.

— Et si je refuse, seigneur soldat ?

— Je me soumettrai à ta volonté, dit Mirain. Et nous perdrons Umijan.

L'étalon brun abaissa ses cornes, s'ébrouant d'indignation. Le poing de Moranden lui imposa la soumission. Soudain, il éclata de rire, d'un rire énorme sans la moindre trace d'amertume.

— Tu as de l'aplomb, mon garçon. Peut-être même que tu as de la chance. Choisis tes hommes si ce n'est déjà fait. Rakan, occupe-toi de leurs vivres.

Vadin ne demanda pas à partir. Cela allait de soi. Rami galopait plus vite que n'importe quoi sur pattes, peut-être plus vite même que le Fou. Quand il alla remplir ses fontes de pain de campagne, de biscuit de troupe et d'une double ration d'eau, Rakan lui accorda à peine un regard. Il faisait partie de Mirain, comme le Fou. Il jeta toutes les affaires inutiles sur le tas qui s'amoncelait aux pieds de Rakan, même le bouclier et l'armure, même le casque, tant ils devaient voyager léger. Mais il conserva son épée et sa dague, car aucun noble ne se déplaçait sans elles. Il regretta le sacrifice de son armure, tout en sachant qu'il la retrouverait quand l'armée arriverait à Umijan. Un kilt et une cape ne le protégeraient guère contre le bronze tranchant.

Mais ils ne partaient pas pour combattre ; ils partaient pour gagner un seigneur des Marches à la cause de Moranden.

Mirain choisit ses hommes assez vite pour justifier

la remarque de son oncle. Il choisit bien, jugea Vadin, et Moranden le reconnut. Ils étaient tous jeunes, mais forts et aguerris, étroits d'épaules pour la plupart, grands et légers comme Vadin, ou petits et légers comme Mirain, et tous superbement montés. Ils se rassemblèrent en tête de l'armée, leurs seneldi piaffant d'impatience, tandis que Mirain se retournait une dernière fois vers Moranden.

— Souhaite-nous bonne chance, monseigneur.

Moranden inclina la tête, soutenant un moment le regard de Mirain. Il ne sourit pas, il ne fronça pas les sourcils. Seul Vadin était assez proche pour entendre ce qu'il dit.

— Pour le roi, bâtard de prêtresse. Pour le royaume qu'un de nous deux gouvernera. Galope vite et sans détours, et puissent les dieux t'amener là-bas avant l'ennemi.

Mirain sourit.

— Je te reverrai à Umijan, mon oncle.

Le Fou pivota sur ses jambes postérieures, en hennissant. D'un geste de sa main dorée, Mirain les lança au galop.

Plus tard, quand Vadin essaya de se souvenir de cette folle chevauchée, il se rappela surtout le bourdonnement et le tonnerre du vent à ses oreilles, la crinière de Rami qui lui fouettait les mains, ses longues oreilles tantôt aplaties par la vitesse, tantôt dressées quand les cavaliers ralentissaient pour respirer et manger, et, trop brièvement, pour se reposer. Ils maintinrent le rythme de la Grande Course, épuisant mais pas mortel, car cavaliers et montures faisaient partie des meilleurs. Rami, en était ; Vadin était résolu à en être. La jument avançait, infatigable, suivant le Fou pas à pas, lui montrant même les talons une fois qu'il bronchait. Il avait buté sur une pierre dans un instant d'inattention. Il surgit près d'elle sur l'étroit sentier, la mordilla à l'épaule pour tant de présomption. Elle dédaigna de le remarquer. Derrière les oreilles aplaties du Fou brilla le sourire soudain de Mirain. Vadin découvrit aussi les dents en réponse, plus grimace que sourire.

Sur une corniche appelée la Lame, ils perdirent un homme, qui dévala la falaise abrupte jusque dans la Vallée. Son grand rouan, abordant trop vite la descente, fut déséquilibré, chercha à reprendre pied, resta suspendu dans le vide puis tomba dans l'abîme en hennissant de terreur. Les vertèbres de son cou craquèrent, son hideux, mais moins que le silence de son cavalier. Les trois hommes qui le suivaient ne purent s'arrêter, ne purent que virer et prier ; parmi ceux qui allaient devant, l'un faillit mourir quand sa monture fit un écart pour éviter les corps qui dégringolaient.

Le dernier homme s'arrêta dans l'herbe d'une glissade, tremblant, le cheval haletant, le cavalier jurant sans discontinuer. La voix de Mirain les cingla tous les deux.

— Les dieux ont pris leur tribut. L'armée s'occupera des corps quand elle passera. Maintenant, en avant, pour l'amour de Ianon ! En avant !

Ils perdirent un deuxième homme sur une route encombrée d'éboulis et de pierres. Le hongre moucheté trébucha, tomba, et se releva en boitant ; malgré les larmes de son jeune cavalier, couché sur son encolure, on les laissa seuls à boitiller de leur mieux. Avaryan se couchait, l'état du terrain empirait, et ils avaient perdu la pointe de vitesse qu'ils avaient au départ. Ils avaient deux homme en moins, la nuit arrivait, avec le pire encore à venir.

Enfin, il sembla que les dieux de cette contrée cruelle étaient assouvis. Le détachement adopta une allure régulière mais rapide, les cavaliers assez groupés, pas les uns sur les autres, se relayant à l'avant tandis que, tour à tour, ils fermaient la marche pour se reposer. Seul le Fou ne céda jamais sa place ; il galopait devant tous, infatigable, ses flancs luisant à peine sous une mince pellicule de sueur.

Avaryan se coucha dans un torrent de feu. Les étoiles fleurirent une par une. Lumilune se lèverait tard, à demi pleine ; Grandlune monta dans le ciel derrière eux, immense et d'une pâleur fantomatique. Le Fou galopait, faisant un avec l'ombre, mais Mirain conservait autour de lui une dernière lueur du couchant. Elle le couronnait, assourdie mais nette ; elle luisait dans l'écarlate de sa cape.

— Né du soleil, dit quelqu'un, loin derrière Vadin. Seigneur d'Avaryan. An-Sh'Endor.

Il avait une belle voix et il en fit une chanson, bien qu'aucun autre ne pût l'accompagner, n'ayant de souffle que pour continuer. Vadin en retrouva l'écho dans sa tête, au rythme des pas de Rami. Le chant était fort, il avait du pouvoir, la magie que donnent les noms sacrés. Il les lia tous à celui qui les conduisait, qui trouvait leur chemin dans l'obscurité grandissante. *Né du Soleil, Seigneur d'Avaryan, An-Sh'Endor*.

Juste avant la première lueur de l'aube, Mirain décida d'une halte. Il avait trouvé un ruisseau parmi les pierres, et une ou deux parcelles d'herbe desséchée par l'hiver. Leurs montures fatiguées se reposèrent, mangèrent et burent, furent dûment étrillées, puis ils s'écroulèrent et dormirent comme la mort.

Vadin lutta contre le sommeil. Il devait voir… il devait être sûr… Mirain…

Il ouvrit les yeux au soleil. Ils étaient éparpillés sur la pente comme après une bataille, sauf qu'aucun charognard n'était venu les tourmenter. Ces derniers tournaient au-dessus de leurs têtes, pleins d'espoir mais encore hésitants.

Mirain était debout près de lui, visage tourné vers le soleil comme pour boire sa force. Vadin repensa à son rêve, qui avait peut-être été réel : une voix grave et douce qui chantait les louanges d'Avaryan. Le prince se retourna, avec un petit sourire. Vadin savait avec certitude qu'il n'avait pas dormi, mais il ne donnait aucun signe de fatigue. Son sourire s'élargit un peu.

— La prêtrise, dit-il. Elle aime les longues veilles.

Il se pencha, posa quelque chose près de la main de Vadin.

— Mange et bois. Il se fait tard.

Vadin grogna, mais obéit. Mirain alla d'homme en homme, avec un mot ou une attention pour chacun, un gâteau, un fruit, un geste vers le ruisseau. Personne n'émit de plainte. En peu de temps d'après le soleil, ils étaient tous levés, en selle et en route. Leurs gourdes étaient pleines, leurs montures reposées, mais ils démarrèrent au pas, pour échauffer les muscles raidis. Le soleil les réchauffa ; le vent était pur et frais. Ils passèrent au galop.

Les Pics Noirs se dressèrent devant eux, enserrant la haute vallée d'Umijan. Quelque part dans ce chaos de sommets et de vallées, de crevasses et de lacs, se trouvait l'ennemi. Le soleil couchant les trouverait aux portes d'Umijan. Le soleil couchant devait les trouver à l'intérieur des portes, avec le Baron Ustaren pour allié juré.

— Priez les dieux que nous arrivions au Goulet avant les traîtres, dit Jeran, qui était natif des Marches, ou ils nous avaleront sous l'œil d'Ustaren.

Le Goulet, dernière étape de la course, long et étroit défilé entre des murs de pierre, s'élevant lentement, puis de façon plus abrupte, vers le rocher de la forteresse. Huit hommes et leur prince, seulement armés d'épées, montés sur des chevaux fourbus, ne pourraient ni s'y mettre à couvert ni s'y défendre.

Vadin n'avait pas peur ; il se concentrait trop pour ne pas se laisser distancer. C'est pourquoi, quand ils abordèrent une autre de ces mille pentes sans nom, il s'arrêta sans réfléchir, voyant la selle du Fou vide et Mirain qui courait sur la crête. Toujours sans réfléchir, il mit pied à terre en chancelant, le poursuivant aussi vite que le permettait son corps épuisé, et rattrapant enfin le prince. La crête surplombait une prairie de rivière bordée de rochers, où grouillait une armée. Cavaliers et fantassins, même quelques chariots, avançaient comme la marée, lents et inexorables.

— Le Goulet ? chuchota Vadin, bien que ne voyant rien ressemblant à un château.

— Pas encore, répondit Mirain. Mais c'est le chemin, et il n'y en a pas d'autre, à part une succession de vallées en cul-de-sac.

Vadin examina les parois, pas particulièrement abruptes à son œil de montagnard, mais impraticables pour un senel. Sans aucun bois ou bosquet pour dissimuler un détachement, seulement de l'herbe et des pierres, et le ruban scintillant du ruisseau. La vallée grouillait de rebelles.

Jeran les rejoignit hardiment, sifflant entre ses dents devant ce spectacle.

— Ils sont plus lents que je ne croyais ; encore à une heure de galop du Goulet.

Il était hagard, couvert de poussière comme ils l'étaient tous, tremblant, mais il sourit.

— Nous réussirons, Fils du Soleil.

Concentré sur l'armée, Mirain ne réagit pas à ce titre.

— Quelle arrogance, grommela-t-il. Pas d'éclaireurs. Pas d'avant-garde. Pas d'arrière-garde… Non. Ils sont tous dans la vallée. Nous arrivons sur leur flanc, ce qui est une chance, mais pas suffisante. A moins que…

Il s'interrompit, étrécissant les yeux.

— Regardez ! Ils avancent en bon ordre, mais pas aussi disciplinés qu'ils le devraient. Ils ne prévoient pas de problèmes.

— Allons-nous leur en créer, monseigneur ? demanda vivement Jeran, avec quelque empressement.

Mirain le regarda, les yeux brillants. En tout autre occasion, Vadin l'aurait trouvé aussi frais qu'un jeune seigneur au saut du lit. Mais sa fermeté ne pouvait venir que d'un acte de volonté ; l'autorité d'un roi devant son peuple. C'était mieux que l'alternative, à savoir qu'il était moins humain qu'il ne s'efforçait de le paraître. Il toucha l'épaule de Jeran, qui s'éclaira, plein d'une vigueur nouvelle.

— Dis aux hommes de se reposer un peu. S'il en est un qui n'a pas confiance en lui ou en sa monture, qu'il le dise. Nous devons arriver à Umijan avant cette armée.

Aucun ne voulut avouer de faiblesse. Aucun ne flancha sous le regard de Mirain, qui fit pourtant appel à tout son pouvoir, scrutant les visages creusés de fatigue. Finalement, il inclina la tête. Il inspira profondément, comme s'il venait de prendre une décision. Lentement, il leva les mains.

— Nous avons atteint les limites de notre endurance. Mais nous devons galoper comme jamais, et cela, droit à travers les troupes ennemies. Autrement, nous sommes tous perdus.

Il montra les seneldi de sa main gauche. Même l'orgueilleux Fou baissait la tête, bien qu'il s'efforçât de la relever sous l'œil de son maître ; il haletait, les flancs couverts de sueur et d'écume. Et c'était le meilleur de tous. Mirain tourna sa paume dorée vers le soleil.

— Je n'ai pas assez de force pour vous en communiquer à tous ; mais celle que j'ai, je vais la donner à nos seneldi. Etes-vous d'accord ?

Ils le dévisagèrent, leurs esprits engourdis s'efforçant de comprendre. Vadin avait un avantage : il avait déjà été témoin de ce que Mirain pouvait faire.

— Magie, dit Vadin, pour les tirer de leur torpeur. Il vous demande votre accord pour lancer un sort d'endurance à vos montures.

Un par un, et pourtant presque à l'unisson, ils acceptèrent. Maintenant, ils appartenaient à Mirain — corps et âme. Ils le regardèrent avec une crainte révérencielle et — oui — avec amour, poser la main sous les cornes de l'unique hongre et entre celles des juments. Et la vie afflua dans les corps épuisés. Les yeux ternes se remirent à briller ; les narines palpitèrent, prenant le vent.

Mirain termina par le Fou. Il eut à peine besoin de son contact pour piaffer et caracoler, pourtant Mirain resta longtemps près de lui, les deux mains sur son poitrail, la joue contre la crinière emmêlée. Puis, brusquement, d'un mouvement presque convulsif, il se retourna. Vadin ne fut pas le seul à retenir son souffle. En ces quelques instants, son visage avait vieilli de dix ans. Mais il sauta en selle, aussi droit que jamais, et le Fou s'élança.

— En avant ! commanda-t-il. Suivez-moi.

Ils galopèrent ouvertement sur la crête, puis dévalèrent la pente vers la masse de l'armée. Que ce fût par quelque tour du pouvoir de Mirain, ou parce que les rebelles ne s'attendaient pas à être rattrapés, ils ne firent rien pour les arrêter. Comme ils avaient le soleil dans les yeux et que la poussière dissimulait l'identité des cavaliers, peut-être crurent-ils qu'il s'agissait de traînards appartenant à leur groupe. Aucune bannière ne leur disait le contraire et aucun scintillement d'armure ne les mit en garde. Crasseux, haillonneux, leurs montures haletantes et couvertes d'écume, ce pouvaient être des fugitifs en quête d'un sanctuaire.

Il y avait la place de les contourner sur leur flanc gauche, un espace dégagé entre l'armée et la paroi, où Mirain s'engagea, ses hommes galopant derrière lui. Vadin entendit une voix, un cri ressemblant à une question, dont le ton se fit de plus en plus péremptoire. Vadin se coucha sur l'encolure de Rami.

— Cours, pria-t-il. Longues Oreilles. Sac d'Os, amour de ma vie, *cours*.

Son œil droit était comme aveuglé par le scintillement des armes. Son dos frémit, regrettant l'armure absente. Il concentra tout son être sur la houppe tressautante de la queue du Fou. Elle le tirerait de là. Elle l'amènerait à bon port.

La voix engendra des échos, qui ne naissaient pas tous de l'air et des parois.

— Halte-là ! Au nom de qui galopez-vous ?

— En mon nom ! rugit Mirain en réponse. Derrière vous… Moranden… à une journée de cheval…

Le Fou vira. Du bras, Mirain fit signe aux autres de passer, mais il arrêta son étalon à portée de flèche du capitaine qui l'avait interpellé. Vadin était épuisé jusqu'aux moelles, mais pas encore mort ; il comprit ce que faisait Mirain, et il avait encore assez de force pour en rester atterré. Il tira sur les rênes, mais Rami à la bouche de velours, Rami dont l'obéissance n'avait jamais été moins que parfaite, Rami avait pris le mors aux dents et ne voulut pas s'arrêter. Il entendit la voix de Mirain, assourdie par la distance. L'insensé leur disait où était Moranden, combien d'hommes il avait et ce que lui avaient dit ses espions ; mais pas ce que Moranden lui-même avait dit. L'armée avait ralenti pour l'écouter. Les derniers rangs se débandaient. Certains acclamaient.

— Mais toi, dit le capitaine d'une voix vibrante, comment sais-tu tout cela ? Pourquoi tes hommes…

Il s'interrompit. Il éperonna son cheval pour le rapprocher du Fou, qui s'écarta en dansotant, cornes baissées.

— Qui es-tu ?

Mirain éclata de rire, découvrant le torque à son cou et éperonnant son étalon.

— Mirain, cria-t-il par-dessus son épaule. Mirain, Prince de Ianon !

Le Fou sembla trouver des ailes, si rapide fut sa fuite. Derrière lui, l'armée grouillait en désordre. Mais certains se ressaisirent très vite. Quelque chose siffla, d'un sifflement doux, aigu et mortel. Le Fou rattrapa Rami.

Le senel hennit. Abattu — l'un d'eux fut abattu devant eux, une flèche en plein cœur. Rami fit un écart ; le Fou sauta par-dessus le corps qui se débattait.

Les rebelles recommencèrent à s'ébranler. Une idée vint alors à Vadin, pure vérité. Si Mirain pouvait les retenir par sa parole, un homme seul ne pouvait-il par les retenir par son épée, les embrouiller davantage, et gagner de précieux instants ? Rami était redevenue docile, légère entre ses mains. Il prit les rênes pour faire demi-tour.

Un ruban d'acier invisible emprisonna ses poignets. La jument s'efforça d'avancer. L'œil du Fou flamboya brièvement sur Vadin. Fou lui-même et rageant, impuissant comme un homme enchaîné, Vadin s'étira le cou pour regarder en arrière. Six. Ils n'étaient que six. Des groupes d'hommes et de chevaux marquaient les endroits où les autres étaient tombés.

L'un des six était libre, ou libéré, volant la gloire que Vadin avait choisie. Galopant follement, chantant des injures, brandissant son épée. Les flèches ne le touchaient pas. Les lances tombaient, épuisées, autour de lui. Chantant toujours, il plongea sur le premier rang, et des hommes hurlèrent et moururent.

— Mirain !

Autant parler à un cavalier de pierre.

— *Mirain !*

La vallée se rétrécissait devant eux. Là enfin, sans aucun doute, s'ouvrait le sombre Goulet et la silhouette d'Umijan se détachait sur le soleil couchant. Derrière eux, l'armée lançait son arme la plus redoutable : une compagnie d'archers montés.

— File ! cria Mirain. Remets-t'en au dieu, et file ! Umijan est devant nous !

Oui, comme le donjon même de l'enfer, sombre Goulet, sombre falaise, sombre château. Et le Goulet se terminait par la Langue, sentier escaladant une pente abrupte, bordée de l'autre côté par un précipice au fond duquel scintillait un lointain cours d'eau ; et la pente menant au nid d'aigle s'accentuait encore sur la fin. Effectivement, Umijan était imprenable, car trois hommes ne pouvaient pas passer de front pour l'attaquer, et la falaise même qui bordait le sentier se fondait avec le rempart.

S'il lui était resté la moindre force, Vadin aurait éclaté de rire. Il savait que les dieux riaient. De toute cette terrible course, cette dernière étape fut la pire, avec des flèches qui pleuvaient, la vie qui les fuyait, et le moindre faux pas qui pouvait les précipiter dans la mort. Il savait qu'à chaque foulée, le cœur de Rami pouvait s'arrêter. L'air les appelait, le vide d'au-delà chantant la mélopée du repos. Accroché à la pâle crinière, peinant comme peinait Rami, il l'encourageait à avancer, tout droit et d'un pas régulier.

— Encore un petit effort. On arrive. Monte, ma belle. Monte jusqu'à la porte. Monte !

Elle l'entendit. Les archers ou la route avaient pris Vian. Il n'y avait plus que Jeran derrière lui, et le petit Tuan et Mirain — Mirain, fou à lier, qui les poussait de l'avant, défiant la mort de l'emporter. Le rouan épuisé de Tuan s'abattit, barrant l'étroit sentier. Le Fou chancela à l'extrême bord du précipice. Tuan hurla, strident comme un enfant, quand Mirain le jeta tête la première en travers de sa selle. L'étalon prit son élan et sauta par-dessus la jument mourante. Le premier archer piqua des deux. La jument qui se débattait frappa la monture du rebelle à la jambe. En hennissant, elle trébucha et bascula dans l'abîme.

Le Fou galopait sur la corniche abrupte. Jeran traînait en arrière, sa belle jument dorée à l'agonie, pleurant, jurant et implorant son pardon pour ses coups de cravache, mais ce fut le Fou qui lui donna des forces, piquant son flanc de ses cornes cruelles, la poussant de l'avant.

Vadin fit irruption dans le silence, et pendant un instant d'éternité, il sut qu'il était mort. Jusqu'au moment où il vit des remparts, une cour pavée, des gens qui se pressaient autour de lui, et le Fou qui franchissait le seuil au galop, la jument de Jeran devant lui, et les portes se refermant derrière eux. Lentement, très lentement, la jument dorée s'abattit sur les pavés. Jeran se coucha près d'elle et pleura.

La course était gagnée. Ils étaient à Umijan.

CHAPITRE 10

Vadin était par terre. Le sol était froid. Et il ne se rappelait pas être tombé. Il se redressa péniblement, centimètre par centimètre, sachant que, dès qu'il serait debout, il deviendrait fou. Il devait soigner Rami, sinon elle périrait. Il devait soigner Mirain, ou son honneur d'écuyer périrait.

Ils emmenèrent Rami, des gens qui prétendaient savoir s'occuper d'elle. D'autres s'attroupèrent autour de la jument de Jeran, et quelques braves pansaient le Fou. Mirain…

Mirain était debout au centre d'un cercle de géants, regardant dans les yeux le plus grand d'entre eux, qui dominait Vadin comme Vadin dominait Mirain. Même à travers la brume de l'épuisement, Vadin le reconnut, la ressemblance avec Moranden était surnaturelle.

La voix de Mirain résonna, claire, fière et indomptable.

— Bonjour, seigneur baron. Je t'apporte le salut du Prince Moranden. Il te prie de te préparer à sa venue ; il demande que sa chambre soit dépourvue de vermine.

Vadin ravala son air. Les gens qui l'entouraient parurent aussi choqués que lui, et certains se raidirent sous l'insulte. Mais le Baron Ustaren regarda l'ambassadeur de son parent et rit.

— Quoi ? Et n'y laisser aucun rat que mon cousin pourrait chasser à loisir ?

— Seulement si tu es prêt à faire partie du tableau de chasse.

Vadin se rapprocha discrètement de Mirain. Non qu'il eût grand espoir de lui être utile ; certains des assistants avaient des lances de jet, et d'autres des arcs. Et les hommes d'Umijan étaient grands, même pour des gens du Nord. Ici, il n'était qu'un jouvenceau, ayant à peine la force de se tenir debout et encore moins celle de se battre.

Ils le laissèrent se placer derrière son seigneur, prouvant l'étendue sublime de leur mépris. Mirain n'y prêta pas attention. Il fixait le baron pour lui faire baisser les yeux, et il y réussit. Ustaren avait moins d'orgueil que Moranden, ou plus de ruse ; il céda, en apparence de bonne grâce.

— Les rats seront éliminés. Comment dois-je nommer le porteur des ordres de Sa Seigneurie ?

— Comme le nomme le Prince Moranden lui-même, répondit Mirain. Messager.

— Eh bien, sire messager, dois-je te loger avec les guerriers ? Ou serait-il plus sage de te traiter en hôte ? ou en prêtre ? ou peut-être en héritier de Ianon ?

— Où que je sois, je reste moi-même, dit Mirain, relevant le menton. Seigneur baron, tu as de la vermine à chasser, et mes compagnons ont grand besoin de repos. Ai-je ton accord ?

Ustaren s'inclina très bas et fit un signe que Mirain reconnut presque. D'autres le répétèrent tandis qu'il disait :

— Tout sera fait selon les ordres du Fils du Soleil.

Sa voix s'enfla jusqu'au rugissement.

— Haut les cœurs, Umijan ! Nous allons combattre !

Vadin était couché dans un lit qui aurait dû être d'une mollesse divine, et pourtant tous ses muscles et tous ses os étaient douloureux. Il avait dormi aussi longtemps qu'il dormirait jamais, mais son corps ne récupérait pas aussi vite. Même ses oreilles bourdonnaient. Un homme ronflait, ou plus vraisemblablement deux, Tuan et Jeran couchés dans la niche du garde de la grande salle d'Umijan. Mirain, qui ne ronflait jamais, occupait l'autre moitié du vaste lit, assez long et assez large pour que s'y perde même le Seigneur d'Umijan.

Quelqu'un avait dû les porter dans le lit, les déshabiller et les laver. Vadin se rappelait être entré dans cette chambre, sachant à qui elle était, mais rien de plus. Les deux soldats y avaient été transportés inanimés. Vadin y était arrivé sur ses deux pieds, très fier de cet exploit. Mirain non seulement marchait mais encore donnait des ordres. Mirain avait dû se coucher sans son aide, simplement pour prouver qu'il en avait la force.

Avec quelque effort et beaucoup de douleurs, Vadin se souleva sur un coude. Mirain dormait comme un enfant, sur le ventre, le visage tourné vers Vadin, le poing fermé contre sa joue. S'il avait été plus jeune, il aurait peut-être sucé son pouce. Mais ce visage n'était pas celui d'un enfant. Même dans le sommeil, il était plissé d'épuisement. Vadin claqua des dents. Généralement, Mirain ne dormait pas sur le ventre, mais sur le dos, ou en chien de fusil sur le flanc. Et ce n'était pas seulement la fatigue qui avait creusé ce profond sillon entre ses sourcils.

Très doucement, Vadin rabattit les couvertures. Le dos de Mirain était net, lisse, indemne. Aucune flèche n'était venue s'y nicher. Il portait un kilt, à l'évidence emprunté, beaucoup trop long, et enroulé deux fois autour de sa taille. Comme si cela pouvait tromper Vadin ; il savait très bien que Mirain dormait aussi nu que tout homme de Ianon.

Son kilt, tout subterfuge pathétique qu'il fût, s'était retroussé pendant son sommeil, découvrant ce qu'il était destiné à cacher. Vadin faillit pousser un cri de bête. Mièvre, Mirain ne l'était pas, et il en avait donné des preuves incontestables. Mais pour la première fois de sa vie, il était monté à cheval avec la pauvre protection d'un kilt et d'une tunique de bataille. Et il avait accompli la plus grande des Grandes Courses, une demi-journée, toute une nuit, et de nouveau presque tout un jour, et pas une fois, pas un instant il ne s'était trahi, révélant qu'il était écorché vif.

Vadin aurait dû s'en douter. Il aurait dû y penser. Il aurait dû…

— Sottises.

Mirain était réveillé. Il n'avait pas l'air moins hagard, mais son regard était clair.

— Tu n'en diras rien à personne.

Vadin comprit. Non que cela l'eût diminué aux yeux de quiconque, mais son maudit orgueil…

— Rien à voir avec ça ! dit sèchement Mirain. Ne sens-tu pas le danger qui rôde autour de nous ? Si l'on sait que je suis blessé, ils en profiteront pour nous entourer jour et nuit, et ne se contenteront plus de placer un garde à la porte.

Cette histoire de danger était suffisamment vraie. Vadin se mit en devoir de dérouler le kilt. Mirain le foudroya du regard, mais le laissa faire.

Ce n'était pas aussi grave qu'il l'avait craint. Les blessures étaient propres, quoique assez impressionnantes. Elles ne s'étaient pas infectées. Vadin les recouvrit avec précaution, et se leva. C'est seulement en arrivant à la porte qu'il réalisa avoir oublié ses courbatures. Il tira le verrou et cria à la cantonade :

— Du baume rouge, les pansements les plus doux que vous avez, et à manger. Et vite !

Il prit son temps pour refermer la porte et revint vers le lit sans plier les genoux.

La pommade arriva dans une jarre couverte, et c'était bien du baume rouge ; son odeur piquante lui fit pleurer les yeux. Les bandages étaient fins et doux, la nourriture substantielle et fumante, et il y avait aussi un pichet de bière. Ils n'épargnaient pas leur peine, ces gens-là. Par amour pour Mirain, se demanda-t-il fugitivement, ou par amour pour Moranden ? Il tira le verrou sur les visages curieux, et avança sur Mirain.

Le prince était en train de s'asseoir, ce qui était admirable pour sauver les apparences, mais consternant pour la douleur que ça provoquait.

— Allonge-toi, ordonna Mirain.

Miracle, il obéit. Une fois revenu à l'horizontale, il émit un soupir et ferma les yeux. Ceux de Vadin étaient dilatés et brûlants. Il se rappela sa mère, le jour où l'étalon tavelé avait embroché son père ; son expression ressemblait à ce qu'il ressentait en ce moment. Raide, silencieux, et fou de rage. La voix déformée par la colère, il dit avec brusquerie :

— Attention, ça va piquer.

Les mains de Vadin furent plus douces que sa langue. Mirain supporta tout sans broncher. Il faut dire qu'il vivait avec le feu du soleil dans sa main, auprès duquel le piquant du baume n'était qu'une simple bouffée de chaleur. Non que la douleur en fût diminuée, ou la honte. Vadin dit :

— Tu es un initié maintenant. Tu as ensanglanté ta selle et été oint de baume rouge.

— Qu'est-ce qui te fait penser que j'ai besoin d'être rassuré ?

— Tu n'en as pas besoin, d'accord, dit Vadin, se mettant en devoir de couvrir de bandages la chair blessée et pommadée. Tu m'agresses parce que ça t'amuse. D'où crois-tu que je tienne ce postérieur tanné comme du cuir ? Des jours passés en selle, des nuits passées sur le ventre, le baume rouge me brûlant jusqu'à l'os, et d'une demi-douzaine de missions à porter des pansements enroulés comme des culottes.

— Tu devrais porter des culottes pour commencer, et t'épargner ainsi bien des souffrances.

— Ce serait trop facile. Sinon, tu l'aurais fait toi-même.

Mirain se leva pour que Vadin puisse terminer sa tâche, bougeant avec précaution, l'air aussi sombre que son grand-père.

— Doucement. C'est là le *hic*. Les culottes sentent l'aise, le confort, et les mœurs efféminées du Sud. Je ne peux pas en porter ici et être considéré comme un homme et un prince. Alors que mon visage rasé, bon, c'est scandaleux mais tolérable : difficile à admettre, gênant, ça provoque souvent des bagarres. Les hommes de Ianon pourront sacrifier leur barbe de grand cœur par flatterie ou pour suivre la mode, mais ils mourront plutôt que cacher leurs jambes dans un pantalon.

— Moi, je mourrai avant de faire l'un et l'autre.

Vadin enroula la dernière bande, mais resta à genoux. Impression étrange que de lever les yeux sur Mirain, sachant que cela n'avait rien à voir avec la sorcellerie. Il s'assit sur les talons.

— J'ai conquis mon confort en kilt. Je n'ai pas l'intention d'expier cela en me rasant.

— Tu es vraiment un philosophe.

Mirain sourit si brusquement que Vadin cligna des yeux. Il passa un doigt sur la joue de l'écuyer. Geste qui frisait l'insulte, et qui frisait aussi la caresse.

— Et en plus, tu es beaucoup plus beau que moi, et sans le savoir. Ledi ne te chérit pas seulement pour ton beau caractère.

— Bien sûr que non. Pour mon cuivre, et parfois pour mon argent.

— Sans parler de ton sourire splendide. Et de cette fossette au menton… Ah !

Vadin se croisa les mains pour s'empêcher de frapper.

— Tu ferais mieux de t'habiller, monseigneur, dit-il. Avant que les autres ne se réveillent et te voient.

— Ils ne verront rien.

Mais Mirain partit à la recherche d'un vêtement, et trouva une tunique qui lui fit une robe assez élégante. Vadin retrouva son calme. Quand le prince s'approcha de la table pour manger, il put manger aussi, et même s'empêcher de le foudroyer du regard. Au bout d'un moment, il alla même jusqu'à sourire, quoiqu'en montrant un peu les dents.

Quand Moranden arriva enfin, Mirain était là, vêtu de son kilt et de sa cape, maintenant propres et raccommodés. Le prince était escorté de son parent d'Umijan, et chaque Umijien qui les suivait portait la tête d'un rebelle piquée au bout de sa lance. De même que bon nombre de Ianyens. Ils entrèrent en chantant.

Les femmes d'Umijan entonnèrent leur propre péan à voix aiguës, mi-chant triomphal pour la victoire, mi-mélopée funèbre pour les morts. Au milieu du tumulte, Mirain était seul, avec les trois compagnons qui lui restaient, entouré d'un cercle de silence, et de gens qui faisaient le signe qu'il avait déjà vu à son arrivée. De nouveau il le trouva familier, de nouveau il ne se rappela pas sa signification. Ils venaient tous vers Mirain, Moranden en tête, donnant les rênes à un homme qui tendit la main pour les prendre, et se retrouvant face au fils de sa sœur. Plein de sa victoire, il se montra magnanime, et embrassa son rival ; Mirain lui sourit comme s'ils avaient toujours été amis. Vadin ne comprit pas pourquoi il eut la mesquinerie de ne pas se joindre aux acclamations qui éclatèrent. Acclamations qui n'avaient rien de discret. Les soldats frappaient leur bouclier de leur lance en rugissant :

— *Mirain ! Moranden ! Mirain ! Moranden !*

Quand un semblant de calme fut revenu, Moranden dit :

— Beau travail, mon parent. Parfaitement exécuté. Si tu n'étais déjà chevalier d'Han-Gilen, je te ferais chevalier de Ianon.

Mirain sourit au visage heureux du prince, si agréable à contempler, et répondit avec douceur :

— Je prends tes paroles comme tu les entends, mon onclc.

Moranden éclata de rire, lui donna une bourrade dans le dos qui le fit trébucher, et se tourna vers le baron.

— J'espère que tu as logé et traité mon parent comme il le mérite. Il n'est rien moins que l'héritier de Ianon.

— Je l'ai installé dans ma propre chambre, dit Ustaren, et j'ai mis à son service mes propres esclaves, qu'il peut commander à sa guise.

— Et dont je suis très satisfait, dit Mirain.

Que de mamours. Vadin en avait la nausée. Heureusement, cela ne dura pas. Il y avait des blessés à soigner, des trophées à accrocher, et des femmes à aimer selon les rites du triomphe. Avec beaucoup de sollicitude, Mirain fut encouragé à se reposer des fatigues que cette chevauchée lui avait imposées. Non qu'on connût la vérité ou qu'on la devinât. Il refusait de boitiller, et deux jours sans monter avaient effacé les rides d'épuisement de son visage. Il était choyé comme une vierge royale, et il le savait, mais il quitta la cour de bonne grâce.

Jeran alla voir sa jument, qu'on pensait sauver ; Mirain n'avait rien à voir avec ça. Tuan le suivit, un œil sur le grenier à foin, l'autre sur une servante. Mirain venait derrière.

Ils avaient dû installer le Fou à part, dans une écurie toute à lui. Il tolérait les mains étrangères, si elles se limitaient à le soigner, mais il ne pouvait souffrir l'étalon qui régnait ici en roi. La bête, un splendide jeune bai, en porterait les cicatrices jusqu'à sa mort, quoique le Fou eût négligé de l'achever ; par dédain sans doute, soupçonna Vadin. Le démon noir semblait satisfait dans son exil, avec Rami à côté de lui et la jument de Jeran revenant lentement à la vie un peu plus loin. Il accepta les friandises que Mirain lui apporta, se soumit à l'examen du prince, et s'ébroua tandis que Vadin observait :

— Il n'a pas une marque. On dirait qu'il n'a rien fait de plus fatigant que défiler un jour de parade.

Mirain caressa la tête que Rami passait par un trou dans le mur, trou qui n'existait pas avant l'arrivée du Fou.

— Cette beauté aussi, dit-il. L'oisiveté la fait déjà piaffer d'impatience.

— Tu peux lui parler, dit Vadin, d'un ton plus maussade qu'il n'en avait l'intention.

— Les seneldi ne s'expriment pas en paroles.

Mirain inspecta le sabot du Fou, se penchant avec sollicitude et dit, comme s'adressant à l'étalon :

— Pour Rami, je suis un grand homme qui brille dans la nuit, un maître de magie. Je peux lui parler clairement et savoir ce qu'elle accepte que je sache, et peut-être a-t-elle bonne opinion de moi. Mais c'est toi qu'elle aime.

Vadin entendit à peine. Les mots n'étaient que des mots, des sons masquant les pensées, puis le souvenir le frappa si fort qu'il faillit tomber de son haut. Hommes d'Han-Ianon, natifs des Marches, et signes secrets des doigts partout où passait Mirain.

— Le signe, dit-il. Le signe qu'ils font tous quand on ne peut pas le voir. C'est un Grand Signe. Le signe contre un prince des démons.

— Je sais, dit Mirain avec calme, lâchant le sabot et lissant la crinière emmêlée.

— Tu sais ?

L'effort de hurler en murmurant le fit trembler.

— Tu sais ce qu'il veut dire ? Nous sommes dans la contrée de la déesse. Ce qu'elle est à Han-Gilen, et ce que le roi voudrait qu'elle soit à Ianon, Avaryan l'est ici. L'ennemi. L'adversaire. Le diable ardent. Et ils savent que tu es son fils. Tout homme d'Umijan pourrait t'abattre et être considéré comme un saint pour cet exploit.

— Personne n'a encore essayé, dit Mirain. Personne ne l'a tenté quand nous étions impuissants. Et maintenant, Moranden est là, avec son armée de la Vallée.

— Comment sais-tu que Moranden n'encouragera pas un meurtrier ? Par ses sarcasmes, il t'a incité à venir ici. C'est peut-être un piège qu'il t'a tendu, joliment appâté.

— T'es-tu totalement retourné contre lui ?

La bile monta dans la gorge de Vadin. Il la ravala, à demi étranglé.

— Non. Non. Pas du tout. Je sais seulement ce que je ferais si j'étais Moranden et si ce fief m'appartenait. Je te défierais en duel, je te tuerais, et je m'arrangerais pour que la vérité ne parvienne jamais dans l'Est.

— Mais tu oublies quelque chose, dit Mirain. L'armée a appris à m'apprécier.

— Cela s'oublie très facilement.

Vadin le saisit par le bras et l'entraîna.

— Fuyons. Immédiatement.

Mirain regarda tour à tour la main de Vadin puis son visage, et haussa un sourcil sarcastique.

— Es-tu soudain devenu couard ?

— Je n'aime pas m'attarder dans un piège qui se referme.

Lentement, Mirain leva sa main libre en un geste de dénégation.

— Non, Vadin. Je sais à quoi m'a exposé mon orgueil, mais je ne m'enfuirai pas maintenant. La partie a trop bien commencé. Je la jouerai jusqu'au bout.

— Même jusqu'à ta mort ?

— Ou celle de Moranden.

— Ou les deux.

Vadin le lâcha.

— Pourquoi est-ce que je discute avec toi ? Ymin

elle-même n'a pas pu te faire entendre raison ; et c'était avant même que tu te mettes en route. Eh bien, continue. Tue-toi. Tu seras confortable dans la mort, et tu n'auras pas à te soucier de la suite.

Cela piqua Mirain, mais pas assez.

— Si c'est la volonté des dieux, qu'elle soit faite. Mais je ferai tout ce que je pourrai pour l'empêcher. Cela te satisfait-il ?

Il faudrait s'en contenter. Mirain ne céderait pas davantage.

Le Baron Ustaren menait un train princier. Ses chevaliers dînaient dans des assiettes en bois blanchi, ses capitaines dans des assiettes en cuivre, lui et ses hôtes de marque avaient des assiettes et des gobelets en argent repoussé.

Ici comme partout dans les Marches, les femmes ne mangeaient pas avec les hommes, mais des servantes servaient à la table d'honneur, vêtues de longues robes, modestement voilées et baissant les yeux. Une ou deux, pensa Vadin, devaient être jolies. Celle qui rôdait autour de Mirain l'était certainement, s'il fallait en croire sa silhouette élancée et son doux œil noir ; mais elle était plus grande que Vadin, et paraissait géante à côté de Mirain. Discrètement, Vadin s'efforça de percer son voile, pour voir si le visage tenait les promesses de l'œil.

Mirain lui-même la regardait, avec une insistance presque insultante. Presque, mais pas tout à fait. Ustaren posa lourdement la main sur son épaule.

— La fille de ma sœur, dit-il. Elle te plaît ?

Mirain choisit ses paroles avec un soin évident.

— Elle est très belle et me sert bien. Elle fait honneur à ta maison.

— Ferait-elle honneur à la tienne, Prince de Ianon ?

Elle s'était figée comme une biche poursuivie par les chiens. Sa peur était palpable. Peur du baron, peur de Moranden, qui observait et écoutait sans mot dire ;

peur de Mirain. Peur de Mirain par-dessus tout, mêlée de fascination, et d'une pitié étrange, récalcitrante et pathétique.

— Je suis trop jeune pour penser à ces choses, dit-il.

Ustaren hurla de rire.

— Trop jeune pour ça, prince ? Ta stature est peut-être celle d'un enfant, mais la rumeur te donne l'âge d'un homme. Mentirait-elle ?

La salle, remarqua brusquement Vadin, était devenue silencieuse.

Ni Jeran ni Tuan n'était assis près d'eux, ni ceux des soldats qui s'étaient montrés fidèles à Mirain. En fait, il n'en trouva aucun. Tous les visages que reconnut Vadin appartenaient à Moranden, et ils regardaient Mirain avec insistance et une hostilité palpable.

La tactique était ancienne, et efficace. Séparer l'ennemi de ses alliés, l'encercler et le vaincre.

Le gobelet de Mirain était plein d'un vin fort et capiteux. Il le leva et but à la santé d'Ustaren.

— Un homme est un homme, quelle que soit sa taille.

— Ou peut-être est-il un demi-dieu, dit Ustaren. Dis-moi, est-il venu à ta mère comme fait un homme ? Ou en tant qu'esprit, ou sous la forme d'une averse ou d'une pluie d'or ? Comment un dieu prend-il sa bien-aimée ?

Les yeux de Mirain flamboyèrent, mais il répondit d'une voix égale :

— Cela fut et reste entre elle et le dieu.

— De quelque façon qu'il soit venu, poursuivit Ustaren, imperturbable, il a laissé sur toi sa marque. Du moins le dit-on.

Mirain serra le poing.

— Il a eu la bonté de me laisser la preuve de mon lignage.

— De simples mortels sont-ils autorisés à la voir ?

La tension dans la salle était presque visible. Les tempes de Vadin pulsaient sous sa pression.

— La marque ! cria un homme. Montre-nous la marque !

Mirain se leva brusquement, manquant renverser sa chaise. Un ou deux assistants rirent, pensant qu'il avait trop bu. Il brandit le poing.

— Oui, mon père m'a marqué ; marqué au fer rouge pour que tous puissent le voir. Là, regardez !

L'or prit feu dans sa paume. Quelqu'un poussa un cri.

Vadin sentit le danger derrière lui. Il banda ses muscles pour bondir. Trop tard. Des bras puissants se refermèrent sur lui, le tirant en arrière.

A l'endroit où tout à l'heure se trouvait le cœur de Mirain, une lame noire fendit l'air. La servante pivota, les yeux fixes et dilatés.

Moranden se leva d'un bond. Les hommes d'Umijan l'entouraient. Deux d'entre eux avaient saisi Vadin, qui se débattait de toutes ses forces. Mais Mirain était libre. Les assistants avaient reculé, traînant les tables après eux. Un grand espace était dégagé autour d'un feu central, et l'ordre régnait parmi ceux qui l'entouraient, l'ordre du rituel : les hommes faisaient cercle à l'extérieur, les femmes à l'intérieur, et au centre se tenait Mirain avec la nièce du baron. Elle avait rejeté son voile, et était encore plus ravissante que Vadin ne le soupçonnait. Et bien plus dangereuse. Elle tenait une dague dans chaque main, l'une droite et noire, l'autre incurvée et en bronze. Lentement, à mouvements fluides comme une danse, elle se rapprochait de sa proie.

Vadin mordit une main négligente. Son propriétaire l'assomma à moitié, mais ne le lâcha pas. Comme il bandait ses forces pour reprendre la lutte, Moranden s'écria avec la violence de la rage :

— Non ! J'interdis cela !

Ce fut Mirain qui répondit, Mirain qui rejeta sa robe de cérémonie, sans manquer un pas dans la danse de mort. Sa voix fut d'une douceur terrifiante.

— Laisse donc, mon oncle. Je mourrai, et tu auras ce que tu désires, ou je vivrai pour t'affronter au champ d'honneur. Comment pourrais-tu échouer ?

Il eut un sourire fulgurant.

— Moi, je n'ai pas l'intention d'échouer.

La dague noire le frôla. Il recula en dansant. La fille sourit.

— O brave, dit-elle presque avec tendresse, vaillant garçon attiré ici pour livrer la guerre que nous t'avons préparée. Dommage que tu doives mourir. Tu es si jeune.

— La lame noire, dit Moranden d'une voix dure quand s'éteignit l'écho de ces paroles. La lame noire est empoisonnée. L'autre est pour ton cœur quand elle t'aura soumis. Après avoir pris ta virilité.

— Un doux poison, dit-elle. Il donne à ses victimes envie de se coucher et de m'aimer. Veux-tu l'accueillir ? Tu appartiens à la déesse, et tu es si joli.

— Et si aimé de son ennemi.

Mirain salua Moranden, qui ne pouvait ou ne voulait pas l'aider, mais qui avait fait pour lui ce que l'honneur exigeait. Il imitait les figures de la femme, pas à pas, comme dans un miroir, maintenant entre eux une distance qu'elle ne parvenait pas à réduire. Elle n'était pas plus rapide que lui, pas plus lente non plus.

Vadin pensa d'abord que ses oreilles le trompaient. La salle était aussi silencieuse qu'elle pouvait l'être avec cinq cents personnes à l'intérieur, un feu flambant au milieu, et deux créatures démentes se traquant l'une l'autre autour du foyer. Mais sous le silence, autour et à travers lui, commença à résonner une musique douce et lente. Comme du noir strié d'or. Une voix à la fois grave et claire. Mirain s'était mis à chanter.

La femme — non, elle était prêtresse, adoratrice de la déesse ; elle ne pouvait pas être autre chose —, la prêtresse bondit, brandissant la lame de bronze et la noire. Le chant s'interrompit. Reprit. Il était clairement audible à présent, mais les paroles étaient étranges.

Elles semblaient n'avoir aucun sens, ou un sens qui dépassait celui des paroles humaines.

Une forme massive bondit dans le cercle. Ustaren, visage figé, yeux fixes, ensorcelé. Mirain avait disparu comme une ombre. La prêtresse pivota comme l'éclair, ses dagues des taches floues dans ses mains. La dague noire fulgura de l'avant. L'élan du baron le précipita sur la lame empoisonnée. Lentement, sans autre son qu'un soupir, il s'affaissa par terre. La prêtresse éclata d'un rire strident, dément.

— Du sang ! Du sang pour la déesse !

Mirain fut sur elle, rapide et souple comme un chat. La lame noire, profondément enfoncée dans le corps d'Ustaren, cessa de vibrer quand le cœur s'arrêta. La lame bronze fulgura si près de la joue de Mirain qu'il dut être rasé de près. Il eut un rire farouche. Sa main dorée se referma sur le poignet de la femme, qui hurla de douleur.

La dague tomba, la femme après elle. Il les laissa tomber. Il ramassa la dague et pivota sur lui-même. Les flammes rugirent jusqu'au plafond, puis s'affaissèrent en braises. Il marcha dessus, les traversa. Le cercle se rompit, les gens reculaient de terreur devant ses yeux qui embrassaient les visages gris cendre. Le dieu les emplit de son éclat, y flamboya, les consuma.

— Imbéciles ! dit-il avec une terrible douceur. Pauvres imbéciles aveugles et traîtres.

— Suppôt de l'enfer ! hurla quelqu'un, plus audacieux ou plus fou que les autres.

C'était peut-être une femme. Ou un homme que la peur faisait crier dans l'aigu.

Mirain ne répondit pas. Il fit face au frère de sa mère et dit :

— Je me souviendrai que tu as parlé pour moi. Et souviens-toi que j'ai causé la mort du chef de tes rebelles, celui qui avait soulevé les Marches et qui étiat maître des tribus. Il nous aurait piégés tous les deux, moi pour me mettre à mort, toi pour en faire sa marionnette sur le trône. Je te laisse ses domaines et ses gens.

Il lança la dague aux pieds de Moranden. Son cliquetis fracassa le silence.

— Fais-en ce que tu voudras, seigneur des Marches Occidentales. Mon père m'appelle ailleurs.

CHAPITRE 11

Depuis le départ de Mirain, le roi avait repris l'habitude de monter sur les remparts, ne regardant plus vers le Sud maintenant, mais vers l'ouest. Ymin lui tenait compagnie pendant ces heures de guet, immobile et silencieuse, les yeux aussi souvent braqués sur lui que sur l'horizon. Il est vieux, pensait-elle. Il avait toujours été vieux ; mais il avait été fort, fort comme un arbre centenaire. Maintenant, il semblait fragile comme du verre. Quand le vent glacé soufflait des montagnes, il frissonnait, resserrant sa cape autour de lui ; quand le soleil l'accablait, il se courbait sous ses rayons.

Le quatrième jour après le plein de Lumilune, le vingtième après le départ de Mirain, le soleil se leva derrière un lourd rideau de nuages. Une petite pluie grise assombrissait le château. Pourtant, le roi continua à faire le guet. Ymin s'efforça en vain de l'en dissuader. Il resta sans l'entendre sous le dais que ses serviteurs avaient érigé pour lui, la pluie lui fouettant le visage et les cheveux volant au vent. De temps en temps, un frisson agitait son corps, malgré sa riche cape de cuir brodé doublée de fourrure.

Ceux qui allaient et venaient pour expédier les affaires du royaume — car le roi gouvernait aussi fermement du rempart que de son trône — se regardaient, en se faisant des signes qu'il ne pouvait pas voir, croyaient-ils. Sans doute s'était-il enfin mis à radoter.

Il ne daignait pas les remarquer. Ymin tolérait leur présence, et, ayant échoué à lui faire quitter son poste, elle gardait le silence. Parfois elle fredonnait entre ses dents des chansons à la pluie et des hymnes au soleil.

Soudain, elle se tut. Il s'était raidi et avait avancé en plein vent.

Un fin brouillard enveloppait la Vallée de Ianon. Des formes se mouvaient à l'intérieur, tantôt à peine visibles, tantôt reconnaissables : fermiers venus s'acquitter d'affaires ne pouvant attendre un ciel clair, un voyageur ou deux se traînant vers la chaleur et des pieds secs. Une fois, il y avait eu un courrier, et une autre fois, la calèche d'une dame.

Ce jour-là, ce fut un détachement monté, trempé de pluie. Ils étaient quatre. Aucune bannière ne flottait au-dessus de leurs têtes ; et leurs insignes, quels qu'ils fussent, étaient cachés par leurs capes. Leurs montures allaient assez rapidement, mais en baissant la tête de fatigue.

La robe noire de celui qui les conduisait luisait de pluie, et lui seul semblait avancer avec aisance. Il n'avait pas de bride.

Le roi était déjà à l'escalier menant à la porte.

Les sabots claquèrent sous l'arche. Un par un, les cavaliers descendirent de cheval pour rendre hommage au roi. Il les ignora. Mirain fut le plus lent à mettre pied à terre, pourtant, il semblait moins épuisé que les autres. Il eut même un petit sourire en s'avançant dans les bras de son grand-père, reculant quand le roi relâcha son étreinte, et disant :

— Comment, tu es aussi trempé que moi ! M'attendais-tu, Grand-Père ?

— Oui.

Le roi l'écarta à bout de bras.

— Où est Moranden ?

Le visage de Mirain ne changea pas.

— Derrière moi. Il avait des affaires à régler.

— Comme la guerre ?

— La guerre est terminée.

Mirain frissonna et éternua.

— Grand-Père, si tu permets, puis-je congédier mon escorte ?

Le roi comprit peut-être qu'il éludait le sujet, mais il vit aussi la sagesse de cette remarque.

— Toi aussi. Je te parlerai quand tu seras séché et reposé.

Le feu brûlait dans la chambre du roi, avec du vin aux épices qui chauffait sur les flammes. Le roi siégeait devant la cheminée, Ymin assise sur un tabouret près de lui. Mirain s'assit près d'eux sans un mot, acceptant la tasse que lui tendait Ymin. Il avait pris un bain. Ses cheveux propres flottaient sur ses épaules, et il avait enfilé une longue robe souple. A la lueur du feu, son visage était immobile, comme un masque, la bouche plus pincée qu'il ne le réalisait peut-être.

Le roi fit un geste.

— Raconte, dit-il simplement.

Pendant un long moment, Mirain garda le silence, fixant son vin sans le boire. Il dit enfin :

— La guerre est finie. Non qu'elle ait été très impressionnante, finalement. C'était un piège, dans lequel Ustaren d'Umijan joua un grand rôle. Il est mort. Je suis là. Moranden reviendra dès qu'il aura pacifié son fief.

Nouveau silence. Comme Mirain ne faisait pas mine de continuer, le roi dit :

— Tu l'as laissé bien tôt, et seul. Pourquoi ?

— Je n'avais plus rien à faire.

— Tu aurais pu rester pour gouverner en mon nom. Tu es mon héritier, et tu seras roi.

— Moranden est seigneur des Marches Occidentales.

Le roi le regarda longuement, avec insistance.

— Peut-être t'es-tu enfui, dit-il.

Mirain releva brusquement la tête.

— M'accuses-tu de lâcheté ?

— Je dis ce que d'autres diront. Es-tu prêt à te défendre ?

— Dans cette région de Ianon, dit Mirain, il ne serait pas bon de me prévaloir de mon lignage. En l'absence de guerre à livrer, j'ai jugé plus sage de rentrer.

— Comment Ustaren est-il mort ?

Si cette question était destinée à prendre Mirain au dépourvu, ce fut un échec.

— Il est tombé sous les coups d'une parente, prêtresse de la déesse. Elle était complètement folle. C'était moi qu'elle visait, ajouta-t-il.

Le visage du roi se figea.

— Personne n'est intervenu pour te défendre ?

— Mon oncle a essayé, et aussi mon écuyer. On les en a empêchés. Ustaren est mort. Pas moi.

— Et tu es parti.

— Avant que d'autres puissent mourir pour moi. Le moment n'est pas encore venu de montrer aux Marches la fausseté de leur religion.

Le roi baissa la tête comme si elle était soudain devenue trop lourde. Ses yeux voyaient une scène d'horreur, Mirain mort avec une dague noire dans le cœur.

Mirain s'agenouilla devant lui, posant ses mains sur les genoux noueux.

— Grand-Père, dit-il tout bas d'un ton pressant, je suis sain et sauf. Regarde, je suis là, vivant et indemne. Je ne mourrai pas et je ne te laisserai pas seul. Par la main de mon père, je le jure.

— La main de ton père.

Le roi souleva celle de Mirain, touchant du bout du doigt le soleil d'or. Il eut un sourire, bref, douloureux.

— Va au lit mon enfant. Tu as l'air d'en avoir besoin.

Mirain hésita, puis se leva et le baisa au front.
— Bonne nuit, Grand-Père.
— Bonne nuit, dit le roi, presque trop bas pour qu'il l'entende.

Ymin ferma doucement la porte derrière elle. La chambre était sombre, le faible mouvement d'air fit vaciller la flamme de la lampe. L'écuyer d'Imehen se dressa dans son alcôve, les yeux luisants, l'inquiétude incarnée. Elle chanta un Mot ; il se rallongea.

Mirain était couché mais il ne dormait pas. Il ne bougea pas quand Ymin s'approcha de son lit. Il ne la regarda pas non plus, mais il replia un bras derrière sa tête. Il ne portait pas son torque. Il avait l'air tout drôle sans lui, plus jeune, étrangement désarmé.

Cela, elle le savait, était une illusion. Même à bout de forces, Mirain n'était jamais sans défense. Il n'avait qu'à lever la main.

Il parla avec douceur, calme, sans salutation préalable.
— Il y a beaucoup d'adresse dans ta Voix.
— Dans le cas contraire, je ne serais pas la chanteuse du roi.

Alors il tourna les yeux sur elle. Peut-être était-il amusé. Certainement tenait-il quelque chose en échec.
— Je ne peux pas être ensorcelé ainsi. Même si j'aspire à l'être.

Elle s'assit sur le lit près de lui.
— L'as-tu prouvé ?
— Mon initiation à la prêtrise fut… confuse. L'un des prêtres était jeune, fort et impatient. Il a essayé la force.

Mirain se tut le temps d'un battement de cœur. La chose dans ses yeux, l'obscurité surgissante, la lumière soudaine, Ymin fut sur le point de les nommer.
— Il vécut. Il guérit, si on veut.
— Tu as conquis ton torque.
— Les prêtres d'Avaryan ne pouvaient pas le refuser

au propre fils d'Avaryan. Bien qu'il n'eût pas soumis cette dernière parcelle de sa volonté. Bien qu'il eût failli commettre un meurtre. Bien qu'il ne pût maîtriser le pouvoir qui était un danger pour eux tous.

— Peut-être, dit-elle, que le pouvoir a ses propres règles, que ton âme connaît, mais pas ton esprit. Le rite du torque a été institué pour les simples mortels, pour leur enseigner la soumission, pour les éveiller à la puissance du dieu. Comme tu es son fils, tu n'avais besoin ni de l'un ni de l'autre.

— J'en ai plus besoin que personne.

Il se tut, mais elle commençait à comprendre. L'obscurité, c'était la colère, le chagrin, et la haine de lui-même. La lumière, c'était le feu du Soleil réclamant d'être libéré.

— Dis-moi, reprit-elle avec douceur mais fermeté, dis-moi ce que tu caches au roi.

Il baissa les yeux.

— Qu'y a-t-il à cacher ?

Soudain, elle perdit patience.

— Devons-nous jouer à « vrai-ou-faux » comme des enfants ? Le roi le tolère ; il veut t'épargner toute souffrance. Je n'ai pas ces scrupules. Tu as quitté Umijan parce que Moranden a essayé de te tuer. Exact ?

— Pas Moranden. Ustaren, par l'intermédiaire de sa nièce, prêtresse de la Nuit. Moranden m'a aidé autant qu'il le pouvait.

— Ce n'était pas suffisant.

— C'était plus qu'il n'avait à faire.

— Et cela t'exaspère.

Brusquement, il roula sur le ventre. La couverture glissa, et il ne fit rien pour la rattraper. Elle considéra avec plaisir son corps compact et sa peau douce, vit les cicatrices en voie de guérison et les reconnut pour ce qu'elles étaient ; céda à la tentation, et caressa son dos d'une main légère. Il frissonna, mais parla d'une voix claire et ferme.

— Au contraire, cela me réjouit le cœur. Moranden aurait pu trahir ; il aurait pu me lancer un défi. Mais en cette extrémité, il est venu à mon aide. Il deviendra peut-être mon allié.

— Alors, pourquoi l'as-tu abandonné ? Pourquoi n'es-tu pas resté pour presser ton avantage ? Maintenant, il est dans les Marches, au milieu de son peuple ; il oubliera votre alliance et ne se rappellera que votre inimitié, jusqu'à ce qu'il soulève les foules contre toi. Pourquoi l'as-tu laissé libre de te trahir ?

Il réagit à la vitesse de l'éclair, se redressant à demi et lui saisissant la main d'une poigne de fer. Elle plongea son regard dans ses yeux sombres et dilatés ; ses narines palpitaient ; ses lèvres se retroussèrent en un rictus.

— Je ne l'ai pas laissé libre ; je n'avais pas voix au chapitre. J'étais menacé, alors le pouvoir m'a envahi et a agi à sa guise. Il a précipité Ustaren vers la mort. Il a soumis la prêtresse. Il a jeté les Marches à la tête de Moranden, et m'a renvoyé à ma niche, où je suis au chaud, en sécurité, et à l'abri de tout danger.

Aussi brusquement qu'il lui avait saisi la main, il la lâcha, se pelotonnant en un petit bloc de rage et de souffrance.

— Le pouvoir a fait tout cela, et maintenant, il sommeille. Et moi, je me réveille pour affronter ce que j'ai fait. Meurtre, folie, couardise…

— Sagesse.

Cela le réduisit au silence.

— Oui, sagesse. Je me suis trompée tout à l'heure ; je n'avais pas réfléchi. Il valait mieux que tu t'en ailles après que ton pouvoir se fut révélé. Et Moranden ne se retournera pas contre toi pour le moment. Pas lui. Il te lancera un défi au grand jour, devant tout Ianon. C'est ce que savait ton pouvoir quand il t'a renvoyé vers nous.

— Mon pouvoir n'a pas fait que me défendre. Il a tué. Et moi, je… j'exultais. J'ai donné du sang à la déesse, et le dieu s'est enflammé en moi, et c'était plus doux que le vin, plus doux que le miel, plus doux même que le désir.

Sa voix se brisa sur le dernier mot, il se recroquevilla un peu plus, se balançant, le visage caché par ses cheveux défaits.

— Je me pose des questions, chanteuse. Ces vœux que j'ai prêtés sont-ils une grave erreur ? Peut-être que si je…

Il eut un rire étranglé.

— Mais tout est peut-être très simple. Je n'ai besoin de faire que ce que fait tout homme quand le besoin se présente, et le pouvoir verra comme c'est agréable et oubliera les délices du meurtre.

Elle se demanda sottement s'il avait bu plus que de raison. Mais son nez ne perçut pas l'odeur du vin, seulement l'odeur légère, mâle et caractéristique du musc de son corps. Et ses yeux virent que ceux de Mirain étaient clairs, bien que troublés. Et son cœur sut qu'il était tout simplement lui-même. Engendré par un dieu, marqué par lui au fer rouge, et accablé d'une destinée qu'il était contraint d'assumer. Pourtant, il était aussi un homme, et très jeune avec ça, pas encore adulte, qui avait reçu des pouvoirs et était chargé de fardeaux qui auraient écrasé un homme dans la force de l'âge.

Elle sentit qu'il était dans sa tête, attiré dans sa tête, et arpentait les voies de ses pensées. Il était décidé à rejeter toute pitié. Elle n'en ressentit aucune, ce qui le choqua au point qu'il se retira. Elle vit la colère monter en lui, elle le vit réaliser à quel point c'était ridicule, elle le vit s'efforcer de ravaler sa gaieté. A ce moment, il faisait bien son âge. Avant qu'il éclate de rire, elle lui imposa le silence, posant la main sur ses lèvres ; elles étaient brûlantes.

Elle la retira doucement. Il avait retrouvé son regard. La peine et le remords subsisteraient, la colère reviendrait, mais le plus fort de la tempête était passé. Maintenant, il la regardait, et pour un prêtre du Soleil élevé à Han-Gilen, il était étonnamment dépourvu de honte et ne chercha pas à dissimuler la réaction de son corps.

— Il vaut mieux que tu t'en ailles, dit-il d'une voix égale, la respiration à peine oppressée.

Ymin ne bougea pas.

— Aimerais-tu que je t'endorme en chantant ?

Il se raidit, piqué.

— Ai-je tellement l'air d'un enfant ?

— Tu as tout à fait l'air d'un homme. D'un homme qui a prêté des serments que seuls la mort ou un trône peuvent rompre. D'un homme qui a accompli des exploits dignes d'être célébrés dans des ballades, qui a souffert et a commencé à trouver la paix. Tu es le roi qui sera, et je suis la chanteuse du roi. Dois-je chanter pour toi ?

Le moment était passé, le danger s'estompait. Il s'allongea sur le flanc, tira sur lui la couverture, pas avec précipitation, comme s'il voulait cacher quelque chose, mais avec une certaine détermination. Puis il sourit avec toute la douceur du monde, et elle eut envie de le tuer, car maintenant qu'il s'était dominé, il l'avait dépouillée de son détachement hautain. Et il ne réalisait même pas ce qu'il avait fait.

— Chante pour moi, dit-il, avec la simplicité d'un enfant.

Elle prit une longue inspiration, et obéit.

CHAPITRE 12

Au réveil, sortant d'un rêve de magie et de chants, Vadin avait envie de chanter lui-même. Déjà levé, Mirain faisait sa toilette, s'efforçant de ne pas trop gronder les servantes. Quand Vadin entra dans la salle de bains, il l'accueillit à la fois irrité et souriant, mais d'un sourire presque douloureux, tant il était resté longtemps enfermé avec sa colère et son dieu.

— Entre, dit-il, et donne à ces importunes une bonne raison d'aller s'affairer ailleurs.

Elles n'en furent pas offensées, ni même découragées. Elles débordaient de joie d'avoir retrouvé leur jeune seigneur fantasque, de lui livrer leur combat quotidien, toujours terminé par le même dénouement. Il se baignait, s'habillait et se restaurait lui-même, mais elles lui tiraient son eau, posaient la mousse de savon à portée de sa main, lui tendaient les serviettes, préparaient ses vêtements et le servaient à table. Vadin trouvait que c'étaient elles qui gagnaient, même si c'était de justesse.

Comme d'habitude, Mirain partagea bain et déjeuner avec Vadin. Tout était parfaitement normal. Après les jours passés en selle, et les nuits sous la tente, sans échanger un mot qui ne fût absolument nécessaire, c'était pratiquement miraculeux.

Pourtant, quand Vadin lui revit son air halluciné, il

n'en fut pas trop surpris. Le regard était moins fixe et hagard qu'il ne l'avait été, et ne persista pas longtemps. Juste le temps que Mirain l'inspecte des pieds à la tête avec une moue dubitative.

— Mets tes boucles d'oreilles, dit-il. Et ton collier de cuivre. Et aussi tes bracelets et la ceinture que tu réserves pour les fêtes.

Vadin haussa les sourcils.

— Où m'envoies-tu ? Me prostituer ?

Une ombre de sourire toucha les lèvres de Mirain.

— D'une certaine façon. Je veux que tu aies l'apparence du seigneur que tu es.

— Alors, je ferais bien d'ôter ta livrée, monseigneur.

— Non, dit Mirain d'un ton sans réplique. Jayan, Ashiraï, je vous livre cette victime. Il est mon écuyer. Il est aussi héritier de Geitan. Faites-en l'abrégé de ces deux dignités.

Le jeune serviteur et le vieux, un Asanien libre et un captif de l'Est, s'emparèrent de lui avec un plaisir non dissimulé. Il souffrit leurs services avec plus de bonne grâce que Mirain, ce dont il prit le temps de s'enorgueillir. Cela calma son anxiété. L'expression de Mirain n'augurait rien de bon pour quelqu'un, mais pour qui ? Il n'osa pas s'attarder sur cette question.

Les serviteurs défirent ses nattes d'écuyer, peignèrent ses cheveux et refirent des nattes comme il sied à un seigneur. Ils rafraîchirent sa barbe, et la tressèrent avec du cuivre ; ils ajustèrent sa livrée à la perfection et le parèrent comme Mirain l'avait ordonné. Ils firent même ce qu'il ne se donnait jamais la peine de faire, sauf pour les plus grandes fêtes : ils peignirent les armes de sa maison entre ses sourcils, le lion couché de gueules prêt à bondir sur le croissant de lune. Et quand enfin ils l'amenèrent devant le miroir, il vit devant lui un étranger. Plutôt bel homme à vrai dire, et assez seigneurial en cet appareil.

Le prince vint se placer près de lui, et il n'en fut pas

diminué. Plus que jamais, il avait l'apparence d'un noble de Ianon ; non l'égal de Mirain, mais assez imposant par lui-même. Il pouvait d'autant plus relever la tête qu'il connaissait un homme devant qui il l'inclinerait volontiers.

Le reflet de Mirain sourit au sien.

— Tu es franchement beau, mon ami. Assez beau pour aller rendre visite à une dame.

Vadin se tourna face au prince. L'anxiété commençait à lui nouer l'estomac. Mirain était un prêtre juré ; il ne pouvait pas dépêcher un messager à une femme qu'il voudrait prendre pour épouse. Et encore moins simplement pour le plaisir. Ce qui laissait…

— J'ai un cadeau pour une grande dame, dit Mirain. Naturellement, je ne peux pas lui faire l'injure de le lui présenter de mes propres mains. Et je ne peux pas la rabaisser en le lui envoyant par un domestique. Voudras-tu le lui remettre en mon nom ?

Vadin étrécit les yeux. La requête était si simple, si naturelle qu'elle en était inquiétante.

— Qui est cette dame ? C'est peut-être indiscret ?

— Non, dit Mirain de bonne grâce. C'est Dame Odiya. Iras-tu la voir, Vadin ?

La crainte s'accusa. L'indignation la chassa.

— Que le diable t'emporte, tu n'as pas à jouer au courtisan avec moi ! Pourquoi ne pas me donner mes ordres et qu'on en finisse ?

Mirain pencha la tête.

— Je ne veux pas te commander. Iras-tu de ta libre volonté ?

— Est-ce que je ne viens pas de te le dire ?

Maintenant, Mirain riait, et c'était exaspérant, mais quand même préférable à ce qui avait précédé.

— Tu veux lui donner — quoi que ce soit — en mains propres et en mon nom ?

— Oui.

Mirain posa le cadeau dans sa main. C'était une

petite boîte, beaucoup plus longue que large, en bois odorant du Sud avec des incrustations d'or.

— Tu ne dois la remettre qu'à elle, et ne te laisser arrêter par personne.

Ce ne serait pas facile, si les rumeurs étaient vraies. Vadin suivit les incrustations du doigt.

— Dois-je attendre une réponse ?

— Attends qu'elle ouvre la boîte. Dis-lui que je lui rends ce qui lui appartient.

Mirain découvrit les dents. Ce n'était pas un sourire.

— Tu ne seras pas en danger. Je puis te l'assurer.

Vadin pensa à plusieurs répliques, dont aucune n'était avisée étant donné l'humeur de Mirain. Il choisit le silence, fit une très profonde révérence, et se retira vivement.

Les femmes d'Imehen étaient élevées dans la modestie, mais elles n'étaient pas cloîtrées, et encore moins gardées par des eunuques. Cette coutume était bonne pour les barbares et les gens des Marches. Vadin, face au gardien castré d'Odiya, se retrouva brièvement sans voix. Cette créature était aussi grande que lui, et encore plus filiforme, mais son visage était trop lisse, ses cheveux trop luxuriants, ses yeux trop mornes. Impassibles, ils détaillèrent le jeune seigneur en tenue de cérémonie et dans toute la gloriole de sa virilité.

Vadin dirigea sa voix sur le masque qu'était ce visage.

— Je viens au nom du prince héritier. J'ai à parler à Dame Odiya. Laisse-moi passer.

Le regard se déplaça imperceptiblement. Vadin se prépara pour un second assaut. Le garde releva l'épée qu'il avait abaissée devant lui, et s'écarta.

Vadin sentit un frisson lui parcourir l'échine. Il était reçu. Si facilement. Comme si on l'attendait.

C'était un univers inhabituel, cette forteresse gardée par des eunuques, pleine de senteurs étranges et de murmures de voix. Odiya ne vivait pas seule ici. D'autres concubines du roi y avaient chacune une chambre, un appartement ou toute une Cour, et la plupart étaient libres d'aller et venir ; Vadin les avait vues parfois, dans la grande salle ou autour du château, dames d'un certain âge en général, en compagnie de parents et de courtisans. Elles étaient neuf en tout, de haute et de basse naissance, belles ou non, choisies par la coutume et par la faveur du roi, dans l'idée que, par son union avec elles, il fortifierait le royaume. Mais la dixième était la Première Dame du Palais. Quelque haut placées que fussent les autres, quelque nobles que fussent leur lignage et leurs titres, c'était elle qui régnait ici, et elle régnait en souveraine absolue.

Vadin, une fois entré dans son domaine, aurait pu y errer longtemps sans guide. Mais il était chasseur, et les chasseurs apprennent la sagesse : s'arrêter quand on est perdu, et attendre. Peu après, quelqu'un vint, un autre eunuque, très vieux et ridé, avec des yeux aussi vifs que ceux de l'autre étaient ternes.

— Viens, dit-il, d'une voix presque assez grave pour être celle d'un homme.

Vadin le suivit, avec le sentiment de vivre un rêve, et pourtant il était en alerte, conscient du moindre son et du moindre mouvement. La boîte, légère dans sa main, contenait le poids d'un monde.

Des gens passaient, allant et venant : des domestiques, une dame ou deux, un joli page qui s'arrêta pour le regarder. Avec envie, peut-être. Ce n'était pas un endroit pour un mâle, même pour un garçonnet de sept ans, avec des yeux en amande et le teint brun-rouge des gens du Sud. Sa maîtresse, qui qu'elle fût, était bonne ou coquette : elle avait remplacé le large collier d'esclave en fer par un tour de cou en cuivre.

Croisant l'enfant, l'eunuque précéda Vadin dans un long escalier. A son sommet attendait un autre garde, monstrueux, qui ressemblait à une grande limace chauve. Le pire, ce n'était pas sa taille ou l'absence totale de poils, c'était sa blancheur ; il était blanc, comme la femme du conteur, et ses yeux étaient gris comme le fer. Vadin frissonna dans son chaud uniforme de velours, et passa devant lui en prenant grand soin de ne pas le toucher, comme si sa pâleur de larve était contagieuse.

Son guide sourit avec un soupçon de malice.

— Comment, jeune seigneur, tu n'apprécies pas Kashi ? Il est très rare et très admirable, fils de l'extrême Ouest, où tous les habitants sont blancs comme la neige. Ma maîtresse l'a payé une fortune.

Vadin ne daigna pas répondre. Il était déjà assez regrettable que ces yeux amers eussent remarqué sa révulsion ; il ne leur donnerait pas davantage sujet de se moquer de lui. N'était-il pas héritier de Geitan ? N'était-il pas l'envoyé du prince héritier ?

Cette hauteur le soutint presque jusqu'au bout. Dame Odiya se trouvait dans une salle aux larges baies, ouvertes au soleil et au vent ; et malgré tous les gardes, les commérages et les rumeurs de réclusion, elle n'était même pas voilée. Ses longs cheveux, d'un noir corbeau à peine strié d'argent, étaient nattés comme ceux d'un homme ; elle était vêtue d'une longue robe, aussi simple que celle d'une servante, et elle ne portait pas de bijoux. Pourtant, sa beauté était aussi éclatante qu'elle l'avait été dans le Bois de la Déesse. Beauté qui n'avait rien de doux, rien de bienveillant, rien de ce qui pour lui avait toujours représenté la féminité ; et cependant elle était femme jusqu'au bout des ongles. Femme comme la déesse était femme, femelle incarnée, sœur de la louve et de la tigresse, fille des lunes, des marées et de la nuit, aussi impitoyable que la terre elle-même.

La douleur tira Vadin de sa stupeur, les arêtes aiguës de la boîte tranchantes comme des lames entre ses mains crispées. Un sort — elle était en train de lui jeter un sort. Il la regarda, et il s'obligea à voir une femme vieillissante en robe sombre, maigre, presque asexuée.

Ses cheveux étaient ternes, son visage creusé jusqu'à l'os par l'amertume des ans. Mais elle était toujours très belle.

Le corps de Vadin, bien entraîné, lui avait fait mettre un genou à terre et baisser la tête, exactement selon l'inclinaison requise pour une concubine royale. Ses membres lui paraissaient plus disgracieux que d'ordinaire, ses côtes plus proéminentes, sa barbe plus embroussaillée. Comment osait-il infliger la vue de cet être lamentable à cette grande reine ?

Un sort. Dans sa tête, la voix sonna exactement comme celle de Mirain. *Donne-lui la boîte, Vadin.*

Il était en train de la donner. Il disait les mots que Mirain lui avait demandé de dire.

— Le prince héritier t'envoie ce présent, grande reine ; ce que tu as perdu, il l'a retrouvé et maintenant, il te le rend.

Elle prit la boîte. Son visage ne trahissait rien. En cela, il était comme celui de Mirain ou du roi. Royal.

— Je dois attendre que tu l'ouvres, haute dame, dit Vadin.

Elle leva les yeux. Il n'aurait pas pu bouger s'il l'avait voulu. Elle examina tous les traits de son visage, du front au menton. Elle dit :

— Tu es… presque… beau. Tu le seras tout à fait quand tu auras terminé ta croissance. Si tu vis jusque-là, ajouta-t-elle.

— Ouvre la boîte, dit Vadin.

Ou Mirain actionnait la langue de Vadin, ou la terreur ne lui laissait ni esprit ni voix. Mentalement, il se vit dans une pièce sombre, loin de toute aide, un couteau levé et luisant, un nouveau garde à la porte. Jeune, assez pour se rappeler ce que c'était que d'être un homme.

Les yeux de la dame le relâchèrent, si brusquement qu'il chancela. Ses longs doigts fuselés trouvèrent le fermoir, soulevèrent le couvercle. Elle baissa les yeux sans surprise, mais son calme s'était envolé. Maintenant, c'était la rage qui flamboyait sous ses sourcils, qui découvrait ses dents. Il lui en manquait deux, lacune disgracieuse, qui finit de rompre le charme.

Avec une violence soudaine, elle jeta la boîte loin d'elle. Son contenu luisait doucement dans sa main ; c'était la dague noire de la prêtresse d'Umijan. Vadin ravala son air. La dernière fois qu'il l'avait vue, elle était plantée jusqu'à la garde dans le cœur d'Ustaren.

— Dis à ton maître, dit-elle, d'une voix dure comme le croassement d'un charognard, dis a ton puissant prince que j'ai bien reçu son cadeau. Et que je le garde jusqu'au moment où il boira son sang. Car mes servantes ont été faibles, mais elles reprendront des forces ; et la déesse a soif.

— J'entends, dirent la gorge, la langue et les lèvres de Vadin. Je suis sans crainte. Que la déesse convoite le sang du Soleil, mais qu'elle prenne garde. Son feu consume tout ce qui est issu de la nuit.

— Mais à la fin, c'est le feu lui-même qui est consumé.

— Qui peut savoir quelle sera la fin ?

Vadin s'inclina une dernière fois, toujours avec la même précision.

— Bonne journée, Dame Odiya.

CHAPITRE 13

Moranden entra dans Han-Ianon sous l'éclat du soleil de midi, bannières claquant au vent, suivi de son armée en bon ordre.

— Hardi comme le cuivre, dit quelqu'un, comme les sabots claquaient en traversant le marché.

— Chut ! l'avertit un autre d'un ton pressant. Les murs ont des oreilles.

— Et c'est ce qu'il faut ! J'ai entendu dire…

Ymin se fraya un chemin dans la foule. Elle savait ce que la femme avait entendu. Tout le monde l'avait entendu.

— Il a tenté d'assassiner l'héritier, oui, il a essayé, à ce qu'on dit.

— Quand on ne dit pas qu'il a sauvé la vie au prince.

— Sauvé sa vie ! Il a attiré au loin le jeune seigneur, il l'a ligoté sur un autel, et il l'a offert à la…

— Ça serait pas plus mal s'il l'avait fait. Il minaude comme un étranger. Au moins, l'autre est un vrai fils de Ianon.

La chanteuse pinça les lèvres. Cette rumeur ne voulait pas mourir, malgré toutes ses ballades, les proclamations du roi et la magie de Mirain. Moranden absent, la rumeur s'était un peu calmée ; maintenant, elle allait repartir de plus belle, et les lignes de bataille seraient établies plus fermement que jamais. Elle frissonna sous la chaleur du soleil, et maudit la lucidité de son esprit qui frisait la prophétie.

Un tumulte soudain noya tous les sons. Ymin, écrasée dans la foule, vit la compagnie de Moranden faire halte. Une seconde troupe descendait du donjon, sans bannières et en désordre : les écuyers du roi en permission pour la journée, avec faucons sur les poignets et chiens de chasse en laisse. Un chien s'était échappé et faisait des dégâts parmi les étals. Deux ou trois jeunes cavaliers s'étaient lancés à sa poursuite, braillant comme des limiers qui flairent une piste.

Pourtant, au centre de ce tintamarre régnait le silence, îlot de fraîcheur dans la touffeur de l'été. Mirain était face au frère de sa mère, Mirain monté sur le Fou, immobile à part ses yeux flamboyant. Le destrier fourbu de Moranden piaffait, tapait du pied, s'efforçant de baisser ses cornes.

Des acclamations et des glapissements annoncèrent la capture du chien, assourdissants dans le silence qui se propageait. Les écuyers s'étaient rangés en ligne derrière Mirain, le regard dur et étincelant.

— Salutations, mon oncle.

La voix de Mirain résonna, claire, calme et distincte dans le silence.

— Comment va la guerre ?

Moranden eut un grand sourire, qui découvrit ses dents éblouissantes.

— Bien, prince, très bien.

Il se pencha sur le pommeau de sa selle, parfaite incarnation de l'aisance seigneuriale.

— Bien mieux qu'elle n'allait quand tu l'as quittée.

Deux écuyers, dont le garçon de Geitan, s'avancèrent. Mirain leva la main ; ils s'arrêtèrent pile. Mirain sourit.

— Quand je suis parti, il n'y avait pas de guerre du tout. Seulement…

Il hésita, comme répugnant à prononcer le mot.

— … seulement la trahison. Je me réjouis que tu en sois débarrassé.

Ymin retint son souffle. Autour d'elle, les yeux étaient avides.

Moranden se pencha sur l'encolure de son destrier.

— J'ai toujours été loyal envers mon souverain légitime.

— Je n'en doute pas, dit Mirain.

Le Fou piaffait autour de l'étalon brun de Moranden, pointe d'une lance qui traçait un passage au milieu de la compagnie. Les hommes de Moranden le suivirent des yeux. Aboyant un ordre l'aîné des princes les rappela à la discipline, et éperonna son étalon vers le château.

Personne n'eut le temps de se sentir lésé. Moranden était revenu à peine quelques jours avant la plus importante des deux plus grandes fêtes de Ianon, celle du Solstice d'Eté, consacrée à Avaryan. Et elle serait plus belle que toutes celles qui l'avaient précédée, car le jour le plus saint de la fête était aussi le jour anniversaire de Mirain, son premier au château et son seizième en ce monde. Tous les seigneurs et les chefs de clans de Ianon, plus de nombreux roturiers, étaient venus pour voir l'héritier du royaume ; la plupart avaient apporté des présents, aussi riches que le permettaient leurs moyens.

Mirain se réveilla de bonne heure ce jour-là, jour du solstice, premier jour de la nouvelle année ; bien avant l'aube. Pourtant, Vadin s'était levé avant lui, et, plus remarquable encore, le roi. Quand les yeux de Mirain s'ouvrirent, ils se posèrent d'abord sur le visage de son grand-père, penché sur lui, et qui le regardait, calme et patient. Il s'assit, fronçant légèrement les sourcils, et secoua la tête pour rejeter ses cheveux en arrière.

— Monseigneur, qu'est-ce…

— Des cadeaux, dit le roi, avec son sourire splendide

mais si rare. Des cadeaux pour le Prince Héritier du Trône de Ianon.

Des cadeaux, en effet. Vadin les apporta un par un, honneur pour lequel il avait combattu victorieusement ; il combattit moins victorieusement pour réprimer son sourire. Une panoplie complète, aux mesures de Mirain, mais lui laissant la place de grandir : armure telle que seuls les forgerons d'Asanion savent les faire, légère, solide et dorée, les rayons de soleil de son père gravés sur le plastron ; une tunique de cuir rembourré pour porter dessous, à la jupe coupée pour l'aisance et le confort et renforcée de bronze doré ; et un casque d'or poli orné de flammes et surmonté d'un plumet écarlate. Plus un baudrier et un fourreau, également d'or et d'écarlate, une épée du précieux acier d'Asanian, à la lame assez tranchante pour tirer du sang de l'air ; une cape d'écarlate à l'agrafe d'or, un bouclier rond, une lance, et une selle de cuir également écarlate incrusté d'or.

Mirain caressa le cuir doux et leva les yeux sur le roi.

Vadin ne l'avait jamais vu aussi près de rester sans voix.

— Monseigneur, dit-il. Grand-Père. Ces cadeaux sont inestimables.

— Le fils du Soleil peut-il se contenter de moins pour défendre son royaume ?

Le roi fit signe à un serviteur que Vadin n'était pas parvenu à renvoyer.

— Mais cela, c'est pour l'avenir. Voilà mon présent pour la fête.

C'était une robe de cérémonie, une robe royale en étoffe d'or. Le serviteur en revêtit Mirain, lui fit des tresses entremêlées d'or, le couronna du trésor des rois de la montagne. Mirain resta très droit sous son poids, répondant par un sourire au sourire du roi.

— Tu fais un très beau prince, dit le roi.

— Tissu d'or et couronne, dit Mirain. Et, ajouta-t-il avec un sourire malicieux, l'air arrogant qui sied.

Le roi éclata de rire, chose si rare que même Mirain le regarda, étonné. Le roi lui tendit la main.

— Viens, jeune roi. Viens chanter le soleil pour moi.

A l'autel d'Han-Ianon, Mirain célébra le rite du soleil levant, premier parmi les prêtres, et rayonnant d'un feu différent de celui de l'or et de la lumière naissante. Pour une fois, Vadin était là, avec tous ceux qui se pressaient dans le temple, et son souffle, comme celui de tous, s'arrêta dans sa gorge quand Avaryan, paraissant au-dessus de l'horizon, frappa le cristal couronnant l'édifice et projeta sur l'autel une épée de feu opalin. Il ne s'agissait pas de magie, mais d'art, merveille de la fête annuelle, familière comme les feux de joie au moment des moissons. Debout devant l'autel étincelant, Mirain leva la main, et Avaryan lui-même descendit pour l'emplir.

Un instant ébloui, Vadin crut qu'il devenait aveugle. Puis il réalisa qu'il voyait. Il se tenait au cœur du soleil, dans un monde de pure lumière, fraîche malgré son ardent éclat. Lumière qui chantait, psalmodiait d'une voix qu'il connaissait bien, avec des paroles qu'il entendait tous les Solstices d'Eté depuis qu'il était assez grand pour assister à la cérémonie. Il cligna des yeux ; l'éclat disparut, ou se fondit dans le monde. Mirain poursuivit le rite, dans un tourbillon de prêtres et d'encens. La descente du dieu n'était peut-être qu'une illusion.

Peut-être n'était-il jamais venu. Personne ne s'en souvenait. Kav le regarda, étonné, quand il lui posa la question, mêlé à la foule se dirigeant vers la salle du banquet pour le repas qui les attendait ; Olvan éclata de rire et dit quelque chose au sujet des apprentis sorciers. D'abord, Vadin ne put s'approcher de Mirain pour solliciter son avis, et quand, poussant et jurant, il se fut frayé un chemin jusqu'au siège de son maître,

Mirain s'était mis en tête de laisser les seigneurs à leur gloire et d'aller déjeuner au marché avec le petit peuple. Le roi sourit et le laissa aller, bien des seigneurs l'accompagnèrent, et la question de Vadin se perdit dans le tumulte.

A la troisième heure du matin, tous, à part les banqueteurs les plus déterminés, quittèrent le château et la cité pour se répandre dans les champs d'alentour où se tiendraient les Jeux d'Eté : jeux de force et d'adresse, jeux de guerre et de paix, courses à pied et courses montées, et courses en char des seigneurs.

C'était le jour de gloire de Mirain, et il trônait en tant qu'arbitre des jeux, le roi assis près de lui sur un siège légèrement inférieur. Voyant cela, il s'était arrêté, l'air de vouloir protester, mais le roi l'avait regardé dans les yeux, et, lentement, il avait pris la place qui lui était destinée. Lentement, son visage s'était rasséréné. Quand Vadin l'avait quitté pour rejoindre les écuyers, la gêne de Mirain semblait s'être envolée, remplacée par la joie.

Le seigneur des jeux ne pouvait pas y participer. Mais le Seigneur des Marches Occidentales se mit en devoir de gagner tous les prix. Il accumulait ses gains comme des prises de guerre, attirant à lui l'allégeance des jeunes chevaliers, fascinés par ses victoires.

— Monseigneur est magnifique aujourd'hui.

Mirain baissa les yeux du haut de son siège, gratifiant Ymin d'un sourire.

— Mais, dit-il, il est contraint de recevoir ses prix de mes mains.

Elle s'assit à ses pieds, ce qui était le privilège de la chanteuse sacrée. Dans l'arène, Moranden attendait avec une douzaine de princes et de barons, dans la rangée mouvante des chars dont les chevaux piaffaient d'impatience. Ses bêtes à lui restaient immobiles, matées par sa main puissante, pouliches jumelles striées d'or et de brun, aux crinières raidies en crêtes, aux sabots aiguisés sertis de bronze.

Le char était léger et souple, et Moranden le pilotait avec une grâce désinvolte. Comme les autres, il ne portait qu'un pagne et une large ceinture cloutée ; et les muscles de ses bras et de ses épaules ondoyaient sous la peau. A son cou, une guirlande de fleurs écarlate, don d'une dame.

— Il est splendide, remarqua Mirain, sans envie discernable.

— Monseigneur est magnanime aujourd'hui.

Mirain rencontra les yeux vifs et rieurs de Ymin et rit.

— Ma dame est pleine de compliments aujourd'hui.

— L'air en bourdonne. Tout Ianon est amoureux de toi, au moins pour cette journée. Cela te plaît-il ?

Mirain prit une joyeuse inspiration.

— Cela chante en moi.

Il ouvrit les bras, ce qui, et non par hasard, était le signal du départ de la course. Les seneldi s'élancèrent. La foule rugit. Mirain rit.

Il souriait encore quand Moranden ramena son attelage écumant devant le dais, et sauta légèrement à terre. Son corps luisait de sueur, ses narines palpitaient, ses yeux étincelaient.

Mirain se leva, tenant le prix — un harnais d'or — dans ses mains. Avant que Moranden ait pu monter les marches de la tribune, Mirain les descendit. Le jeune prince face à son aîné, Mirain sur la seconde marche, Moranden sur l'herbe.

— Nouvelle victoire, mon oncle, dit Mirain. Tu fais grand honneur à notre maison.

— Ce n'est que son dû, dit Moranden, acceptant le prix avec une profonde révérence. Après tout, je suis son seul champion dans cette arène.

— Tous les rois devraient avoir un tel champion.

— Est-ce une coutume du Sud ? demanda

Moranden. Dans le Nord, chaque roi est son propre champion.

Mirain étrécit les yeux, puis éclata de rire.

— Comment mon oncle ! Voilà un mot d'esprit digne du Sud !

Il s'inclina en roi, le soleil faisant scintiller toutes ses parures.

— Puisses-tu gagner souvent pour l'honneur des rois de la montagne !

Il regagna son trône, Moranden rejoignit son char. Ymin, qui les regardait, soupira.

Le roi le remarqua et se pencha vers elle.

— Allons, mon enfant, dit-il tout bas. Les étalons se battront et les hommes frapperont dans des gerbes d'étincelles, et plus forts les hommes, plus forts les coups.

— Ceux-là sont déjà trop forts pour ma tranquillité, dit-elle.

— Forts et jeunes. L'âge les calmera.

— Si chacun laisse l'autre vivre assez longtemps.

Elle se ressaisit et sourit au roi. L'espoir chez lui était si rare, et si précieux.

— Ah, sire, dit-elle, je semble m'ingénier à projeter une ombre sur ton soleil.

Il eut un geste de dénégation.

— C'est impossible. Car, vois-tu, mon fils est le plus grand des vainqueurs, et mon héritier — sa voix s'adoucit — mon héritier est le plus grand de mes princes. Et tout Ianon le sait bien.

— Comme le savent mes deux seigneurs, dit-elle, trop bas pour qu'il l'entende. Ils ne le savent tous deux que trop bien.

Vadin n'était pas Moranden, mais il se défendit bien. Il gagna la course montée, et prit une belle deuxième place au duel à l'épée des jeunes gens. Puis il gagna de nouveau, deux fois, la course à pied et le lancer de javelot. Et quand il s'en vint recevoir ce dernier trophée, il vit que Mirain souriait jusqu'aux oreilles et réalisa brusquement qu'il avait réussi : il était bien placé pour être le Jeune Champion de l'année. De même que le Prince Pathan, le calme et méthodique Kav, et un petit seigneur hautain de Suvein. Un instant, il eut honteusement envie de s'enfuir se cacher. Alors Mirain lui dit :

— Gagne le titre pour moi, Vadin.

— Sans subterfuges, Fils du Soleil.

— Sans subterfuges, concéda Mirain les yeux rieurs.

Vadin s'inclina et se retira, non sans lui avoir lancé un regard soupçonneux.

Le Jeune Champion gagna sa couronne en combat monté, à armes non mouchetées. C'était le même rite mortel que celui par lequel on devenait un homme, mais plus facile, pensa Vadin, tandis que ses amis vérifiaient ses armes. Il n'avait pas à livrer ces batailles après avoir participé à la Grande Course. Rami était fougueuse et impatiente, et bientôt l'humeur de Vadin s'accorda à celle de sa monture. Il savait qu'il avait des chances ; il était l'un des meilleurs d'Imehen.

— Nous verrons si je suis aussi l'un des meilleurs de Ianon, dit-il à sa jument.

Elle roula un œil liquide et s'ébroua, sentant la bataille. Il sauta légèrement en selle. Des mains lui passèrent ses armes. L'épée à son baudrier, la dague dans son fourreau, deux lances de jet, et le bouclier rond orné de l'écusson de Geitan. Les hérauts proclamèrent son nom. Il était opposé au Suveinien. Il talonna le flanc de Rami, qui caracola, tête haute.

Par chance, la monture du Suveinien était aussi une jument. Il n'avait pas à craindre de coups de corne. Et il n'avait guère à craindre non plus du cavalier. Il était assez bon, et rapide, mais il perdait facilement patience, et avec elle, une partie de ses moyens. Vadin le laissa se démener et jurer jusqu'à l'épuisement, et quand la nervosité lui eut fait perdre ses défenses, il l'abattit proprement, presque à regret, d'un coup du plat de son épée.

De l'autre côté du champ, Kav s'était bravement battu contre Pathan, mais ce dernier n'était pas seulement habile, il était brillant. C'est donc Pathan qui resta pour affronter Vadin quand les deux vaincus quittèrent l'arène, Kav sur ses deux pieds, le Suveinien sur son bouclier. Vadin s'arrêta quelques instants pour faire souffler sa monture, s'éponger le visage et avaler une gorgée d'eau, face au parangon des écuyers. Le roi l'armerait chevalier le soir même, tout le monde le savait. Et voilà qu'il était opposé à Vadin alVadin, nouvelle recrue à au moins deux ans de l'adoubement.

Pathan ne semblait pas inquiet de l'issue du combat. Sentant que Vadin le regardait, il alla même jusqu'à lui sourire en saluant. Kav l'avait durement combattu, mais son armure luisait sans une marque, son beau visage n'avait pas une tache de sang, et son plumet était intact. La robe crème de son étalon luisait comme s'il venait d'être étrillé. Il se tenait en selle comme s'il y était né, léger, à l'aise, respirant sans effort.

Rami était encore assez fraîche, mais Vadin était couvert de poussière, son bouclier était cabossé, et il savait qu'il empestait royalement. Il prit une profonde inspiration. Mirain était une flamme d'or au bord de l'arène. Vadin aurait juré qu'il sentait son regard, le défiant de tourner bride. Comme si Rami l'aurait permis ! Il resserra sa prise sur ses lances et son bouclier, et inclina la tête devant le héraut. Il était aussi prêt qu'il pouvait l'être.

La trompe sonna. Rami s'élançait déjà. Une lance quitta sa main, visant le bouclier du prince en son milieu. Un coup de vent la dévia. Un choc, comme un coup de marteau, le fit reculer, étourdi. Il arracha la lance de son bouclier, lança sa deuxième — imbécile, imbécile aurait ragé Adjan, il n'avait pas visé avant de lancer. Mais Pathan non plus, et peut-être le vent était-il doublement traître. Vadin dégaina son épée. Art auquel Pathan l'avait déjà vaincu. Mais pas à cheval, pas avec Rami combattant avec lui. L'étalon était bien dressé, il était rapide, et il portait ses redoutables cornes d'ivoire. Cependant Rami avait appris pas mal de choses sur les étalons et leurs armes.

Vadin aussi. Et il vit que les cornes étaient bien affûtées. C'était permis. Quelle folie d'avoir donné son cœur à une jument au front dégarni, refusant de lui faire poser de lourdes cornes de bronze.

Ils s'amusaient, Pathan et son étalon. Titillant, feintant, feignant de ne pas pouvoir placer un coup. Vadin s'étonna lui-même ; il en plaça un qui fit chanceler Pathan sur sa selle. Comment le parfait escrimeur aguerri ne l'avait-il pas vu venir ?

Peut-être n'était-il pas parfait, après tout. L'étalon fit un écart causé par le choc de l'épée sur le bouclier, ou le casque, ou la lame. Il ne semblait pas toujours savoir ce qu'il faisait, et quand il le savait, le senel était trop près ou trop loin. Vadin ne pouvait pas rivaliser de vitesse ni d'adresse, mais peut-être…

Il fallait faire vite. Vadin faiblissait, il commençait à avoir du mal à se défendre. Maintenant Rami immobile entre ses genoux, il leva d'un degré son bouclier et para un méchant coup. La lame de Pathan rebondit en arrière, feinta de côté, et plongea dans une brèche de la parade de Vadin. Par miracle, la lame de Vadin se trouvait là, et la force du choc faillit l'abattre. Faillit. L'étalon vira ; Pathan le ramena de face d'un coup d'éperon. Il s'élança. Le nouvel assaut de Pathan laissa une ouverture, un instant, de la largeur d'une bonne lame de bronze. Vadin y plongea, évita le bouclier et tourna la pointe de son épée, désarçonnant et désarmant Pathan d'un même mouvement serpentin.

Un silence stupéfait tomba sur la foule. Pathan gisait sur le dos, les yeux ouverts et vitreux, et pendant un instant, Vadin crut qu'il était mort. Puis il remua en gémissant, et s'assit, berçant une main douloureuse. Vadin se mit à sa place ; il avait appris ce tour à la dure avec son maître d'armes de Geitan. Il sauta à terre, courut à Pathan pour l'aider à se relever, radotant bêtement.

— Je suis désolé… je ne voulais pas… je voulais seulement…

— Jeune imbécile, gronda Pathan, repoussant la main tendue vers lui, et se levant avec raideur mais sans blessure apparente.

Vadin ouvrit la bouche, et la referma. Que tous les dieux lui viennent en aide, il avait ridiculisé cet orgueilleux prince devant tout Ianon, gâché le jour de son adoubement, transformé sa bienveillance hautaine en amère inimitié.

Le rire de Pathan interrompit ses ruminations.

— Jeune imbécile, répéta le prince, cette fois avec une ironie amusée, tu ne sais donc pas quand tu as gagné ?

Vadin cligna des yeux. Un coup violent devait lui avoir dérangé le cerveau. Il se retourna. Rami broutait comme un bœuf de labour. Au-delà, le peuple de Ianon acclamait follement.

Pathan lui administra une bourrade, sans douceur.

— Monte, petit. Va recevoir ton prix.

Les hérauts s'approchèrent, disant à peu près la même chose, l'un menant Rami par la bride, et Vadin prit conscience des acclamations assourdissantes de la foule. Il lui fallut un moment pour se ressaisir. Aussi légèrement qu'il le put, il se remit en selle, et reprit les rênes tandis que Rami se mettait à dansoter. Elle savait ce qu'on attendait d'elle. Il redressa ses épaules lasses, releva la tête, et regarda droit devant lui.

Mirain n'était pas sous son dais. Le Fou approchait, monté par Mirain portant la couronne de cuivre et d'or qu'un coup d'œil rapide et une botte astucieuse lui avaient gagnée. Rami rongeait son frein, se cabra.

— Juste un peu, dit Vadin, lui lâchant la bride.

Ils se rejoignirent au galop, le senel argent et le senel noir, tournèrent l'un autour de l'autre, crinières au vent, et s'arrêtèrent au même instant. Mirain ne dit rien, mais ses yeux disaient tout. Vadin avait les joues en feu, et pas seulement à cause de l'exercice ; il baissa la tête, comme un enfant trop complimenté. Il sentit un poids frais sur son front. Il leva les yeux, un peu étonné, au moment où Mirain abaissait ses mains vides.

— Va, dit le prince.

Et comme Vadin hésitait, Mirain reprit :

— Par courtoisie, Rami, sauve l'honneur de ton maître.

Rejetant la tête en arrière, elle prit le mors aux dents et s'élança pour le tour d'honneur de l'arène. Le Fou ne suivit pas, et pendant un moment excessivement mortifiant, personne ne fit attention à lui ni à son cavalier. Vadin regarda en arrière, une fois. Mirain n'était pas offensé.

— Douce modestie, parvint tout bas à l'oreille de Vadin, d'une voix claire, pleine de rire, de fierté et d'affection profonde.

Au diable, pourquoi étaient-ils tous si indulgents ? Etait-il encore un enfant sans nattes pour qu'on lui fasse tant de risettes, et qu'on lui caquette des compliments ? Que les démons les emportent, il était un adulte et il l'avait prouvé. La colère l'éveilla enfin à la vérité. Il avait gagné. Il était le Jeune Champion. Il était le meilleur écuyer de Ianon. Il lança bien haut son épée et la rattrapa dans un tonnerre d'acclamations. Puis il fit pivoter Rami, et la lança au galop autour de ce glorieux champ.

CHAPITRE 14

Les Jeux se terminèrent dans la splendeur d'un coucher de soleil flamboyant. Moranden avait gagné la couronne, grande sœur de celle de Vadin, ainsi qu'il l'avait fait tous les Solstices d'Eté depuis son adoubement. Comme le voulait la coutume, les deux champions exécutèrent une danse de guerre au milieu du terrain, croisant le fer et harmonisant les mouvements de leurs bêtes, chevauchèrent côte à côte jusqu'au trône et s'inclinèrent, puis se serrèrent la main en frères et en guerriers. Moranden ne l'épargna pas, et sa danse fut assez rapide pour mettre à l'épreuve la force et la vitesse inférieures de Vadin, et sa poignée de main fut douloureusement vigoureuse. Mais c'était la coutume : pour amical que se montrât le Vieux Champion, il n'oubliait jamais, et ne laissait jamais l'autre oublier, qu'un jour ils s'opposeraient pour le titre.

— Tu as bien combattu, dit Moranden, apparemment sincère, le gratifiant de son célèbre sourire. Cette dernière botte… je suppose que tu ne voudras pas me l'enseigner ? Surtout si tu as l'intention de t'en servir contre moi aux prochains Jeux du Solstice.

— Pas l'année prochaine, dit Vadin, ni bon nombre d'années après, je ne crois pas, monseigneur. Il me faudra plus qu'une botte et un coup de chance pour vaincre le meilleur guerrier de Ianon.

Moranden haussa les sourcils.

— Ce n'est pas si sûr, mon ami. La monture de ton adversaire manquait un peu d'entraînement, mais son maître manquait d'adresse, et tu as su le voir. C'est un don rare.

De nouveau, il serra la main de Vadin.

— Retournons ensemble au château. Pour ma part, je n'aurai pas honte de mon compagnon.

Vadin non plus, mais il n'était pas à son aise. Il ne parvenait pas à s'enivrer de l'adulation dont on l'entourait. Ses yeux étaient fixés sur Mirain, qui chevauchait juste devant avec le roi. Le jeune prince avait eu sa part de gloire, et il rayonnait, comme porté sur des ailes. Pour le moment au moins, son peuple l'adorait, et même la crainte du Fou n'avait plus le pouvoir de les tenir à distance respectueuse. Ils lui tendaient les bras, le ralentissaient, se battaient pour le toucher ou obtenir un sourire.

Les gardes du roi s'avancèrent pour les repousser. Le roi les arrêta d'un regard. Voyez, disait-il, il ne peut rien arriver à Mirain. Pas ici, pas maintenant ; il tient tout Han-Ianon dans le creux de sa main.

La grande salle du château était ouverte au long crépuscule estival, illuminée de torches, pleine à craquer de Ianiens. Ceux qui n'avaient pas trouvé place à l'intérieur encombraient la cour et les dépendances, les plus humbles d'entre eux banquetant comme des seigneurs aux frais du roi.

Mirain s'assit sur une estrade, surmontée d'un dais de soie blanche bordée d'or. Sa robe était stupéfiante dans sa simplicité, toute blanche à part le torque, insigne de sa prêtrise ; sa tête était nue, ses cheveux rassemblés en une unique natte, et aucun bijou ne scintillait à son front, à sa gorge ou à son doigt ; et pourtant il rayonnait, aussi brillant par lui-même que tous les princes couverts d'or de Ianon.

Moranden avait pris le siège du Vieux Champion, à la droite du roi, flanqué par des petits princes cousus d'or, lui-même vêtu de noir et d'écarlate, avec un rubis semblable à une larme de sang entre les deux yeux. Ses compagnons ne prêtèrent pas grande attention à Mirain, buvant plus qu'ils ne mangeaient, de plus en plus hilares à mesure que la soirée s'avançait. Ils baissèrent à peine la voix pour les musiciens et les danseurs, guère plus pour l'adoubement solennel de Pathan par le roi, et pas du tout pour le chœur qui, sous la direction d'Ymin, chanta les louanges du dieu. Moranden chahutait avec eux, mais, de sa place d'honneur à la gauche du roi, Vadin vit que la coupe du prince était rarement remplie, qu'il observait Mirain sans en avoir l'air, d'un regard en coin persistant et indéchiffrable.

Mirain était tout à sa joie. Il était jeune, il était aimé, il serait roi. Son humeur ne laissait aucune place à la peur ou à la haine, et encore moins à la simple prudence. Et Vadin, piégé au milieu de ses admirateurs exubérants, ne pouvait s'approcher pour le ramener à la raison.

Un très jeune chanteur s'avança, enfant au timbre clair de flûte, qui chanta la naissance de Mirain au milieu du grand rite du dieu. Les petits princes interrompirent leur bacchanale, émus malgré eux par la pureté surnaturelle de cette voix. Tous sauf un, qui n'avait pas d'oreille, ou avait perdu l'ouïe après de trop nombreuses libations.

— Fils du Soleil, en vérité ! Prophéties, tu parles ! Où vont-ils chercher ces contes de bonne femme ? dit-il, détachant chaque mot, d'une voix forte et dissonante sur le fond musical.

Vadin se raidit, prêt à bondir, puis se détendit. Il ne pouvait rien faire, qu'empirer la situation.

— Qui sait ce qui s'est vraiment passé ? gronda un autre jeune seigneur. Il arrive comme une fleur, raconte une histoire à dormir debout, et remporte tout, le trône, le château, le royaume. Bien joué, si vous voulez mon avis. Et pour la rapidité, mortel.

Le jeune chanteur ne se troubla pas, mais tourna de grands yeux effrayés vers Ymin. Elle ne bougea pas ; peut-être ne le pouvait-elle pas. Mirain s'était brusquement levé. Le roi lui saisit le bras d'une main de fer malgré sa maigreur, mais qui tremblait visiblement. Mirain ne lui accorda pas même un regard.

— Gardes, dit-il, doucement mais distinctement, évacuez ces hommes.

Un troisième petit seigneur bondit sur ses pieds, renversant sa coupe.

— Oui ! Evacuez-les, avant qu'ils ne révèlent trop la vérité.

Il parlait à la cantonade, mais les yeux fixés sur Moranden. Le prince, assis nonchalamment, ne fit pas un geste quand les gardes s'emparèrent de ses partisans, qui pourtant se tournaient vers lui en criant son nom. Il observait Mirain.

Le chant se termina dans l'indifférence générale. Le chanteur s'enfuit se cacher dans les jupes d'Ymin, trop effrayé pour pleurer.

Le troisième homme se débattit entre les mains des gardes.

— Menteur ! Il ment ! cria-t-il. Il n'est pas le Fils du Soleil. Sa mère a forniqué avec le Prince d'Han-Gilen ; la grande prêtresse du temple aurait dû la condamner à mort pour ça ; mais le prince a destitué la prêtresse et installé l'étrangère à sa place. Malgré tout, la prêtresse a eu sa juste vengeance ; elle a tué l'usurpatrice de sa main. Je le sais. J'avais un parent là-bas ; il a tout vu, tout entendu. Cet homme n'est pas le fils d'Avaryan. Vous accordez votre adulation à un imposteur.

Un garde leva le poing pour le réduire au silence.

— Non, dit Mirain.

Ses yeux dilatés scintillaient.

— Laisse-lui dire sa leçon jusqu'au bout.

Un instant, le jeune homme resta déconcerté. Même ses amis se turent, les yeux fixés sur lui. Puis il remplit ses poumons pour vociférer :

— Personne ne m'a appris ma leçon. C'est un aventurier, un fils-de-personne, envoyé par le Sud pour s'emparer du royaume. Quand il l'aura, le Prince d'Han-Gilen viendra reprendre le pays et son envoyé.

Mirain rit, sincèrement amusé.

— Ah, mon ami, tu viens de te trahir. Que pourrait faire le Prince Orsan d'un royaume aussi lointain, aussi barbare et aussi isolé que Ianon ? Il gouverne déjà le plus riche des Cent Royaumes.

— Aucun royaume n'est trop riche, cria l'homme. Avoue la vérité maintenant, bâtard de prêtresse. Ta mère a menti pour sauver son amant et elle-même. Mais tu l'as trahie. Car elle est morte de t'avoir mis au monde. Tu as été sa mort.

Mirain était debout. Le petit seigneur continua à décocher ses coups, de plus en plus violents.

— Tu es maudit, matricide, destructeur de tout ce que tu touches. « Va donc à Ianon », t'ont-ils supplié à Han-Gilen. « Va, et emporte ta malédiction avec toi. Le roi est vieux, il est fou, il mourra bientôt. Tu n'auras qu'à tendre la main pour t'emparer du royaume. »

Il ouvrit les bras en un geste théâtral.

— Ils ont oublié une chose. Ianon, ce n'est pas seulement un vieux roi et une bande de seigneurs couards. Un homme est fort. Un homme n'a pas oublié son honneur et l'honneur du royaume. Tant que vivra le Prince Moranden, tu ne régneras pas sur Ianon.

Mirain pencha la tête.

— Je suppose que tu l'as consulté.

Puis il tourna les yeux vers Moranden.

— Mon oncle, ce plaisantin t'appartient ?

— Il parle mal à propos, dit Moranden avec calme. Mais quant à la vérité de ce qu'il dit, tu la connais mieux que moi.

— Nous la connaissons tous.

Grâce à sa technique éprouvée de chanteuse, la voix d'Ymin domina le tumulte grandissant, et le silence se fit.

— Je l'ai reconnu et je l'ai chanté. C'est celui qui était annoncé. C'est le roi qui vient du Soleil. Il t'en cuira, Moranden, si tu oses t'opposer à lui. Car il est doux et compatissant, mais je ne possède pas ces vertus, et je brandirai contre toi toute la puissance de mon office.

Moranden éclata de rire.

— Et quelle puissance, Dame Chanteuse ! Tu as toujours été son fidèle toutou. Un scintillement d'or, une belle histoire, et il t'a tenue à sa merci. Regarde-le en ce moment ! Hoquetant comme un poisson hors de l'eau maintenant que ses intrigues sont dévoilées.

— Que pourrait-il répondre à des propos aussi monstrueux que les tiens ?

— Qu'y a-t-il de monstrueux à dire la vérité ? Il le sait. Il s'en étrangle. Et il se cache derrière les jupes de celle qui a l'audace de le défendre.

Les lèvres de Moranden se retroussèrent en un rictus.

— Quel beau roi il ferait, lui qui a besoin d'une femme pour se battre à sa place !

— C'est préférable à un roi qui a besoin d'une femme pour penser à sa place.

Moranden bondit. Mirain lui fit face, froid comme la glace.

— N'en dis pas plus, mon oncle, et peut-être te pardonnerai-je ce qu'a dit ta marionnette. Mais je ne l'oublierai jamais.

— Menteur. Etranger. Bâtard de prêtresse. Parce que mon père t'aimait, et parce que tu ressembles à ma sœur que j'aimais aussi, je t'ai toléré. Mais trop c'est trop. Avant mon père et ma sœur, il y avait Ianon ; et Ianon gémit à la perspective d'un tel roi.

— Ianon, absolument pas, dit Mirain. Seulement Moranden, dont l'âme se ronge de rage de ne pas avoir le trône.

Un silence de mort s'était abattu sur la salle. Mirain soutint le regard noir et brûlant du frère de sa mère.

— Et si tu le gagnais, monseigneur — si tu le gagnais, pourrais-tu espérer le conserver ?

— Enfant.

La voix de Moranden était différente, plus douce, plus venimeuse.

— Tu n'es pas le seul à être aimé des nobles. Et nous ne sommes pas à Han-Gilen, qui a rejeté tous les dieux sauf un, qui se pavane dans son orgueil, et qui s'imagine béni d'Avaryan. Les dieux sont exilés, mais les dieux demeurent. Elle demeure, celle qui, seule, est l'égale d'Avaryan. Elle l'est, enfant. Elle l'est, l'était et le sera.

Mirain parla comme à travers un brouillard étouffant, fières paroles, mais assourdies, dépourvues de leur force.

— Je l'enchaînerai.

Son oncle éclata de rire.

— Vraiment, petit homme ? Eh bien, essaye. Essaye sur-le-champ, Fils du Soleil, enfant du matin.

— Je ne… suis… pas…

Mirain leva la main droite, mais son feu était terne. Le rire continua. Mirain cria pour le contrer :

— Moranden ! Ne vois-tu pas que tu es aussi une marionnette ? Toi aussi, on se sert de toi, on te manipule. Une autre voix parle par ta bouche.

— Je ne suis le jouet d'aucun homme.

— D'aucun homme en effet. Mais d'une déesse et d'une femme.

Moranden se rua sur lui, fou furieux, possédé. Vadin vit Mirain tomber, un mur de dos entre eux deux, et aucune arme dans cette salle de fête. C'était un cauchemar, Umijan qui recommençait, et Mirain vaincu avant d'avoir pu se défendre.

Du noir s'interposa entre l'écarlate et le blanc, les sépara, projetant l'écarlate contre le mur. Une voix grave s'éleva, avec une douceur plus dévastatrice qu'un hurlement de rage.

— Sors d'ici.

Moranden chancela, le visage décomposé sous le choc, et s'affaissa sur les genoux. Le roi baissa les yeux sur lui. Vieux, puissant, terrible, il regarda son fils dans les yeux ; le jeune homme se troubla visiblement.

— Sors d'ici, répéta-t-il.

Moranden remua les lèvres sans émettre un son ; les mots s'échappèrent enfin de sa bouche.

— Mon père ! Je…

Des mains d'acier le frappèrent. Plus forte qu'elles et encore plus cruelle, la voix dure le cloua au sol.

— Si le soleil levant te trouve encore à portée de mon château, je te donnerai la chasse comme à une bête. Exilé, maudit, j'interdis qu'aucun homme te tende la main pour t'aider, qu'aucune femme t'accueille dans ta maison, qu'aucun citoyen de Ianon t'abrite ou te donne à manger et à boire, sous peine de partager ton sort.

Le roi se détourna de lui.

— Moranden de Ianon est mort. Va-t'en, toi qui n'as plus de nom, ou meurs comme le chien que tu es.

Moranden regarda autour de lui. Tous lui tournaient le dos, même ses partisans les plus déterminés, mettant le sceau final à son exil.

Un éclat de rire lui échappa, aigu, dément, tranchant comme une lame.

— Telle est la justice de Ianon. Je suis condamné sans pouvoir me défendre, sans appel. Hélas pour notre royaume !

Personne ne se retourna. Le roi resta immobile, implacable. Mirain et Moranden l'avaient forcé à choisir entre eux. Il avait choisi. C'était amer, très amer. Mais Moranden ne vit que le dos figé dans sa raideur, et comprit ce qu'il avait toujours su : il n'était pas l'enfant que son père aimait.

Une rage aveugle déferla sur lui, le domina. Il pivota sur lui-même.

— Malédiction ! cria-t-il. Malédiction sur vous tous !

Mirain se releva, les vêtements en désordre, mais

indompté. Lui seul osa regarder Moranden dans les yeux ; son oncle y lut une profonde amertume.

— Ianon est à toi maintenant, dit Moranden, roucoulant presque. Je te souhaite bien du plaisir !

Il s'inclina profondément, avec dérision, et sortit dans un grand déploiement d'écarlate. Passé le roi, passé Mirain, passé les seigneurs et les roturiers de Ianon, il accéléra encore le pas. Une torche accrocha un dernier scintillement d'écarlate, et il disparut dans les ténèbres extérieures.

— Grand-Père !

La voix de Mirain résonna dans le silence.

— Grand-Père, rappelle-le.

Le roi pivota vers lui, souffle coupé. Le visage du vieux seigneur ressemblait à une tête de mort. Pourtant :

— Rappelle-le, répéta Mirain.

— Il a voulu prendre ta vie et ton trône.

Mirain fit ce qu'il n'avait jamais fait devant personne à part son père : il mit un genou en terre.

— Sire, je t'en supplie.

Sur le visage décharné, la perplexité se mêla à la colère.

— Pourquoi ?

— La querelle n'est pas terminée ; elle doit l'être, ou Ianon sera déchiré et détruit.

— Non, dit le roi, d'une voix dure et définitive.

Les yeux de Mirain scintillèrent.

— Il doit revenir. Nous devons nous battre, maintenant, pendant que la querelle est fraîche, et le dieu choisira entre nous.

— J'ai choisi, dit le roi d'une voix rauque. Tu ne te battras pas.

— Ce n'est pas à toi d'en décider, monseigneur de Ianon.

Le roi resta inébranlable, même devant l'énormité de cette insolence.

— Je ne le rappellerai pas.

Mirain leva les yeux sur sa haute silhouette.

— Alors, je dois te quitter moi aussi.

Un frisson ébranla tout le corps du roi.

— Me quitter ? répéta-t-il, comme s'il n'avait pas compris.

— Maintenant, c'est la guerre entre mon oncle et moi. Une guerre que tu as rendue inévitable, monseigneur. Quoi qu'il arrive, guerre ou, par le plus grand des miracles, réconciliation, je ne ferai pas voler ce royaume en éclats par la violence de notre inimitié.

Mirain releva le menton.

— Puisque Moranden est parti en exil, je m'exilerai aussi.

Dans la salle et dans les cours extérieures, tous retenaient leur souffle. Le roi avait l'air d'un homme qui vient de recevoir un coup mortel. Sa fille était morte. Son fils s'était retourné ouvertement contre l'héritier qu'il avait choisi. Le fils de sa fille, debout devant lui, lui jetait son royaume au visage.

— Mais quand je serai mort, dit-il d'une voix dure, qui régnera sur Ianon ?

— Il y a assez de princes et de seigneurs. Et tous connaissent leur père.

Mirain s'inclina jusqu'au sol.

— Adieu, monseigneur. Que le dieu te protège.

Il se retourna, comme Moranden, blancheur immaculée après l'écarlate de son oncle. Mais quand il avança, le roi lui saisit le bras. Mirain s'immobilisa, les yeux flamboyants.

— Mirain, dit le roi, resserrant son emprise. Fils du Soleil, par la main de ton père…

Mirain se raidit pour se dégager, puis se figea. Le roi chancela. Mirain soutint un corps réduit à la peau tendue sur les os, mais encore massif, accablant sa petitesse. Lentement, il s'affaissa sous son poids.

La mort se déploya sur le visage du roi, la mort si longtemps tenue en respect, et qui s'apprêtait maintenant à l'achever.

— Non ! s'écria Mirain, s'accrochant à son grand-père comme si ses mains pouvaient le retenir. Pas maintenant ! Pas pour moi !

— Pour toi, non, murmura le roi.

Toute sa vie et toute sa force se rassemblèrent dans ses yeux dilatés, fixés sur Mirain.

— Appelle mes serviteurs. Je ne me coucherai pas sur le sol comme l'un de mes chiens.

Les lampes brillaient dans la chambre du roi, projetant de longues ombres sur les murs. Les psalmodies des guérisseurs s'étaient tues ; les prêtres gardaient le silence. Seule dans un coin, Ymin était assise avec sa harpe. Ses doigts quittèrent les cordes, sa voix sombra jusqu'au murmure, et se tut. Des larmes luisaient sur ses joues.

Mirain était agenouillé près du lit. Il n'avait pas bougé depuis qu'on y avait porté le roi, ni pour Vadin, ni pour les guérisseurs et les prêtres, et encore moins pour les grands seigneurs que leur rang avait fait admettre. Sa main gauche tenait une main du roi ; l'autre, la droite, était posée sur son front.

Le roi avait glissé de la veille dans un rêve confus, puis était remonté vers la lumière. Même clos, ses yeux étaient tournés vers Mirain.

Au loin, un coq chanta, annonçant l'aurore. Le roi remua ; ses yeux s'ouvrirent ; ses doigts se crispèrent. Ses lèvres s'adoucirent, presque en un sourire.

— Oui, dit-il, maudis-moi. Maudis le serment que je t'ai fait prêter.

— J'ai juré de ne pas mourir et de te laisser tranquille.

— Tu ne peux pas m'abandonner maintenant.

— Non, dit Mirain, avec lassitude mais sans colère. Tu as fait en sorte que je ne le puisse pas.

— Moi ? Pas tout à fait, mon enfant. On m'a aidé. Appelle ça le destin. Appelle ça…

— Le poison. Subtil. Magique, et au-delà de mon pouvoir de guérison.

La lassitude avait disparu, la colère revint. Bien qu'aucun d'eux n'eût prononcé un mot depuis qu'ils avaient quitté la salle, il semblait que ce choc des volontés durât depuis des heures. Mirain se pencha sur lui.

— Elle le paiera.

— Elle ne le paiera pas, dit-il, avec une nuance de résistance inébranlable.

— Elle a toujours été ta faiblesse ; elle a été ta mort.

— C'est le grand cadeau qu'elle m'a fait. De choisir ma mort et de choisir son instrument ; et de savoir qu'elle était très belle. Mais elle n'a pas remporté de victoire. C'est mon héritier, et non le sien, qui aura mon trône.

Une inspiration, un accès de toux, tout le rire qu'il put rassembler.

— Avoue-le, Fils du Soleil. Sous le chagrin filial bienséant, tu es content de cette issue.

— Non. Jamais.

— Menteur, dit le roi, amusé, presque tendre. Je ne laisse pas de sages avis ; même si tu les écoutais par courtoisie, tu ne les suivrais pas. Je te commande une seule chose : règne dans la joie.

Les yeux de Mirain étaient secs et brûlants, sa voix rauque.

— J'allumerai le bûcher de ta crémation. Et si après je m'en allais ?

— Tu ne t'en iras pas.

— Je peux rappeler Moranden.

— Le rappelleras-tu ?

Rassemblant ses dernières forces, le roi posa la main de Mirain sur son cœur.

— Dès l'instant où je t'ai vu, je t'ai reconnu. Fils d'Avaryan… tu es digne de ton père.

— Tu le crois ?

— Je le sais.

Les paupières du roi se fermèrent ; son cœur s'accéléra. Avec un profond soupir, il concentra toute sa volonté sur lui. Battement après battement, il ralentit. Poussant un cri, Mirain posa sa main droite sur le torse, faisant appel à tout le pouvoir qu'il tenait de son père. Le cœur du roi palpita d'une vigueur nouvelle, lui échappa, frémit, s'arrêta.

Le roi de Ianon était mort.

Le roi de Ianon se releva, croisa les mains inertes sur la poitrine inanimée, et se retourna. Devant son visage, les seigneurs, les prêtres et les guérisseurs tombèrent à genoux, se prosternant jusqu'au sol.

— Il l'a voulu, dit Mirain d'une voix calme et tendue. Même dans la mort, il m'attache ici. Il l'a voulu !

— Vive le roi !

La voix d'Ymin le fit taire, reprise par la voix de Vadin, rauque d'avoir pleuré, et des autres, en un chœur hésitant :

— Vive Mirain, roi de Ianon !

Vadin qui l'observait à travers ses larmes vit un changement s'amorcer dans ses yeux. Le chagrin, la colère, le regret ne diminuèrent pas. Mais au nom de roi, une lueur s'alluma qui n'avait rien de triomphal. Il vit, seulement et uniquement, l'acceptation.

Et ayant accepté, il put enfin pleurer.

CHAPITRE 15

— Imbécile impatient.

Odiya ne fit preuve d'aucune indulgence envers le fils de ses entrailles.

— Si tu avais retenu tes chiens, si tu t'étais contenté de jouir de tes victoires…

Moranden pivota vers elle tout d'une pièce.

— Retenir mes chiens ? Ils ne m'appartenaient pas !

— C'étaient tes partisans. Tu n'as fait aucun effort pour leur imposer le silence.

— Et qui les a encouragés à parler ?

Il la dominait de tout son haut.

— Bas les masques, ma mère. Plus de faux semblants. Je sais quel esprit a tissé ce réseau de trahisons à Umijan. Je sais qui se trouve derrière les folies de ce soir. Et le roi, madame, le sait aussi.

— Le roi le savait aussi.

Il la prit à la gorge.

— Qu'as-tu fait ? Que lui as-tu fait ?

— Moi, rien, dit-elle. Il désirait mourir. Ce présent lui fut fait. Quand elle le veut, la déesse est miséricordieuse.

— La déesse !

Il cracha par terre.

— Et qui le lui a demandé ? Qui a dansé les sortilèges ? Qui a composé le poison ? Car c'était du poison, hein ? Mes partisans, ma colère, mon exil — diversions que tout cela, rien de plus. Le petit bâtard avait raison. Tu me manipulais !

— Naturellement que je te manipulais, dit-elle avec calme. Tu es un bon outil. Attrayant, malléable, et intelligent seulement par intermittence. Cet imposteur est cent fois supérieur au roi que tu ne seras jamais.

— Tu n'es pas une mère pour moi, fille des tigres.

— Je te donne le trône auquel tu aspires.

Il étrécit les yeux. Son chagrin était profond et déchirant, mais son esprit était lucide, et faisait froidement son devoir. En ce sens, il était bien le fils de sa mère ; et peut-être aussi de son père.

— Le trône, grommela-t-il. Il est vide à présent. Et le garçon… je l'ai entendu supplier le roi en ma faveur. Il révoquera ma sentence. Je lui lancerai un défi ; il tombera. Demain matin à l'aube, je serai roi.

— Demain matin à l'aube, tu seras en route pour les Marches.

— Es-tu folle ? Dois-je partir maintenant que tu m'as jeté tout Ianon à la tête ?

— Tu partiras en exil comme le seigneur ton père l'a ordonné. Tu es affligé, tu es furieux avec juste raison, mais tu es un homme d'honneur ; tu fais ce que ton roi a commandé. Si le nouveau roi te rappelle, eh bien, est-il ton roi ? Tu ne lui as pas juré allégeance, et tu ne le feras jamais, car c'est l'assassin de ton père.

— C'est *toi* qui as tué mon…

Elle le gifla, et il la fixa, bouche bée.

— Imbécile, dit-elle. Enfant stupide. Ce n'est pas un homme que tu puisses affronter. C'est un mage, le fils d'un dieu. Toute la Vallée de Ianon est sous son charme. Tout homme qu'il rencontre apprend aussitôt à l'adorer. Rappelle-toi la chevauchée vers l'ouest ; rappelle-toi ce qu'il a fait, s'effaçant parmi tes hommes, les subjuguant d'un mot ou d'un sourire, gagnant leur âme par sa magie. Et il a été le grand vainqueur de la guerre qui n'a jamais été. Il a conçu la course jusqu'à Umijan, il l'a dirigée et gagnée, pendant que tu t'attardais en arrière, dans l'exécution d'un devoir sans prestige. Tu n'étais que le commandant ; il était le héros. Et tu l'affronterais devant le cadavre du roi, rivalisant avec lui pour le trône !

Ses lèvres se retroussèrent en un rictus.

— Réfléchis ! Tu étais aimé de certains, respecté de tous, considéré comme le futur roi. En dehors de la Vallée, cela est toujours vrai dans une large mesure. Va là-bas ; montre-toi ; affiche-toi aux yeux du peuple, pendant que l'étranger apprendra qu'un trône peut attacher à lui son prétendant comme par des chaînes. Et quand enfin il aura acquis la force de les briser, quand il sortira de la Vallée pour revendiquer tout son royaume, laisse-lui découvrir par lui-même qu'il n'est roi que des contrées les plus centrales. Le reste sera à toi, soutenu par une armée, qui t'aura juré allégeance comme à son roi légitime. Alors tu pourras défier l'usurpateur. Alors tu régneras sur Ianon.

Moranden s'était immobilisé pendant ce discours, retrouvant sa raison, maîtrisant sa colère. Il l'écouta jusqu'au bout, presque calmement, tripotant les nattes entrelacées de cuivre de sa barbe. Quand elle eut fini, il alla jusqu'au bout de la longue pièce, fit une pause, se retourna face à elle.

— Attendre… je peux attendre. J'ai déjà attendu une douzaine d'années. Mais même mon faible esprit voit la faille de ton intrigue. Si le petit bâtard est un mage — et je ne doute pas que ce soit possible ; je l'ai vu à Umijan — s'il est passé maître en magie, comment pourrais-je le vaincre ? Je suis un guerrier, pas un sorcier.

— Il s'imagine être un homme de guerre. Défié comme il le sera si tu m'écoutes, il laissera son pouvoir de côté pour te combattre. Et je veillerai à ce qu'il respecte son serment.

— Toi, toujours toi.

— Et où serais-tu si je n'étais pas là ?

Elle lui tendit la main.

— Dis-moi adieu, mon fils. Ta monture et tes bagages sont prêts ; ton escorte t'attend. Hâte-toi, ou l'aube te surprendra ici.

Il s'approcha comme s'il ne pouvait pas s'en empêcher, mais sa révérence fut pleine de raideur, et ses lèvres ne touchèrent pas la paume de sa mère.

— Tu vas rester ici ? Après tout ce que tu as fait ?

— Je conduirai mon vieil ennemi à son bûcher funéraire.

Elle eut un geste impérieux.

— Va ; je t'enverrai des nouvelles dans les Marches.

Avec une dernière et sèche inclinaison de tête, il tourna les talons et sortit.

Elle était toujours là au lever du soleil, seule près de la fenêtre ouvrant à l'est, sa cape enroulée autour d'elle et son voile relevé.

Les pas légers sur son seuil, la présence qu'elle sentait dans son dos ne la firent pas se retourner tout de suite.

— Les étrangers n'entrent pas souvent ici, dit-elle au ciel embrasé.

— Je ne crois pas que nous sommes étrangers l'un à l'autre, dit une voix douce et grave.

Alors, elle se retourna. Malgré sa sagesse et ses espions, il la surprit un peu. Il était si petit, et pourtant il la dominait de si haut ! Et il ressemblait tant au père de sa mère.

D'un geste vif, elle annula son sortilège. Il rapetissa. Un peu. Il portait toujours sa robe blanche, maintenant sale et froissée, et il avait les traits tirés d'épuisement. Mais il était calme ; elle ne détecta aucune colère en lui.

— Le roi est mort, dit-il.

Elle s'étonna elle-même. Elle s'effondra sous le

poids de ces simples mots ; visage contre le sol, elle pleura comme une femme qui vient de perdre le grand amour de sa vie. Et la douleur était réelle ; elle lui déchirait les entrailles.

— La haine, dit Mirain, est la jumelle de l'amour. Uveryen et Avaryan sont nés du même sein.

Elle se releva sur les mains. Il s'agenouilla près d'elle, sans la toucher, la regardant comme il aurait regardé une bête en train d'exécuter un rite étrange de son espèce. Mais ce regard n'était pas froid ; il y brûlait un feu subtil.

Il se déplaça légèrement, s'asseyant sur les talons et posant les poings sur ses cuisses. La main droite n'était pas complètement fermée ; la tension qui l'habitait était celle de la souffrance.

— Tu m'appartiens maintenant, dit-il. Toi et tout le cheptel de mon grand-père. Y as-tu pensé, quand tu as osé rester ici ?

Elle se releva d'un seul mouvement, comme le lynx dont elle portait le nom.

— Je n'appartiens à personne. La mort a tranché mes liens ; je suis libre.

Son geste de dénégation fut accompagné d'un éclair d'or.

— Ce serait vrai si tu avais été esclave ; et aussi si tu avais été une concubine. Mais il t'a pris pour épouse en un mariage de clan, et les femmes de clan passent à l'héritier. Pour en user, ou les donner, selon son bon plaisir.

— Non, dit-elle. Il n'a jamais…

— C'est écrit dans le livre de son règne. C'est enregistré dans les annales de sa chanteuse. Tu le savais sans aucun doute.

Odiya enserra sa taille palpitante de ses deux bras. Sa douleur s'était envolée. Sa haine était un feu brûlant. Mensonges, affreux mensonges. Elle connaissait la forme du mariage de clan, que dans l'Ouest on appelait accouplement des épées. Elle n'y avait jamais été soumise. Elle avait été enlevée dans sa chambre, elle avait été transportée dans la salle de son père, jetée devant son trône, elle avait été…

— Il ne t'a jamais violée devant ses hommes, ni dans le sang de ton père.

La voix n'était ni jeune ni douce. Elle le frappa par sa ressemblance avec celle du vieux roi.

— Il a passé l'épée au-dessus de toi. Il a prononcé les mots du mariage. Il a donné son nom à l'enfant que tu portais.

— Moranden est son fils !

Elle était tombée très bas ; elle lutta pour revenir au cœur de cette bataille.

— Nous n'avons pas été unis par l'épée. *Non !*

— Parce que tu n'as pas voulu prononcer les paroles rituelles ? Cela importe peu sous la lame.

Mirain était debout devant elle et, la tête renversée en arrière, baissait sur elle les yeux suivant la longue courbe de son nez. Cela, c'était un exploit ; elle eut envie de rire, pour rompre ce nouveau sortilège, pour retrouver sa force. Mais elle ne put que le regarder, rageant intérieurement, sachant qu'il était plus puissant qu'elle ne l'avait imaginé.

Elle savait maintenant. Elle ne le sous-estimerait plus jamais. Elle laissa sa tête s'incliner, son corps s'affaisser, comme vaincu.

— Que feras-tu de moi ?

— Que devrais-je en faire ?

Il dit cela d'un ton si léger qu'elle faillit se trahir.

— Je ne veux pas de toi pour mon lit. Je me méfie de toi dans le château, je me méfie de toi à l'extérieur du château, et même morte, je crois que je me méfierais encore de toi.

La crainte qu'elle afficha ne fut que superficielle.

— Massacrerais-tu une femme sans défense ?

Il eut un rire joyeux.

— Comment, Dame Odiya ? As-tu oublié ton heure quotidienne d'exercice à l'épée ? Ou la potion que tu distilles toi-même et qui a si bien adouci le vin de mon grand-père ?

Il cessa de rire ; il devint très froid.

— En voilà assez. Tu me tentes ; tu m'attires dans la nuit. Vivante ou morte, tu es mon ennemie ; vivante ou morte, tu t'efforceras de m'annihiler.

Elle attendit, sombrement patiente. Son pouvoir n'était pas aussi fort, peut-être, mais elle était plus âgée, et sa haine était plus pure, ne se mélangeait pas avec des illusions enfantines de compassion. Car c'était de cela qu'il rêvait, malgré la cruauté de ses paroles. S'il avait voulu la tuer, il n'aurait pas attendu si longtemps.

Il ouvrit les main, la sombre et la dorée.

— Tu es autorisée à accompagner le roi à son bûcher. Mais dans ce cas, sache que tu auras choisi, que tu devras le suivre dans le feu. Si tu veux vivre, quitte le château aujourd'hui, et jure de ne jamais lever la main contre le trône ou son seigneur. Mais si c'est la vie que tu choisis, je crois que ta déesse ne tardera pas à te la reprendre.

— C'est un choix ?

— C'est le seul que tu aies.

Elle garda le silence. Pas pour réfléchir à sa décision ; elle n'avait pas tant d'importance. Pour le considérer. Pour laisser sa haine refroidir et s'épurer.

— Je regrette, dit-elle, que tu ne sois pas mon fils.

— Remercie tous tes dieux que je ne le sois pas.

Elle sourit.

— Je choisis la vie. Comme tu savais que je le ferais. C'est un grand avantage des femmes : on n'a pas besoin de préserver son honneur, de craindre la honte de la lâcheté.

Il s'inclina très bas comme devant une reine, et lui rendit son sourire avec naturel.

— Ah, Dame Odiya je le sais bien, moi qui suis roi et fils d'un dieu. Je suis lié par l'honneur, et la honte et la parole donnée. Mais ce qu'ils signifient... enfin, c'est l'avantage qu'il y a à être ce que je suis. Je peux les modeler à ma propre image.

Elle s'inclina plus bas, presque jusqu'au sol, et pas entièrement par raillerie. Quand elle se releva, il avait disparu. Même avec le soleil rayonnant à travers la fenêtre, la pièce semblait sombre et triste, dépouillée de la splendeur qu'était sa présence.

CHAPITRE 16

Dans la grande cour du château, ils érigèrent le bûcher funéraire de Raban, roi de Ianon, qui s'éleva très haut vers le ciel, tout en bois rares imprégnés d'huiles parfumées aux encens des dieux. A son pied, ils couchèrent son chien préféré, pour le garder et le guider dans la contrée divine. Sa tête reposait sur le flanc de son destrier roux, qu'il monterait pour le voyage. Lui-même était vêtu d'une simple cape à capuchon, destinée à tromper les démons qui tendraient peut-être une embûche à un roi, mais pas à un simple voyageur ; pourtant, afin d'éviter toute méprise à la porte des dieux, il portait sous ce vêtement tous les splendides joyaux insignes de son rang.

Mirain se tenait devant le bûcher, seul, vêtu d'un kilt d'une simplicité frisant l'indigence, ceinturé d'une lanière de cuir ocre, couleur du deuil. Il n'avait ni lié ni natté ses cheveux, et ne portait aucun bijou. Pieds nus et tête nue, sans aucun parent derrière lui, il semblait beaucoup trop frêle pour assumer le fardeau dont le roi venait de charger ses épaules.

Le rite mortuaire était long, le soleil semblait immobile dans un ciel de cuivre martelé. Dans la foule, plus d'un céda à la puissance d'Avaryan et alla se mettre à l'ombre ou encore fit comme Vadin, qui s'abrita sous sa cape ocre. Mais, au centre de la cour, Mirain ne chercha aucun soulagement à la chaleur, donnant les répons d'une voix aussi ferme à la fin qu'au commencement.

Enfin, une prêtresse d'Avaryan s'avança, portant le vaisseau du feu sacré. Tous s'inclinèrent devant lui. Avec révérence, elle le posa sur l'autel dressé entre Mirain et le bûcher. Un desservant la suivait, qui s'agenouilla devant elle avec une torche non allumée. La prêtresse la bénit et il se tourna vers Mirain.

Lentement, Mirain tendit la main vers la torche, referma les doigts sur la poignée de bois, la leva vers le ciel. Le feu tremblota dans le vase, devant l'immense bûcher. *Allume-le*, pensèrent intensément les assistants. *Pour l'amour des dieux, allume le bûcher !*

Quelque chose s'anima dans le corps trop immobile de Mirain ; il lança la torche qui spirala vers le soleil. Ses bras, libérés, s'ouvrirent tout grands, sa tête se renversa en arrière, ses yeux se dilatèrent au feu du soleil, qui l'inonda, le remplit. De l'immense flamme qu'avait été son corps mortel jaillit une flèche unique, qui vola droit vers le cœur du bûcher. Les bois huilés s'enflammèrent dans un ronflement assourdissant.

Les prêtres s'enfuirent devant cette éruption de lumière et de chaleur, mais Mirain ne bougea pas, oublieux du danger. Il avait repris possession de son corps ; il chanta l'hymne sacré du soleil, mêlant triomphe et affliction.

La terre était froide et morne, une sombre pluie tombait avec le crépuscule qui éteignait le feu. Mirain frissonna, cligna des yeux, regardant sans comprendre le tas de cendres encore fumantes qui avait été le bûcher de son grand-père.

Combien de fois Vadin lui avait-il parlé depuis qu'il avait terminé son hymne, l'écuyer ne le savait pas lui-même. Il fit une nouvelle tentative, entourant de son bras les épaules transies par la pluie, le tirant légèrement.

— Viens, dit-il, d'une voix rauque de froid.

Et Mirain l'entendit. Il se mit en marche, chancelant, trébuchant, mais continuant obstinément à pied, il se laissa entraîner par son écuyer.

Vadin l'amena, non dans la chambre du roi qui maintenant lui appartenait de droit, mais dans sa chambre familière. Un bon feu y brûlait, qui le réchauffa ; un bain et des vêtements secs l'attendaient, et aussi du pain et du vin pour rompre le jeûne mortuaire. Il semblait ne pas voir ceux qui le servaient, mais il se laissa baigner, nourrir et coucher.

Une fois allongé sous ses couvertures, ses yeux reprirent enfin leur éclat. Il vit qui se penchait sur lui. Vadin, il le regarda sans surprise, mais l'autre personne le fit sursauter et il se redressa. Ymin le repoussa sur ses oreillers et l'y maintint d'une main ferme.

— Qu'est-ce que ça signifie ? demanda-t-il. Pourquoi es-tu là ?

Elle accueillit son retour à la conscience avec un calme parfait.

— Ce soir au moins, tu as droit à ta solitude. Je veille à ce qu'on ne la trouble pas.

Vadin grimaça.

— Ça n'a pas été facile, et demain, ce sera impossible. Le roi ne s'appartient pas ; il appartient à Ianon.

Mirain tenta de nouveau de se relever ; ils allièrent leurs forces pour l'en empêcher. Il les foudroya et se débattit, mais sans grande conviction.

— Il faut que j'aille dans la salle ; le banquet...

— Personne n'attend ta présence ce soir, dit Ymin.

— Mais...

— Le nouveau roi n'a pas à accompagner l'ancien de ses libations. Pas alors que le propre feu du dieu a placé le défunt sur sa route.

— Est-ce là ce que disent les gens ?

— C'est arrivé, dit Vadin.

Au bout de quelques instants, il ajouta :

— Sire.

Mirain s'assit, se soutenant sur des bras tremblants.

— C'est arrivé, répéta-t-il en écho. Tu vois dans quel état cela m'a laissé. Je ne suis guère le dieu que tous croyaient que j'étais sans doute.

— Non ; simplement son fils et notre roi.

Calme, Ymin le soutint avec le plus grand naturel.

— Si quiconque avait besoin de preuves de l'un ou l'autre, tu les as données. Magnifiquement.

Il se raidit, rentrant en lui-même.

— Je n'y peux rien. Où que je me tourne, quoi que je fasse, le dieu est là, en attente. Parfois, il s'empare de moi et me brandit comme une épée, et quand il me lâche, je suis comme un enfant nouveau-né. Sans force, sans esprit, absolument bon à rien.

— Même les dieux ont leurs limitations.

— A Han-Gilen, ces paroles seraient hérétiques.

— Il y a les dieux, et il y a le Grand Dieu. Ma doctrine est passablement orthodoxe, monseigneur.

— A Ianon. Peut-être.

Au-delà d'Ymin, il regarda Vadin.

— Je ne suis pas un dieu. Je suis à peine un roi. Je ne sais pas si je le serai vraiment jamais.

— Demain, tu le seras, dit Vadin.

— De nom. Et si mon grand-père s'est trompé ? C'était un grand roi. Il pensait en avoir trouvé un semblable à lui. Il l'a payé de sa vie. Et s'il était mort pour rien ?

— Non, dit sèchement Vadin, au bord des larmes, de toute la force qu'il put trouver en lui. Et il le savait. Crois-tu que Raban de Ianon serait parti comme il l'a fait s'il n'avait pas été certain de laisser le royaume en de bonnes mains ?

A eux deux, Ymin et Vadin obligèrent Mirain à se rallonger.

— Allons, repose-toi maintenant. Une longue journée t'attend.

— Une longue vie.

Son accès de vigueur l'avait abandonné ; il peinait même pour parler.

— J'étais tellement sûr. D'avoir le droit. D'avoir la force. De pouvoir être roi. Quel imbécile.

De nouveau, les yeux de Vadin débordèrent. Cela ne cessait pas. Il ne tentait plus de refouler ses larmes. Mais maintenant, il ne pleurait pas le vieux roi. Il était parti dans toute sa gloire. C'était le jeune qui lui donnait envie de se coucher et de sangloter.

Une main chaleureuse lui toucha le bras. Il rencontra le regard d'Ymin.

— Il a la force, dit-elle avec douceur.

— Bien sûr qu'il l'a ! s'emporta Vadin. Mais… au diable, c'est trop tôt !

— Pour un roi, ce n'est jamais le bon moment pour mourir, soupira-t-elle, les yeux brillants de larmes elle aussi. Toi aussi, tu devrais te reposer, jeune seigneur. T'es-tu seulement allongé depuis les Jeux ?

Vadin ne se rappelait pas, et il s'en moquait.

— Je ne suis pas fatigué ; je n'ai pas besoin de…

Avant qu'il ait pu comprendre ce qui lui arrivait, il était dans sa petite chambre, sa paillasse étalée par terre, les mains d'Ymin débouclant son ceinturon. Il les écarta d'une tape. Elle rit, d'un rire doux et léger de jeune fille, et le déshabilla avec une adresse consommée. Et comme il retenait son kilt, elle le surprit en déséquilibre, et le fit basculer dans son lit. Elle était d'une force étonnante.

— Dors, ordonna-t-elle.

— Sinon… ?

— Sinon je resterai à te veiller jusqu'à ce que tu dormes.

Ce n'était pas une menace en l'air, et pas du tout déplaisante. Pour une femme dans la force de l'âge, elle était belle. Mince, mais belle.

Son baiser fut aussi chaste que celui de sa mère, effleurant son front de ses lèvres. Le ton fut totalement maternel.

— Dors, mon enfant. Fais de beaux rêves.

Il grogna, mais ne se leva pas. Une ombre de sourire aux lèvres, elle le quitta.

Vadin aurait pu dormir toute une lunaison sans s'en apercevoir, mais Mirain sortit revigoré de son bref sommeil. Il sourit même, chose si rare, jusqu'au moment où il s'assombrit. Souvenir, peut-être, de la mort du roi ; ou de sa propre royauté.

Il se leva, s'étira, retrouva son sourire qu'il tourna sur Vadin. Le sourire s'élargit, disparut, le laissant transi et tremblant.

— Avaryan, dit-il très bas. O mon père, je ne crois pas pouvoir…

— Sire.

Ils se retournèrent tous les deux. Un serviteur se dressa devant eux, homme d'âge mûr portant la livrée écarlate du roi — de Mirain. S'il fut ébranlé de voir son nouveau roi tremblant comme un enfant, il n'en montra rien.

— Sire, dit-il, ton bain t'attend.

Dans sa chambre à coucher, le roi de Ianon était servi par des hommes d'âge et de qualité ; dans son château et son royaume, par des écuyers et des pages ; et au bain, service prestigieux et recherché, par les filles des plus grands seigneurs. Toutes étaient vierges, jeunes, belles, et vêtues de façon pratique, sinon très pudique, d'une tunique diaphane.

Vadin entra dans la salle de bains avec Mirain. Il ne savait pas si c'était permis, mais personne ne lui dit que c'était défendu ni ne tenta de l'arrêter.

Il s'imaginait connaître la vie et il n'était assurément plus vierge. Mais il s'arrêta pile une fois passé la porte et ne put faire un pas de plus.

Elles ne le virent même pas. Elles attendaient Mirain. Modestes, avec la dignité de leur éducation, mais les yeux brillants, le regard aguichant. Dieu, demi-dieu ou simple mortel, il était jeune, bien fait, et pas du tout désagréable à regarder. Après le vieux Raban, ce devait être un soulagement.

Mirain aussi s'était arrêté, comme frappé, mais il était de meilleure étoffe ; il parvint à se remettre en marche. Il parvint même à prendre une démarche nonchalante, même si son dos conserva sa raideur. Il tourna la tête de-ci, de-là, scrutant les visages baissés, s'arrêtant une ou deux fois. Une jeune fille avait une merveilleuse cascade de boucles. Une autre avait des yeux de biche, qui fondaient en le regardant. Et une troisième était encore plus petite que lui, délicate comme une fleur, avec des yeux doux comme le sommeil. Elle avait du sang d'Asanian ; sa peau était dorée comme le miel, avec un soupçon de rose aux pommettes, qui s'aviva sous son regard. Mais elle souriait timidement. Mirain dut lui rendre son sourire, car son visage s'éclaira telle une lampe. Alors, avec une grâce royale, Mirain s'abandonna entre leurs mains.

Quand elles eurent fini de le laver et frictionner, elles ne le vêtirent pas. Il n'y avait rien pour l'habiller. Elles le rasèrent, peignèrent et coiffèrent sa chevelure en désordre aussi bien qu'elles le devaient, oignirent d'huiles parfumées son front, ses lèvres, son cœur, ses mains, ses parties intimes et ses pieds. Puis elles s'inclinèrent une par une, de la moins à la plus titrée, qui était la princesse dorée ; elle baisa son torque et sa paume au disque du soleil.

Le trône de Ianon n'était plus dans la grande salle. Pendant la nuit, quelques hommes vigoureux l'avaient emporté, à travers les cours, jusqu'à la Cour de la Porte, et l'avaient placé sur une haute estrade devant le peuple. Des lanciers vêtus d'écarlate bordaient une longue allée allant de la porte au trône, où attendaient des princes et des seigneurs, eux-mêmes entourés par les chevaliers du roi en grande tenue.

Entre le bain royal et la cour extérieure, toutes les salles étaient vides. Mirain devait les traverser, nu et seul, abandonné même de son écuyer. Lequel eut à peine le temps, par des couloirs latéraux, de faire irruption devant le soleil et la foule, pour occuper la place qui lui était réservée près du trône.

Pourtant, ils semblèrent bien longs, ces moments passés sous le soleil d'Avaryan. Vadin retrouva son souffle ; il s'assit avec un semblant de calme, s'efforçant de ne pas penser au couteau des assassins, aux embûches, et à un presque-roi solitaire, nu et désarmé. Les clameurs de la foule se turent peu à peu. Tous les yeux se tournèrent vers la porte. Elle était ouverte, le seuil était vide.

Une cloche sonna, lointaine et douce. Beaucoup regardèrent vers le son. Quand ils retournèrent la tête, quelqu'un s'encadrait sous l'arche de la porte, simple silhouette dans la distance, qui annonçait un homme par la largeur des épaules et l'étroitesse des hanches. Puis la forme s'anima et devint Mirain. Personne d'autre n'avait cette démarche souple de panthère, cette noblesse de port, cette inclinaison de tête. Ou cette façon de retailler le monde à sa mesure. Il marcha, grand comme un Ianien parmi eux, adulte, sage au-delà de ses ans, et d'une fierté royale ; pourtant, c'était aussi un adolescent à peine sorti de l'enfance, seul et effrayé, sans même un linge pour le couvrir. Ils virent tout dans la lumière impitoyable, la longue cicatrice au flanc, souvenir d'un sanglier qui avait failli le tuer des années auparavant ; les fines lignes grises qui étaient des cicatrices d'épée ; le trou d'une flèche reçue au cours d'une bataille ; la peau neuve sur ses fesses et ses cuisses, restes de la chevauchée fantastique jusqu'à Umijan. Ils virent qu'il était mortel et imparfait, plus petit qu'aucun d'entre eux, pas remarquablement beau de visage ; mais c'était un mâle, entier et fort, sans autres marques que celles faisant de lui un guerrier et un homme. Ce n'était pas une femme travestie, un eunuque imposteur, ou un lâche revendiquant un trône de rois combattants.

A pas lents, le visage austère, les yeux fixés sur le

trône, il avança vers l'estrade. Le cercle des chevaliers se ferma. Devant eux se dressa la plus ancienne prêtresse d'Avaryan à Ianon, vieille mais vigoureuse, en robe de lamé or. Quand Mirain approcha, elle ouvrit grands les bras pour lui barrer la route. Il s'arrêta, et elle parla de sa vieille voix flûtée, pourtant forte et pénétrante.

— Qui approche du trône de Ianon ?

Mirain se tut le temps d'un battement de cils, comme incertain de sa voix. Puis elle retentit, claire, ferme et grave, voix d'un homme qui n'a jamais connu le doute.

— Moi, dit-elle, le roi de Ianon.

— Roi, dis-tu ? De quel droit ?

— Du droit du roi qui est mort, que les dieux aient son âme, et qui m'a choisi pour successeur ; et du droit de ma mère, qui était sa fille et autrefois héritière de Ianon. Au nom des dieux, révérende prêtresse, et au nom d'Avaryan mon père, laisse-moi passer.

— Je le voudrais bien, dit-elle, mais ce pouvoir appartient aux seigneurs et au peuple de Ianon. Ce sont eux qui peuvent accéder à ton souhait, pas moi.

Mirain leva les mains et pivota lentement vers la foule.

— Messeigneurs. Mon peuple. Me voulez-vous pour roi ?

Ils le laissèrent faire un tour complet sur lui-même. Quand il revint face au trône, les nobles s'agenouillèrent. Derrière et autour de lui, le peuple cria d'une seule voix :

— Oui !

La prêtresse s'inclina très bas et s'écarta. Le cercle s'ouvrit, laissant passer un petit détachement d'écuyers. Vadin les conduisait, s'efforçant à la dignité, espérant atteindre à la grâce. Il mit un genou en terre presque sans chanceler, et fit signe aux autres. Mirain demeura miraculeusement immobile, se laissant parer à l'image d'un dieu. Kilt de cuir blanc doux comme du velours, large ceinturon d'or serti de plaques d'ambre, grand plastron d'or, bagues, bracelets et boucles d'oreilles du même métal, chaînettes de perles d'or entrelacées dans les nattes royales — cette dernière tâche réservée à Vadin, qui garda ses jurons pour lui, remerciant les dieux que Mirain n'eût pas de barbe qu'il aurait dû tresser aussi. Tandis qu'il nouait la dernière tresse de Mirain, les autres chargeaient ses épaules de la grande cape de cuir écarlate doublée de fourrure sans prix, blanche, mais dont chaque poil se terminait pas une lueur d'or.

Vadin le chaussa de sandales blanches, aux lanières bordées d'or. Toujours un genou en terre, il releva la tête et rencontra le regard de Mirain fixé sur lui. Il était chaleureux, presque rieur, mais distant aussi, la lumière du dieu attendant de l'emplir. Sans réfléchir, Vadin saisit sa main droite et baisa la paume enflammée. Cela ne faisait pas partie du rite, contrairement aux paroles qui suivirent :

— Seigneur roi, ton trône t'attend. Veux-tu y prendre place ?

La voie y menant était dégagée maintenant. Mirain leva les yeux, et le dieu descendit, le revêtant de splendeur royale. Lentement, au milieu des acclamations grandissantes, il monta les marches de l'Estrade et se tourna face au peuple. Le tumulte allait crescendo. Tous criaient, le proclamant seigneur, roi, Fils du Soleil, engendré par le dieu. De nouveau, il leva les mains. Le silence se fit. Le peuple attendit, souhaitant qu'il monte sur le trône.

Dans le silence presque total, une corne retentit. Des sabots claquèrent sur les pierres. Des cavaliers firent irruption par les grilles ouvertes. La foule se dispersa devant eux, avec des cris de douleur et de colère. Les seneldi, dressés pour la guerre, attaquèrent des cornes, des dents et des sabots tranchants ; les cavaliers élargirent la voie menant vers Mirain à coups de plat de leurs épées.

Les cris se firent stridents. Un chariot fila au milieu des cavaliers, char de guerre armé de faux, conduit par un guerrier en armure.

Le cocher arrêta son attelage écumant au pied de l'Estrade. Même les chevaliers de Ianon n'osèrent s'aventurer près des redoutables faux. Il les railla, rire creux et vibrant à l'intérieur de son casque.

— Enfants et couards ! Vous avez bien le roi que vous méritez ! Le voilà, exultant de sa puissance, celui qui a tué le roi sous ses yeux. Empoisonné, n'est-ce pas, majesté ? Et vite en plus, dès qu'il t'eut débarrassé de ton seul rival.

Un grondement parcourut la foule, un nom qu'ils s'étaient interdit de prononcer.

Moranden. *Moranden.*

— Moranden !

La voix de Mirain claqua comme un fouet, leur imposant le silence.

— Ce n'est pas lui !

Il s'adressa à l'homme en armure, moins fort, mais toujours sur le ton du commandement.

— Ote ton casque.

Il obéit d'assez bonne grâce. Grand et jeune, il était natif des Marches d'après son accent. Il regarda Mirain, avec un mépris étudié.

— J'ai un message pour toi, petit.

Mirain attendit. Le guerrier fronça les sourcils, mais ne put soutenir son regard.

— Je viens de la part du vrai roi de Ianon, qui, bien qu'ayant été chassé injustement, s'incline néanmoins devant la volonté du roi qui n'est plus. Il me prie de te dire : « Tout Ianon n'a pas été égaré par tes sortilèges. Ceux qui connaissent la vérité viendront à moi ; ils sont déjà nombreux à s'incliner devant moi. Reconnais ton imposture, bâtard de prêtresse, et rends-toi quand tu peux encore espérer miséricorde. »

— Si mon oncle accepte son exil, qui était perpétuel, dit Mirain, sans trace de colère, comment peut-il espérer siéger sur le trône de Ianon ? Comment ose-t-il seulement le revendiquer ?

— C'est lui le vrai roi. Quand tout Ianon l'en priera, il reviendra.

— Et si Ianon ne l'en prie pas ?

— Le royaume est aveuglé par la douleur éprouvée pour son roi, qui était lui-même aveuglé par tes sorcelleries. Engeance de magicien, tous ne tomberont pas dans tes filets. Quand le peuple prendra le temps de réfléchir, où seras-tu ?

— Sur le trône que mon grand-père m'a légué.

Mirain s'y assit, avec dignité mais sans cérémonie, sans quitter le messager des yeux.

— Mon oncle a dit et fait beaucoup de choses empreintes d'une grande hostilité. Dans l'esprit de mon prédécesseur, il avait largement mérité son exil. Et pourtant…

Il se redressa, et, bien que sans élever le ton, parla d'une voix qui s'entendit dans toute la vaste cour.

— Et pourtant, je suis prêt à le rappeler.

— A quel prix ?

— A condition qu'il se présente avec un sincère repentir, qu'il demande pardon à tout le pays de ce qui a été fait en son nom, et qu'il me jure fidélité en tant que son seigneur et roi.

Le messager éclata de rire.

— Devra-t-il ramper à tes pieds, toi qui n'es pas digne de t'abriter dans son ombre.

Il cracha par terre.

— Tu n'es pas son roi ni le nôtre.

Quand l'écho de ses paroles se tut, la foule commença à murmurer. C'était un son grave, à peine audible, mais à glacer le sang. Personne n'osait encore s'approcher des faux, mais le cercle s'était resserré autour des cavaliers, dont les seneldi ne pouvaient plus évoluer librement.

Mirain leva la main. Instinctivement, le messager recula, tirant sur ses rênes. Le char recula d'une demi-longueur et s'arrêta net. Un mur de corps empêchait sa fuite. Ses chevaux en sueur tremblaient, les yeux révulsés.

Mirain dit avec douceur :

— Transmets mon message à mon oncle.

— Il te détruira.

— Dis-le-lui.

Mirain éleva un peu la voix, s'adressant à présent à son peuple.

— C'est par ma volonté que ces hommes sont arrivés ici sans encombres, sinon les Tours de l'Aube les auraient arrêtés. Qu'ils s'en aillent maintenant comme ils sont venus, sans qu'aucun mal leur soit fait.

Les murmures devinrent grondements. La colère menaçait, s'enflait comme la tempête. Un senel hennit, se cabra. Cent mains l'abattirent avant que son cavalier n'ait pu dégainer son épée.

— Laissez-les s'en retourner.

Mirain ne s'était pas levé, il n'avait pas crié, et pourtant, il fut entendu. Les grondements cessèrent. Pendant une seconde d'éternité, le sort des envoyés fut mis en balance.

Mirain abaissa les mains et se renfonça dans son trône, l'air parfaitement à l'aise. Lentement, avec une répugnance palpable comme leur indignation, les assistants libérèrent leurs prisonniers. Tout aussi lentement, les intrus s'éloignèrent à reculons. Le messager fit tourner son char, flattant ses juments de la main pour les calmer. Puis il les fouetta soudain avec un cri rauque, et elles partirent au galop. Son escorte suivit ventre à terre.

Bien au-delà des grilles, ils entendirent encore la foule acclamer follement le nouveau roi.

CHAPITRE 17

Mirain aurait volontiers festoyé jusqu'à l'aube, et les seigneurs et roturiers en avaient bien l'intention, mais le soleil était à peine couché qu'Ymin donna à Vadin le signal qu'elle l'avait averti d'attendre. Mirain avait bu beaucoup plus qu'il ne mangeait, pourtant il était loin d'être soûl ; gai, pourrait-on dire, et joyeux, et plus prodigue que jamais de la magie de sa présence. Sa cape jetée sur le dos de son siège, il se penchait sur la table pour regarder une danse du feu, tout en plaisantant avec un seigneur assis non loin de lui. Quand Vadin lui toucha l'épaule, il décocha même un trait d'esprit et but une longue rasade. Il se retourna, riant et scintillant, et sa seule proximité suffit à faire flancher les genoux de Vadin.

— Mon… monseigneur, balbutia Vadin, qui n'avait jamais balbutié depuis son sevrage. Sire, tu dois…

L'éclat de diminua pas, mais son regard se concentra, un peu inquiet.

— Des problèmes, Vadin ?

Il éclata de rire. D'un rire un peu hésitant.

— Non, par tous les dieux ! Mais il est temps de partir, monseigneur.

— Partir !

Mirain fronça les sourcils.

— Suis-je un enfant pour aller me coucher avec le soleil ?

Vadin s'était enfin ressaisi, et il sourit.

— Bien sûr que non, monseigneur. Tu es le roi, et il y a encore une chose à laquelle tu dois apposer ton sceau ; il vaut mieux que tu le fasses avant que quiconque s'en avise. D'ailleurs, laisse ici ta cape ; tout le monde pensera que tu es allé à la toilette.

Un instant, Vadin crut que Mirain allait résister. Mais il savait sûrement ce qui se passait ; il était Fils du Soleil, il savait tout. Sauf qu'il se conduisait comme s'il ne savait rien. Etait-il possible que…

Il le suivit, lentement, mais il le suivit. Il usa peut-être de magie, car personne ne sembla remarquer son départ. Vadin le conduisit dans un passage derrière le trône, le fit monter jusqu'à la porte cachée et aux appartements qui étaient maintenant les siens. Certaines de ses affaires s'y trouvaient déjà, mais son empreinte était encore faible, au regard de la forte présence encore perceptible de celui qui n'était plus.

Vadin n'avait pas conduit Mirain là pour ruminer sur la mort. Il se tourna vers la chambre à coucher, ouvrit la porte et s'effaça.

— Monseigneur, dit-il.

Si Mirain commençait à comprendre, il avait trop bu pour hésiter. Il entra dans la grande chambre à l'austérité doucement éclairée par des lampes, à l'air parfumé de fleurs.

D'autres l'avaient précédé. Neuf, compta Vadin de la porte. Dix avec Ymin. Dix femmes, assises, debout ou à genoux, attendaient dans le scintillement de leurs bijoux. Une ou deux lui étaient familières, vierges servant le roi au bain, et maintenant parées comme il convenait à leur rang. Vadin en reconnut plusieurs autres de la Cour et du château, et au moins une qui faisait partie des invités du Solstice d'Eté, et qui était restée pour les obsèques et le couronnement. Il y en avait même une portant un collier d'esclave, mais elle avait le regard hardi, et, fille de la nuit au teint de velours, c'était l'une des plus belles.

Mirain s'immobilisa sous leur regard, presque comme il l'avait fait sous l'arche avant de revendiquer le trône. Vadin l'entendit ravaler son air, vit les muscles de son dos se tendre.

Ymin lui sourit.

— Oui, monseigneur. Il reste encore une épreuve pour parfaire l'avènement du roi. En ma qualité de chanteuse sacrée, j'ai autorité pour te délier du vœu qui te lie ; en tant que chanteuse du roi, j'ai juré d'accepter le témoignage de la dame que tu choisiras. Ou des dames, ajouta-t-elle, avec une nuance de malice.

— Je ne souhaite pas participer à ce rite, répondit Mirain d'une voix blanche.

— Tu le dois, monseigneur. C'est prescrit. Ianon sait maintenant que tu es un homme, et que tu n'as aucune infirmité préjudiciable au pays. A présent, tu dois prouver ta force. Il fut un temps où tu l'aurais fait dans les champs, à la belle étoile, répandant une partie de ta semence sur la terre même.

— Et maintenant ?

— Tu n'as qu'à satisfaire ton élue. Qui me satisfera en m'assurant que tu as fait ton devoir, et j'en porterai témoignage devant ton peuple.

— Et... si j'échoue ?

— Tu n'échoueras pas.

Elle parlait avec assurance, s'avança, mains tendues, et s'inclina très bas.

— S'il te plaît, monseigneur. Ton torque.

Il y porta la main.

— Je ne peux pas...

Il s'interrompit, se dépouilla de tous ses bijoux qu'il jeta à ses pieds. Mais pas de sa robe ni de son torque. Enfin, avec une visible répugnance, il en ouvrit le fermoir et posa le torque sur ses deux mains. Il prononça des mots en une langue que Vadin ne connaissait pas, qu'il psalmodia vite et très bas, presque avec colère.

Ymin tendit les mains, chanta sur le même mode, dans la même langue sonore. Avec révérence, elle prit le torque, le baisa, le salua, puis le rattacha à son cou.

C'est aussi simple que ça ? s'étonna Vadin.

Il semblait que oui. Mirain prit une profonde inspiration, et son attitude exprima un peu de regret, une grande crainte, et un immense soulagement. Mais il aurait préféré mourir que d'avouer ces deux derniers sentiments. Et quand il parla, il fut tout à fait lui-même.

— Pourquoi m'offre-t-on un choix si difficile ? Neuf dames de si grande beauté… comment choisir ?

— Un roi doit toujours choisir, dit Ymin, avec une douceur sous laquelle perçait la dureté de l'acier.

Il temporisait, c'était évident. Nerveux comme une vierge, et sans doute n'était-il pas loin de l'être ; et maintenant, il devait faire ses preuves dans ce domaine, après des années d'abstinence, avec de graves conséquences si son corps lui jouait un mauvais tour. Vadin souhaita désespérément pouvoir faire quelque chose. N'importe quoi.

Il n'était même pas censé être là. Il se mordit la langue, serra le poing et s'obligea à rester en dehors de tout ça. Mirain était Mirain, après tout. Et Ianon avait besoin d'un roi fort.

Mirain se ressaisit d'un seul coup, et rit, presque avec désinvolture.

— Eh bien, je vais choisir ; et puisse le dieu guider ma main.

Il passa les jeunes filles en revue, s'arrêtant devant chacune, lui prenant la main, lui adressant quelques mots. Il s'arrêta le plus longtemps devant la princesse dorée du bain, dont il alla jusqu'à baiser les mains, et elle le regarda, le cœur dans les yeux. Mais il ne prononça pas le mot qui aurait scellé son choix. Il recula, et elles attendirent, respirant à peine. Puis il se tourna vers Ymin et lui tendit la main.

— Viens, dit-il.

Un silence stupéfait suivit. Même Ymin ne s'attendait pas à cela. Sans doute se moquait-il d'elle, il se vengeait de l'épreuve qu'elle lui imposait.

Elle dit ce qu'elles pensaient toutes.

— J'ai plus de deux fois ton âge.

— Et une bonne tête de plus que moi, acquiesça-t-il de bonne grâce. Tu n'es plus une jouvencelle, mais tu es mon élue.

De nouveau il lui tendit la main.

— Viens, chanteuse.

Si elle pensa à des protestations, elles moururent avant d'arriver à ses lèvres. Calme et tranquille, elle renvoya les jeunes filles choisies avec tant de soin et si peu d'effet, chargeant Vadin de les protéger. Fermant la porte, il les vit face à face, le roi et la chanteuse, en une attitude qui ressemblait plus à la guerre qu'à l'amour.

— Pourquoi ? demanda Ymin quand ils furent seuls.

Elle était toujours calme, mais le masque commençait à se craqueler.

Cette faiblesse sembla raffermir Mirain. Il haussa les épaules et sourit.

— Je te désire.

— Pas la Princesse Shirani ?

— Elle est ravissante ; mais elle a peur de moi aussi, ce qu'elle appelle amour. Et ce soir, je ne suis pas d'humeur à affronter le saint respect d'une vierge.

Son visage s'assombrit.

— Est-ce que je te répugne ? Je sais que je n'ai pas de beauté, que je suis trop jeune pour être un bon amant, et trop petit pour avoir belle allure près de toi.

— *Non !*

Elle saisit ses mains dans les siennes et les serra très fort.

— Ne dis jamais de telles choses. Ne les pense même pas.

— On m'a appris à dire la vérité.

— La vérité, oui. Mais ce que tu viens de dire est faux. Mirain, mon cher seigneur, ne sais-tu donc pas que tu es beau ? Tu possèdes ce qui, près de toi, fait paraître ordinaire même la ravissante Shirani. L'éclat, la splendeur. La magie. Et de très beaux yeux dans un visage plein de caractère, et un corps où je ne trouve aucun défaut.

— Absolument aucun ?

— Peut-être, dit-elle d'un ton pensif, que si je le voyais tout entier…

— Ne l'as-tu pas déjà vu ?

— Ah, mais c'était pendant l'investiture, et j'étais aveuglée par le dieu dans tes yeux. J'aimerais voir l'homme, puisqu'il s'est obstiné à me choisir.

Il se dégagea, se débarrassa de sa robe et se laissa examiner. Elle le contempla longuement, l'air très satisfaite, et sourit.

— Aucun défaut, monseigneur. Aucun.

— Chanteuse à la langue de miel.

Il détacha la ceinture d'Ymin, les mains mal assurées.

— J'espère, Dame Ymin, que ta pudeur n'est que pour la foule.

— Monseigneur, je suis très licencieuse.

Elle se débarrassa de sa lourde robe, téméraire maintenant qu'elle n'avait plus à se cacher, et détacha ses cheveux. Leur masse tomba lourdement, cascadant comme de l'eau jusqu'à ses pieds. Elle l'entendit ravaler son air de surprise, et elle rit. Mais quand il la toucha, elle frémit, leurs yeux se rencontrèrent et elle s'affaissa dans le lac de ses cheveux. Il referma les bras sur elle, et la sentit trembler.

— Tu n'aurais pas dû me faire cela, monseigneur.

— Mon nom est Mirain.

Elle releva la tête, en un mouvement emporté.

— Monseigneur !

— Mirain, répéta-t-il, doux et implacable. Le royaume ordonne que je fasse cela, et le dieu ordonne que tu sois mon élue, mais je ne veux pas être *monseigneur* pour toi. Sauf si tu souhaites que j'échoue.

Le cœur d'Ymin se serra. La vérité lui avait enfin échappé. Il agissait sur l'ordre du dieu. Pas de sa propre volonté. Pas par désir, et encore moins par amour. Que son corps réagît à sa beauté, c'était pur désir physique ; cela ne signifiait rien.

Elle savait que son visage était calme ; mais ce n'étaient pas les visages qu'il lisait. Il la regarda, interdit, et s'écria :

— Non, Ymin, non ! Maudite soit ma langue maladroite. Le dieu m'a guidé, je l'avoue, mais seulement parce que, livré à moi-même, je n'aurais pas osé. C'était tellement plus facile de choisir l'une de ces vierges adorantes, de faire mon devoir et de la renvoyer. Avec toi, c'était plus difficile. Parce que tu les surpassais toute, corps et âme, par ton éclat. Parce que... parce que avec toi ce ne serait pas seulement un rite et un devoir. Avec toi, j'aurais l'amour.

Elle leva la main et lui caressa la joue.

— Maudit sois-tu, mage et voyant, dit-elle doucement.

Il baisa sa paume.

— Enfant, dit-elle.

Il sourit.

— Insolent garnement. J'ai une fille à peine plus jeune que toi, et je lui donnerais la fessée si elle me regardait comme toi.

— Ce serait consternant qu'elle le fasse.

Sa main trouva son sein, auquel il fit l'hommage d'un baiser.

— Comme tu es belle.

— Et si vieille.

— Et moi si jeune, et comme cela a peu d'importance.

Il baisa l'autre sein, et le creux tiède entre eux deux, et la douce courbe de son ventre. Le corps d'Ymin vibrait partout où il le touchait ; protestait quand il s'écartait. Se remit à vibrer quand il la guida vers le lit. L'esprit d'Ymin, renonçant à toute résistance, se mit à chanter lui aussi. Mélodie parfaite dans sa pureté, où son seul nom revenait toujours, simplement et éternellement, sans être souillé des mots de *roi* ou de *monseigneur.* Il vit ; il sut. Et son feu l'inonda et l'engloutit.

Vadin bâilla, s'étira, et sourit au plafond de sa nouvelle chambre. Jayida aux yeux hardis était retournée vers sa maîtresse, l'une des anciennes dames du vieux roi. Mais elle avait promis de revenir le voir. Et elle n'avait pas semblé trouver qu'elle perdait au change. Après tout, avait-elle dit, le roi était un demi-dieu et un prêtre complet, ce qui augurait mal de lui en tant qu'amant. Tandis que l'écuyer du roi…

Toujours souriant, il s'assit dans son lit, rejetant en arrière ses cheveux défaits. Aucun son ne venait de la chambre royale. Il ouvrit la porte sans bruit et jeta un coup d'œil à l'intérieur. Et sursauta comme un voleur. Mirain était sur le seuil et riait, nu et ébouriffé, mais un peu mieux réveillé.

— Bonjour Vadin, dit-il. T'a-t-elle bien servi ?

Vadin cilla. Il avait bien pensé qu'il usurpait une femme choisie pour le roi. Elle l'avait raillé quand il lui avait confié ses scrupules. Mais il y avait des contrées où il aurait payé de son sang les plaisirs de sa nuit.

Mirain l'embrassa avec une sincère exubérance, l'entraîna dans la salle de bains, heureusement vide de ses officiantes, le poussa dans la baignoire et y sauta après lui dans une gerbe de gouttes. Vadin refit surface en crachant, pas encore prêt à se joindre au jeu.

— Monseigneur, je…

— Monseigneur, tu es pardonné, elle est à toi, tu peux prendre ton plaisir avec elle. Veux-tu que je l'affranchisse pour toi ? Je peux le faire.

Mirain était joyeux, exubérant, heureux, sachant qu'il

était roi, qu'il était libre, qu'il pouvait faire ce qu'il voulait. Vadin cligna ses yeux embués de larmes.

— Je ne crois pas… ce n'était que pour une nuit. Si je devais demander une femme, ce serait Ledi. Mais…

— Mais, dit Mirain, reprenant son sérieux, tu ne veux pas de cadeaux. Aujourd'hui, quand je tiendrai ma Grande Audience, j'accepterai le serment de fidélité de tous les seigneurs, des soldats, des pages et des domestiques. Et des écuyers qui ont servi mon grand-père. Aimerais-tu les retrouver ? Tu n'as plus besoin de t'occuper de moi tout seul ; tu peux redevenir un écuyer parmi les autres, ne me servant que lorsque ton tour reviendra. Si cela te convient ?

Vadin s'immobilisa dans l'eau chaude qui coulait toujours. Mirain attendit, sans expression. Espérant peut-être que Vadin accepterait. Cherchant à se débarrasser de son serviteur le plus récalcitrant.

Sauf que la répugnance de Vadin s'était perdue quelque part, et que la résistance n'était plus qu'un rituel, pour sauver la face. Et l'idée de retourner à la caserne, de redevenir un simple écuyer parmi les autres, n'avait aucun attrait. En voir un autre derrière Mirain, savoir qu'un autre serait dégoulinant dans cette salle de bains, supporterait ses amicales railleries, partagerait son bain avec lui, son déjeuner…

Vadin déglutit, s'étranglant à moitié.

— Tu veux que je m'en aille, monseigneur ?

— Je ne veux pas que tu restes à un poste qui te déplaît.

— Et si…

Vadin déglutit une fois de plus.

— Et s'il ne me déplaît pas ?

— Même si les gens t'appellent mon chien et mon giton ?

Vadin pensa aux noms dont on avait traité Mirain. S'il les entendait…

— Je les ai entendus.

— Tu recommences à te promener dans ma tête.

Après tout ce que je t'ai dit. Tu t'es servi de mon corps en m'envoyant à cette femme épouvantable. Qui sait ce que tu vas me faire la prochaine fois ? Mais je commence à m'habituer à toi et à tes tours de magicien. Maintenant, la vie à la caserne m'ennuierait à mourir.

— Mais tu gagnerais ton pari.

— Bien sûr. Mais qui te dorloterait quand tu es pris d'une humeur bizarre ? Non, monseigneur, tu ne te débarrasseras pas de moi comme ça. J'ai promis de rester près de toi, et je suis un homme de parole.

— Prends garde, Vadin ; tu n'es pas loin d'avouer de l'amitié pour moi.

— Peu probable, dit Vadin, prenant une poignée d'écume savonneuse. Tourne-toi, je vais te laver le dos.

Mirain s'exécuta, mais dit d'abord :

— Je sais exactement ce que je ferai de ton âme quand je l'aurai gagnée. Je l'enfermerai dans un cristal lui-même entouré d'un filet en or, et je la suspendrai au-dessus de mon lit.

— Belle vue que ce sera pour toi, maintenant que tu peux vivre comme un homme, dit Vadin, imperturbable.

Pour toute réponse, Mirain éclata de rire.

CHAPITRE 18

Dans l'aube grise précédant le lever du soleil, un cavalier solitaire faisait parader son cheval. Comme en transe, il montait superbement, ne faisant qu'un avec son étalon, qui sautait, saluait, galopait, franchissait les obstacles disposés sur le terrain d'exercice du château, art des princes appelé exercice de dressage. Trois anneaux de cuivre brillaient au bout de sa lance. Sous les yeux d'Ymin, il fit tourner sa monture et en embrocha un quatrième.

— Bravo ! applaudit-elle comme il abaissait sa lance.

Trois anneaux roulèrent à terre, le quatrième s'envolant pour atterrir dans la main de la chanteuse. Elle sourit et fit la révérence.

— Merci de ce tribut, chevalier.

— Ce n'est que ton dû.

Mirain ôta son casque et secoua sa tresse, enroulée autour de sa tête. Son visage luisait, ses yeux brillaient. Il glissa vivement du Fou et caressa le cou couvert de sueur ; puis, se retournant plus vite que l'œil d'Ymin ne put le suivre, il lui prit la tête dans ses mains et l'embrassa.

— Monseigneur ! protesta-t-elle comme le voulait la bienséance.

Et comme Mirain la foudroyait du regard, elle ajouta :

— Mirain, ce n'est pas le lieu…

— J'ai décrété que ce l'est.

Mais il s'écarta légèrement, cérémonieux, les yeux scintillants.

— Viens te promener avec moi, dit-il.

Ils marchèrent un moment en silence, lui près du Fou, elle quelques pas en arrière. Enfin, elle demanda :

— Partirais-tu à la guerre comme tu montes ici, sans selle ?

— Ce serait stupide, même pour un enfant roi.

Elle le regarda, étonnée.

— Tu es donc si amer ?

Il chassa une mouche de l'oreille du Fou, caressant l'endroit de la piqûre.

— Dans un domaine, Moranden a dit la vérité, dit-il. Le brillant s'est terni. Ianon a le roi qu'il a voulu, mais réfléchit maintenant à ce qui l'a poussé à le choisir.

— Et choisir sagement dans l'ensemble. Personne, à la ville ou au château, ne semble le regretter.

— Ah, mais Ianon n'est pas qu'une cité unique, dit-il. Ni même une seule vallée enfermée dans des montagnes.

— C'est vrai, mon cher seigneur. Mais ne connais-tu pas les vieilles ballades ? Autrefois, un roi devait combattre pour accéder au trône, combattre pour s'y asseoir, et le quitter aussitôt pour réprimer une douzaine de soulèvements. Le lendemain de l'accession au trône de ton grand-père, tout l'est de Ianon se souleva contre lui, révolte dirigée par deux de ses propres frères.

— Je devrais donc me tenir tranquille, n'est-ce pas ? Tout le centre de Ianon m'a juré allégeance, et je n'ai rien de plus à craindre que quelques murmures dans les Marches. Accompagnés, naturellement, de rumeurs calomnieuses qui me font grincer des dents ; mais pas de menaces de guerre, jusqu'à présent.

Il soupira.

— J'ai attendu si longtemps pour être roi. Maintenant je le suis, et la fin n'était que le commencement. Je me surprends à désirer vivre ma vie comme un héros de ballade, chevauchant de sommet en sommet, sans m'occuper des mornes étendues qui les séparent.

— Ce doit être lassant d'être toujours au sommet de ses exploits.

— Crois-tu ? Comme ce serait plus simple si je n'avais pas à supporter cette attente, si je pouvais passer directement de mon investiture au cœur de la guerre et y trouver une fin. Celle de mon ennemi ou la mienne.

— Cela viendra bien assez tôt, dit-elle d'une voix égale.

— Jamais trop tôt pour moi. J'ai les nerfs à vif, et le peuple murmure. Sais-tu que je suis censé être le fils du Prince Rouge ?

— L'es-tu ?

Il s'immobilisa, comme si elle l'avait frappé.

Elle posa la main sur son bras.

— Monseigneur. Mirain. Ce ne sont que des mots.

— Comme tes ballades.

— Certainement. Et je chante la vérité. Que sont les mensonges et les rumeurs en comparaison ?

— Moranden nous a tous maudits.

Il se remit à marcher, longeant le mur bordant le manège.

— J'imagine une malédiction pire que la sienne. Qu'il obtienne ce à quoi il aspire.

— Etre roi ?

— C'est ce qu'il désire. Un trône, un titre, un royaume plein de sujets tous impatients de le servir — mais tout cela n'est qu'illusion tape-à-l'œil. La réalité, c'est un mur et une cage et des chaînes dorées. Mes sujets sont mes geôliers. Ils me ligotent. Je ne peux pas leur échapper. La Cour, les conseils et les affaires de l'Etat... même dans mon lit, ils ne me quittent pas.

— Suis-je donc un tel fardeau pour toi ?

— Toi, non ! s'écria-t-il avec force.

— Ah, dit-elle avec sagesse, mais la fille du Prince Mehtar...

Il fronça les sourcils, puis éclata de rire.

— Exactement. Et la nièce du Seigneur Anden. Et la pupille du Baron Ushin. Sans parler des vierges qui me servent au bain. Je suis peut-être jeune, trop petit, pas très beau, né en pays étranger et, dit-on, bâtard, mais j'ai un avantage qui compense tout le reste : le trône de Ianon.

— Je croyais t'avoir appris à ne pas te sous-estimer.

Mirain sourit.

— Le Prince Mehtar m'a parlé sans fard, dit-il. Je ne suis pas un miracle de virilité, m'a-t-il informé, mais je suis de sang royal. Plus que royal si mes prétentions sont vraies. La Maison de Mehtar serait assez heureuse de s'allier avec moi. La fille, disent-ils, en vaut la peine.

— C'est une beauté, acquiesça Ymin. On l'appelle la Gemme des Montagnes.

Elle se tut, les yeux fixés sur lui.

— Réfléchiras-tu à cette proposition ?

— Le devrais-je ?

— Elle a tout : beauté, fortune, lignage. Et un père qui peut influencer à sa guise la plupart des fiefs orientaux.

— Il serait content d'y ajouter le reste de Ianon.

Leurs regards se rencontrèrent, celui de Mirain brillant et un peu moqueur.

— J'ai fait valoir ma grande jeunesse et la nécessité de m'établir dans mon royaume — et j'ai promis de jeter un coup d'œil sur la demoiselle s'il m'arrive de me trouver dans ses parages.

Ymin éclata de rire.

— C'était parler en vrai roi.

— Ou en homme du Sud.

Il se tourna vers le garrot du Fou.

— Le soleil se lève. L'adorerons-nous ensemble ?

Le soleil était brûlant dans la Cour du Jugement. Un dais surmontait le trône, mais la chaleur restait torride ; même le léger kilt de Vadin lui pesait. Pourtant, Mirain paraissait à son aise, joue reposant dans sa paume, froid, impassible et totalement vigilant.

— Un printemps sec et un été brûlant, gémissait l'homme debout devant lui. Mes bêtes ont dévasté mes pâturages. Mes récoltes se dessèchent au soleil. Et maintenant, sire… et maintenant, ce jeune ingrat me dit qu'il prétend à la main d'une fille du village voisin, et que je dois payer le prix du fiancé immédiatement, sans tenir compte de mes difficultés.

Le jeune ingrat n'était pas très jeune. Trente ans, supputa Vadin, et l'air plus vieux que son âge à cause des durs travaux et des privations. Fronçant les sourcils, il contemplait ses pieds, ses grosses mains croisées et la tête enfoncée dans les épaules comme en attente d'un coup.

— C'est mon droit, marmonna-t-il. J'ai attendu. Tous les ans, j'ai attendu. C'est toujours trop tôt, ou le temps est trop mauvais, ou c'est l'époque de la moisson. C'est fini, elle m'a dit. Trop c'est trop. Propose un prix, elle a dit, ou un autre le fera avant toi.

Le père postillonna de fureur.

— Tu es fils unique ? demanda Mirain.

Le jeune homme leva les yeux, des yeux ternes qui virent un trône et des reflets d'or.

— Non, sire, dit-il. J'ai deux frères.

— Plus âgés ?

— Oui, sire.

— Mariés ?

De nouveau ce regard, encore plus morne.

— Non, sire. Trop tôt, mauvais temps, la moisson qui arrive…

— Ah, dit Mirain, de son ton le plus neutre.

Mais Vadin vit une lueur malicieuse dans ses yeux. Le jeune homme se tordait les mains.

— Va. Prends femme. Propose le prix du fiancé, mais ton père y ajoutera une somme égale, pour que vous puissiez vous mettre en ménage convenablement.

Mirain fit un signe au scribe.

— C'est écrit. Ce sera fait.

Le regard du jeune homme n'exprima aucune affection et peu de gratitude. Il salua sans grâce, chercha des yeux la sortie, et s'en alla, poursuivi par les hurlements de rage de son père.

Le plaignant suivant exposait déjà sa requête. Telle était la justice du roi : rapide, ingrate, et sans appel. Mirain remua imperceptiblement sur son siège. Vadin fit un signe qui attira son attention, levant un gobelet de vin rafraîchi dans de la neige. Mirain le prit, but une unique gorgée, et soupira. Mais son visage resta calme, concentré, masque parfait.

Vadin le scruta, s'efforçant de ne pas s'endormir. Un conseiller ronflait debout. Les voix continuèrent, monotones. Tant d'affaires de grande importance pour le peuple ; tant de détails embrouillés jetés aux pieds du roi, comme si lui et lui seul était capable de les débrouiller.

— Monseigneur, disait un scribe d'un ton plein d'ennui, les titres de la propriété en question...

Vadin ne sut jamais ce qui le mit en éveil. Peut-être un précieux souffle d'air égaré en ce lieu torturé de soleil. Ou peut-être l'instinct, affiné par une saison passée auprès d'un mage. Mais il était maintenant parfaitement réveillé, tendu comme la corde d'un arc, promenant son regard sur les visages assemblés. Aucun ne déclencha l'alarme dans son cerveau. Rien que de braves visages de Ianyens, avec un saupoudrage d'étrangers : visages dorés d'Asaniens, bruns du Sud, des marchands et des touristes. Et il y avait aussi ce savant d'Anshan-i-Ormal, créature parcheminée aux yeux les plus joyeux que Vadin eût vu de sa vie. En ce moment, fixés sur Mirain avec fascination, ils ne pétillaient presque plus. Il allait écrire un ouvrage d'histoire, avait-il dit à Vadin la veille ; il avait cherché un sujet toute sa vie, et pensait l'avoir trouvé en un jeune roi barbare. Il plaisait à Mirain parce qu'il n'avait aucun don pour la flatterie. Il avait la langue acérée, mais tempérait ses propos d'éclats de rire. Et, selon la coutume d'Ormal, il appelait le roi par son nom.

Quelque chose accrocha le regard de Vadin au-delà de la tête enturbannée. Un mouvement presque trop rapide pour le saisir. Un reflet de lumière sur du métal. Un garde sur le rempart, sans doute, saluant le roi de sa lance.

Sa lance. Vadin plongea, écartant Mirain du trône. Le monde se mit à tournoyer ; le feu le transperça, le pétrifia. Des vents rugirent aux oreilles de Vadin. Le feu était douleur et l'immobilisait. Il ne pouvait pas bouger.

— Le rempart ! tenta-t-il de crier. Le rempart, bon sang !

Le tournoiement cessa ; le monde se rapprocha. Mirain le remplit. Vadin le frappa.

— A plat ventre, imbécile !

La main de Mirain descendit comme la nuit, vaste et inévitable. Mais son visage paraissait étrange et tout petit. Sauf les yeux. Brillant d'une rage froide…

— Tu vas me tuer ?

La voix de Vadin était faible et défaillante, comme une voix d'enfant. Elle semblait très lointaine. Il perdait son corps. Et pourtant, curieusement, comme tout était clair. La cour ; les assistants, choqués, indignés ou terrorisés ; les hommes d'armes poursuivant l'assassin, et le trouvant mort sur les remparts, son propre couteau dans la gorge. Et le roi à genoux devant son trône, la main sur la hampe d'une lance qui clouait au sol un grand corps déchiré. Pauvre garçon, il était perdu, frappé juste au-dessous du cœur, et commençant à s'agiter, en proie à une panique aveugle. Mais il était brave ; il ne hurlait pas.

— Mauvais, dit quelqu'un. La pointe est barbelée. Empoisonnée aussi, je parie. Il y a des marques de clan des Marches sur la hampe ; et ces gens-là ne prennent pas de risques.

Quelqu'un répondit d'un ton dolent :

— Empoisonnée ou pas, elle a pris une vie. Cette blessure est mortelle.

Que les Dieux lui donnent le repos, pensa Vadin. Qui qu'il fût. Non que cela eût quelque importance, il s'envolait, à tire d'ailes comme un oiseau. La cour et le château se rétrécissaient sous lui. Ianon aussi diminuait rapidement, gemme verte sertie dans un anneau de montagnes, luisant au centre d'un orbe comme une balle d'enfant, peinte en vert et en bleu et en blanc et en brun. Tiens, c'était exactement comme la représentation du monde, peinte au-dessus de l'autel au temple d'Avaryan. Il retrouvait les pays, les nommant un par un comme les prêtres le lui avaient appris voilà des années à Geitan. D'Asanion à l'ouest jusqu'aux îles orientales tournées vers le large ; du grand désert bordant les principautés du Sud jusqu'à Ianon et ses montagnes, en passant par les Cent Royaumes, avec, au-delà, les Crêtes de la Mort, et les terres glacées — tout était déployé sous ses yeux émerveillés, parfait comme une pierre précieuse au doigt d'une dame. Et quelle dame : la Nuit elle-même dans sa robe d'étoiles. Elle sourit ; elle l'attira sur son sein ; elle l'embrassa avec la douceur d'une mère et la passion d'une amante.

— Vadin !

La voix était vaguement familière. Voix magnifique pour un homme, à la fois grave et douce. Mais elle sonnait impatiente, furieuse même.

— Vadin alVadin, pour l'amour d'Avaryan, écoute-moi !

Mais il était si bien où il était. Il faisait noir et chaud, et une sombre dame lui souriait, et plus tard, peut-être qu'ils feraient l'amour.

— Vadin !

Oui, c'était bien de la colère. Comment s'appelait-il ? Vadin n'avait rien fait pour provoquer son mécontentement. Voulait-il la dame ? Elle était assez plantureuse pour deux.

— Je ne veux pas de la dame. Viens, Vadin.

Mirain. C'était son nom. Très flatteur qu'il voulût Vadin et pas cette dame ravissante, mais hélas, Vadin n'était pas d'humeur. Plus tard, peut-être, s'il en ressentait le besoin…

— Vadin alVadin, par Avaryan et Uveryen, par la vie et la mort, par la Lumière et par la Nuit qui l'embrasse, je t'ordonne de te présenter devant moi.

La dame ouvrit les bras. Vadin s'éloignait. Il se raccrocha désespérément. Elle avait disparu. Il faisait noir. Le vent hurlait, aigu et mordant. Il le déchirait de ses dents d'acier. La voix résonnait à travers lui.

— Par le serment d'allégeance que tu m'as prêté, par la royauté qui est mienne, viens. Viens, ou sois perdu à jamais.

La voix était chaleureuse, chargée de pouvoir. Vadin se tendit vers elle, mais le vent le rabattit en arrière. Il faisait toujours noir, plus noir que noir, mais il voyait autrement que par les yeux. Il était sur une route dans une contrée de nuit, et la route n'allait que dans un sens, le sens opposé à ce doux appel.

L'appel s'enfla, prenant encore force et douceur. Il chantait comme une harpe, résonnait comme un tambour. Il n'avait plus de paroles ; il n'était plus que pouvoir pur. La nuit recula devant lui. Le vent tomba. Douloureusement, pouce par pouce, Vadin se retourna. Il n'y avait pas de route derrière lui. Seulement la folie. La folie et Mirain. Vadin tendit les mains. Il ne parvenait pas à atteindre… il ne…

Il s'étira, jusqu'aux limites de l'impossible, tendant

vers lui toute sa volonté, son orgueil et sa force. Il toucha. Glissa. Les doigts de Mirain se refermèrent. Il se raccrocha. Tint bon.

La nuit explosa en une tempête de feu.

Le souffle de Vadin s'étrangla quand la douleur frappa ; s'étrangla de nouveau quand elle s'évanouit sous une chaleur semblable à celle du soleil. Il avait retrouvé son corps, son esprit, et un semblant de vision floue. Il savait où il était : toujours dans la Cour du Jugement, couché sur l'estrade devant le trône, et Mirain le berçait dans ses bras. La lance avait disparu. Il ne voyait pas la blessure, et n'avait pas envie de la voir. Il savait qu'il était mourant. Il était déjà mort, et le pouvoir de Mirain l'avait rappelé. Mais ce pouvoir n'était pas assez fort ; il ne pouvait pas le retenir.

— Non ! dit Mirain avec force, le visage inondé de larmes.

Pleurer devant son peuple — imbécile d'étranger, savait-il ce qu'il faisait ?

— Je sais. Je sais parfaitement. Je te retiendrai. Je te guérirai. Je ne te laisserai pas mourir à ma place.

Comme le vieux roi. Et Mirain ne tolérait pas facilement la défaite. Vadin regarda les yeux ardents et furieux, et pensa à la raison et au bon sens, mais Mirain n'était jamais tourmenté par l'une ou l'autre. La chaleur qu'avait été la douleur augmentait. Feu du Soleil. Fils du Soleil. C'était quelque chose que d'être aimé par un mage de ce rang, un maître du pouvoir dont le père était un dieu. Après tout, peut-être pouvait-il affronter la mort. Avec le dieu derrière lui, peut-être pourrait-il gagner.

— Aide-moi !

Mirain leva son visage vers le soleil, yeux grands ouverts, sans ciller.

— Père, aide-moi !

Il ne marchandait pas, remarqua Vadin. Il suppliait simplement, d'un ton proche du commandement.

Pas un bruit. Les gens regardaient, muets de stupeur. Certains s'étaient rapprochés. Robes blanches, kilts, torques d'or. Un ou deux en gris et argent. Les yeux d'Ymin étaient fixés sur Mirain, presque flamboyants. Elle lui communiquait toute sa puissance, sans s'inquiéter du prix à payer. Bienheureuse folle.

La chaleur montait. Elle devenait torturante, mais était aussi exquisement agréable, comme un bain brûlant après la Grande Course. Angoisse de guérison, qui inondait son corps, enflammait ses os. Il la sentit se concentrer au centre de son être. Il *sentit* la chair déchirée commencer à se ressouder, la grande blessure déchiquetée se refermer, de ses profondeurs jusqu'à sa peau. Il vit le feu du pouvoir travailler en lui, et il le reconnut, et sut ce qu'il faisait, sage de la sagesse de celui qui le guérissait, doté d'autre chose que d'une vue mortelle.

Mirain prit une longue inspiration saccadée. Il avait les traits tirés comme sur la route d'Umijan, mais son regard était clair et tranquille, et il souriait. Il s'effondra sans émettre un son.

Vadin le rattrapa avant qu'il ne heurte les dalles, agissant sans réfléchir, sans souffrir. Mirain n'avait pas encore perdu connaissance ; il toucha la profonde cicatrice sur la poitrine de Vadin.

— Je t'ai guéri, murmura-t-il. Je l'avais promis.

Vadin se releva. Mirain était un poids léger et une volonté indomptable, et il fit luire sa main dorée sur son peuple avant de sombrer dans les ténèbres. Doucement, Vadin descendit de l'Estrade au milieu de murmures révérenciels, les gens reculant pour lui faire place, inclinant la tête et baissant les yeux comme devant un dieu.

Quand tout serait fini, Vadin trouverait cela amusant. Quel que fût l'assassin, ou celui qui l'avait envoyé — Moranden ou sa mère dénaturée — il n'avait pas seulement échoué à abattre sa cible. Il avait montré à tout Ianon qui était véritablement le roi qu'il avait choisi. Le temple d'Avaryan serait bondé d'ici le soir, mais ce n'était pas seulement à Avaryan que les gens adresseraient leurs prières. Après cela, la légende de Mirain n'en serait que plus puissante.

Vadin avait prévu que les gens considéreraient Mirain avec une révérence accrue, maintenant qu'il leur avait montré le pouvoir qui était en lui. Mais il n'avait pas pensé aux conséquences pour lui-même. Il était devenu une merveille et une étrangeté, un homme revenu de la mort. Même ses amis étaient intimidés en sa présence, même Kav, dont on savait qu'il doutait parfois des dieux. Quand il allait en ville, les gens essayaient de le toucher, de lui arracher une bénédiction, ou ils le traitaient avec une crainte révérencielle, sans oser regarder son visage.

Ledi l'acheva. Elle qui avait partagé son lit avec lui, lui avait donné de petits noms d'amour, le traitait en égal et le giflait quand il allait trop loin — le jour où il retourna à la taverne, elle n'accourut pas pour le servir ; quand il la fit venir, elle le salua très bas en l'appelant *monseigneur*, et quand il voulut l'embrasser, elle s'enfuit. Et dans la salle crasseuse et familière, tous le regardaient, muets, sachant qui il était. Le René. Le miraculé du roi.

Il se leva, dans l'intention de la poursuivre et de la battre s'il le fallait pour la ramener à la raison. Mais il se retourna lentement, avec autant de dignité qu'il le put, et se mit à marcher. De plus en plus vite dans les rues murmurantes de pluie, franchissant en courant les grilles du château, zigzaguant dans les cours et les couloirs, et s'arrêtant enfin dans la chambre de Mirain.

Le roi était là, seul pour une fois, arpentant la pièce comme une panthère en cage. Il venait du Conseil auquel assistaient les anciens de Ianon ; il portait encore la tenue glorieuse qu'il revêtait en cette occasion, éblouissement d'or et de blanc royal. Mais sa cape gisait à terre où il l'avait lancée. Quand Vadin s'immobilisa, haletant et presque sanglotant, Mirain se retourna tout d'une pièce, en proie à une fureur aveugle.

— Attends, me disent-ils. Attends, et attends, et attends. Ils sont tellement sages, tous ceux-là. Tellement sages.

Ses lèvres se retroussèrent en un rictus. Il se remit à arpenter la pièce, lançant les mots par-dessus son épaule.

— Ça deviendra plus facile avec le temps, disent-ils. Mes sujets me mettent à l'épreuve ; ils veulent que je prouve que je suis prêt ; tout cela n'est qu'une épreuve. Les jugements et les pétitions ; les seigneurs et leurs suites se présentant à l'improviste avec des différends que seul le roi peut régler. Les ambassades de mes voisins royaux et princiers, demandant hospitalité et courtoisie, et me rappelant les alliances faites, défaites et refaites. Les hordes de marchands et de saltimbanques, dont chacun veut attirer mon auguste regard sous peine de répandre partout l'histoire de ma ladrerie. Et toujours — toujours ce feu qui couve dans les Marches. Attends, me disent-ils. Tiens bon. Laisse tes loyaux seigneurs et tes propres actions tenir le danger en respect.

Il se tut, pivota sur lui-même.

— Mes actions ! Quelles actions ? Je n'ai même pas quitté ce château une seule fois depuis que je suis monté sur le trône. Et quand je leur ai lancé cette vérité au visage, ils se sont prosternés, se frappant la poitrine, demandant pardon à ma majesté, mais si un assassin pouvait m'attaquer ici, dans ma propre forteresse, combien plus périlleux serait-ce de partir en campagne. Non, non, je suis jeune, bien sûr, je m'irrite contre les limitations imposées par le gouvernement, mais il suffit que je sois patient, et je serai bientôt affermi sur mon trône. Alors, je ferai ce que je voudrai. Oui, quand Moranden sera roi de tout Ianon à part ce château.

Vadin fit mine de s'en aller, soupira, et resta. Mirain continua à faire les cent pas, à grommeler, ne le voyant que comme une cible à ses paroles enflammées.

— Ah non, l'exilé ne viendra jamais si loin. Le Seigneur Yrian, le Seigneur Cassin, le Prince Kirlian, tous les seigneurs dont les terres bordent les Marches — ils ont tous juré de me le livrer. Membre après membre. Je peux sûrement me fier à eux, qui ont toujours bien servi le Roi Raban. Peut-être même que je peux faire confiance à Moranden. Mais sa mère — voilà une ennemie dangereuse. *Elle*, elle n'aurait jamais envoyé un assassin aussi visible qu'un lancier. Pendant que je tergiverse, elle complote contre ma vie, sans regarder au prix. *Attends*, disent en chœur mes anciens. *Attends, sire. Il faut attendre et voir*.

Vadin garda le silence. Qu'étaient ses petits problèmes au regard de ces grandes questions de guerre et de rébellion ? Une sotte fille avait peur de lui parce qu'il était mort, avait été rappelé à la vie et s'était relevé avec une cicatrice qui pâlissait déjà. Ianon était sur le point de se déchirer, et il pleurait pour une catin de quatre sous.

Mirain avait retrouvé ses esprits, dans une certaine mesure. Il vit Vadin et le reconnut ; il s'éclaira un peu.

— Pardon, Vadin. Ce n'est pas contre toi que j'enrage. Mais si j'explose pendant le conseil, ils se regardent gravement, et soupirent, leur sagesse fort éprouvée par ma jeunesse impétueuse. Je dois me montrer calme, maître de moi, je dois essayer de raisonner des esprits figés comme la pierre. Ils savent, avec une absolue certitude, que je ne dois pas risquer ma précieuse peau à la guerre. Ni même en des négociations. Pas même, les dieux nous en préservent, dans un voyage d'apparat.

— N'est-ce pas cela, être roi ?

— Ne t'y mets pas, toi aussi !

Mais la rage de Mirain était retombée ; il se frotta les yeux d'une main lasse.

— J'en viens au point où je suis même incapable de réfléchir. Il faut que je fasse quelque chose. Voudrais-tu…

Il s'interrompit brusquement.

— N'es-tu pas censément libre pour la journée ?

— Je… j'ai décidé de ne pas sortir.

Vadin ramassa la cape de Mirain, la plia et la rangea soigneusement dans son coffre.

— Dois-je aller chercher Ymin ? Ou préfères-tu…

Mirain se planta devant lui, lui mit les mains sur les épaules.

— Dois-je aller chercher la réponse dans ta tête ?

Vadin se dégagea.

— Ne fais pas… ne fais jamais… Bon sang, pourquoi ne m'as-tu pas laissé mourir ?

— Je n'ai pas pu, dit Mirain, très bas. *Je n'ai pas pu.*

Vadin faillit s'étrangler dans un accès de bile. Il plongea dans les yeux de Mirain, douloureux et dilatés. Il entendit ses pensées. Amour et chagrin, crainte de le perdre, regret que tout en soit arrivé là.

— *Regret !* s'écria Vadin. Par tous les dieux, tu m'as infecté de ta sorcellerie. Tout le monde s'en aperçoit. Je les terrifie. Je suis mort et je suis revenu, et je ne suis plus Vadin. Que tous les diables t'emportent, Roi de Ianon. Puissent les charognards de la déesse nettoyer tes os.

Suivit un long silence palpitant. Vadin releva enfin les yeux. Mirain n'avait pas bougé. Il serrait les poings. La brûlure du dieu lui faisait souffrir le martyre. Vadin pouvait la sentir.

— Nous sommes liés, dit Mirain avec un calme parfait. Je suis allé très loin pour te rappeler. Je ne peux pas te perdre, et je ne peux pas modifier ce que mon peuple a vu. Mais tu guériras avec le temps. Tu es mort, tu as été sauvé, tu as changé, mais tu es toujours Vadin. Ceux qui t'aiment apprendront à le voir, une fois passé leur crainte révérencielle.

— Tu parles exactement comme tes conseillers. *Il faut attendre. Attendre et voir.*

Mirain eut un éclat de rire, bref et amer.

— N'est-ce pas ? Malheureusement, ce que je dis est vrai.

— Et qu'est-ce que je vais faire en attendant ? Etudier la sorcellerie ? Je n'ai pas l'air capable d'autre chose.

— Tu peux aller montrer à Ledi que tu es toujours son amant préféré.

Roi ou non, Vadin aurait pu le frapper pour ça s'il avait été un peu moins rapide.

— Elle me hait.

— Elle pleure en ce moment parce qu'elle s'est laissée aller à écouter les rumeurs, parce qu'elle en a peur et parce que tu t'es enfui. Va la retrouver, Vadin. Elle a besoin de toi.

— Toi aussi.

— Pas maintenant. Va.

— Viens avec moi.

C'était sa langue qui avait parlé, pas son cerveau.

Mirain fronça les sourcils, sondant l'esprit de Vadin, contact léger comme l'effleurement d'un doigt, une haleine tiède, une aile de papillon dans le noir. Il chercha l'indignation mais ne la trouva pas. Le souvenir jaillit entre eux, le monde flottant dans la nuit et une voix forte qui appelait.

A eux deux, ils extirpèrent Mirain de ses robes royales, défirent ses tresses et lui firent de simples nattes de prêtre, dénichèrent un kilt et une cape ordinaires. Vadin s'enveloppa dans une autre, ravala ses regrets, et se tourna vers la ville.

Cette fois, personne ne fit attention à Vadin, et encore moins à son compagnon. Ledi ne servait plus à la taverne ; le garçon de salle ne savait pas où elle était et s'en moquait. Ils burent la bière qu'il apporta, Vadin s'attardant parce qu'il avait peur, Mirain se délectant simplement à regarder des murs qui n'étaient pas ceux du château, à entendre des voix qui n'étaient pas celles de ses conseillers. Les rides de son visage commençaient à s'effacer. Il paraissait plus jeune, moins tourmenté. Par tous les dieux, pensa Vadin, il ne se rappelait même pas la dernière fois où il avait vu Mirain sourire.

Il baissa les yeux sur sa chope presque vide, un peu honteux. Il avait cru que l'adoration qu'on lui témoignait ne perturbait pas Mirain ; le Fils du Soleil y était habitué depuis l'enfance. C'était peut-être encore pire. Avec le temps, Vadin retrouverait son humanité ordinaire, et il pouvait espérer que ça ne tarderait pas. Mirain ne pourrait jamais revenir en arrière.

Vadin jeta une pièce sur la table et se leva. Mirain le suivit dans la foule, jusqu'au rideau peint représentant des amants. La vieille mégère qui gardait l'entrée prit l'argent de Vadin, l'éprouva de son unique dent, sourit, et les laissa passer.

Ce ne fut pas facile de monter cet escalier puant avec le Roi de Ianon derrière lui, et Ledi quelque part au-dessus de lui. Elle avait peut-être pris un homme pour se consoler. Ou deux. Deux, elle aimait bien, surtout si c'étaient Vadin et Kav. La nuit étant encore jeune, les autres filles étaient occupées, prodiguant plaisir et chaleur pour une poignée de cuivre.

Ledi avait la meilleure chambre, celle du haut, avec une fenêtre qu'elle laissait ouverte, même en hiver. Ainsi, l'air était odorant, disait-elle. Comme si elle avait besoin d'autre chose que de son propre parfum capiteux, et des aromates dont elle saupoudrait son oreiller. Sa porte était fermée, mais un ruban vert ne pendait pas au loquet ; elle était donc seule. Le cœur de Vadin battait à grands coups. Elle allait avoir peur, mais elle se soumettrait comme toute femme le doit à un grand seigneur, et il était idiot de se tourmenter comme ça. Il se retourna vers l'ombre qu'était Mirain.

— Tu peux l'avoir, dit-il avec brusquerie. Je ne veux pas d'elle.

Mirain ne prononça pas le mot, mais il flotta dans l'air. *Couard.*

Vadin se retourna vers la porte avec un grondement sourd. Levant un poing tremblant, il frappa une fois, puis deux, et encore une.

Rien ne bougea à l'intérieur. Elle devait être pelotonnée dans son lit, priant qu'il s'en aille. Il recula, prêt à fuir.

Le loquet grinça. Le battant s'entrouvrit. La lumière de la lampe éclaira le palier et l'escalier ; le visage de Ledi passa par l'ouverture, bouffi de larmes, les cheveux emmêlés ; elle portait sa robe la plus déguenillée, et elle n'avait jamais été moins jolie ni plus aimée.

— Ledi, dit-il bêtement. Ledi, je...

Elle se redressa.

— Monseigneur.

— Qu'est-ce que j'ai fait pour mériter ça ? dit-il avec désespoir. Tu me bats froid en bas, tu me tiens la dragée haute ici, et si c'est parce que je ne suis pas venu aussi souvent que d'habitude ces derniers temps, je te prie de te rappeler que nous avons perdu un vieux roi, trouvé un jeune, et que j'ai été coincé entre les deux.

— Et tu n'as pas seulement été coincé par ça, dit-elle, inflexible.

Elle était raide, froide et hautaine comme une reine, et elle ne s'adoucirait pas, maintenant qu'il l'avait forcée à se rappeler sa fierté.

— Est-ce que j'y peux quelque chose ? ragea-t-il. Au diable, ma fille, ne te retourne pas contre moi toi aussi.

Elle l'examina attentivement, clignant un peu les yeux car sa vue n'était pas très bonne, fronçant les sourcils comme s'il était un étranger dont elle aurait cherché à se rappeler les traits. Il était presque en larmes, ce qui était honteux, mais il s'en moquait.

Tout d'un coup, elle éclata de rire, pleurant à moitié elle-même. Elle lui jeta les bras autour du cou, l'embrassa à lui couper la respiration et l'entraîna vers la porte.

Puis elle vit qui l'accompagnait. Elle se raidit de nouveau, mais un peu seulement, de surprise.

— Tu ne m'avais pas dit que tu amenais un ami.

— Il ne m'a pas amené, dit Mirain. Je suis venu uniquement pour m'assurer qu'il ne tournerait pas les talons avant de te voir.

— Alors, je te dois des remerciements, dit-elle, lâchant Vadin.

C'est un baiser qu'elle avait en tête, chargé de joie, et elle le lui donna avant d'apercevoir l'éclat de son visage et le reflet de son torque.

Elle recula et tomba à genoux.

— Majesté !

Mirain ne la releva pas.

— Madame, dit-il avec froideur, puisque tu me connais, je compte que tu m'obéiras.

Elle se prosterna jusqu'à terre.

— Oui, Majesté.

— Très bien. Lève-toi et regarde-moi. Et arrête de te prosterner et de me donner ce titre pompeux.

Elle se releva, et s'obligea à regarder son visage sévère.

— Sois bonne pour mon écuyer qui en a grand besoin. Quand je n'étais que prince, tu me parlais sans crainte ni flatterie. Maintenant que je suis roi, j'en ai besoin plus que jamais.

Il s'adoucit, lui tendit les mains.

— Peux-tu me pardonner, Ledi ? Je n'ai jamais pensé à t'enlever ton amant.

— Vraiment ?

Elle prit ses mains, avec un peu de méfiance, et parvint à sourire.

— Très bien, je te pardonne.

Il s'inclina devant elle, consternée et ravie, et baisa chacune de ses paumes, comme il l'aurait fait pour une grande dame.

— Sois bonne pour mon ami, répéta-t-il.

CHAPITRE 19

Vadin mangeait des fruits à la crème et du pain frais avec du miel, et buvait une chope de bière pendant que Ledi, adoucissant encore le moment, peignait et tressait ses cheveux. Par la fenêtre, il entendait les bruits matinaux de la ville, sentait l'air frais sur son visage, jouissait des rayons capricieux du soleil. Plus tard, il se remettrait à pleuvoir, pensa-t-il. Le ciel avait cette curieuse clarté laiteuse présageant la tempête, comme s'il se reposait avant un nouvel assaut.

Ledi noua ses bras autour de sa taille, se blottissant, nue et tiède, contre son dos. Il se retourna à moitié. Elle lui prit un baiser, au goût de crème et de miel, et dit :

— Tu devrais t'en aller. Ton roi a besoin de toi.

Il soupira.

— Un demi-millier de personnes vivent uniquement pour le servir, et on dirait que je suis le seul dont il a toujours besoin.

— Tu es son ami.

— Je crois que j'ai été maudit à ma naissance.

Il prit son kilt, mais ne fit pas un geste pour le revêtir.

— Je ne suis pas son ami. Je suis un genre de condamné. A être son ombre, un second lui-même, ou un frère jumeau. Je croyais le haïr, jusqu'au moment où j'ai réalisé que c'était faux ; je lui en veux. Comment a-t-il osé sortir de nulle part pour changer le monde ?

— Ton monde, dit-elle.

Très légèrement, et pour la première fois, elle effleura la marque de la lance.

— Tu es différent. Tu lui ressembles davantage. Comme… comme quelqu'un qui sait ce que sont les dieux.

— Je ne sais rien du tout.

Son ton boudeur la fit sourire.

— Va. Il t'attend.

Qu'il attende ! aurait-il crié s'il avait eu le moindre bon sens. Mais au contraire il s'habilla, l'embrassa une fois de plus, puis une fois encore, et descendit l'escalier sans trop de bruit.

Il y avait un ou deux clients dans la salle commune, en train de déjeuner, et un autre, assis dans un coin, qui ne buvait ni ne mangeait, ignoré de tous, sauf de Vadin, à qui sa présence fit l'effet du feu sur sa peau.

— Tu as passé toute la nuit ici ? demanda Vadin.

— Non.

Mirain se leva. Sous sa cape, il portait sa tenue d'équitation : court kilt en cuir au-dessus de bottes presque assez hautes pour être des cuissardes.

— Rami est dehors.

— Où allons-nous ?

Mirain ne répondit pas. Il précéda Vadin dans la cour pleine de flaques. Le Fou était là, sans selle, et Rami, sellée et harnachée, qui broutait un brin d'herbe. Le temps que Vadin eût vérifié sa sangle et sauté en selle, Mirain était déjà à la grille.

Ils chevauchèrent dans un silence que rompaient uniquement le claquement des sabots et les grincements de la selle, enfilant les rues tortueuses jusqu'à la porte de l'Est, la Porte des Champs, conduisant au cœur de la Vallée. Elle était ouverte, et le garde se mit au garde-à-vous en reconnaissant le roi. Mirain, d'un sourire, lui intima le repos, et talonna les flancs du Fou. L'étalon se cabra, hennit, et partit au galop.

Quand ils ralentirent enfin, le château et la ville étaient loin derrière eux. La Vallée se déployait devant eux, son herbe jaunie par la chaleur, en une vague qui déferlait jusqu'au mur des montagnes.

Le Fou s'ébroua et fit un écart devant une pierre. Rami lui tendit une oreille impatiente. Elle n'avait pas de temps à perdre avec des fantaisies. Piqué mais soumis, l'étalon prit une allure dansante. Son cavalier lui caressa l'encolure avec une sympathie ironique.

— Pauvre roi. Ni lui ni moi n'avons vu un ciel sans murs depuis une éternité.

— Tu n'es pas prisonnier, tu sais, dit Vadin.

— Ah non ?

— Seulement si tu penses l'être. Tes vieux vautours de conseillers voudraient t'enfermer dans ta chambre, avec des serviteurs pour te moucher, et aucun angle aigu pouvant blesser ta précieuse peau.

— Et aucune tâche vile pour souiller mes royales mains.

Vadin s'efforça de réprimer son sourire.

— Tu es allé chercher le senel toi-même, non ?

— En effet, dit Mirain, très contrarié. On aurait dit que je proposais de transformer le temple d'Avaryan en bordel. Quoi, Sa Majesté de Ianon piétinant dans le crottin de l'écurie, touchant l'étrille et la bride de ses mains sacrées !

— Scandaleux.

Vadin prit une profonde inspiration, rejeta la tête en arrière, ouvrant tout grands les yeux sur un ciel chiffonné. Un éclat de rire lui échappa, non aux dépends de Mirain, simplement du bonheur d'être vivant et indemne et de chevaucher dans le vent.

Rami s'arrêta et inclina le cou pour brouter. Au bout d'un moment, le Fou l'imita.

— Quand ta beauté sera en chaleur, dit Mirain, j'aimerais qu'ils s'accouplent. Accepterais-tu ?

— Avec le Fou ?

Vadin avait eu l'intention de le lui demander. De l'en supplier s'il le fallait. Mais il conserva la voix froide et le regard critique.

— Il est pratiquement parfait, bien qu'un peu trop petit ; mais elle est grande pour deux. Et le pedigree est bon des deux côtés. Mais ne crains-tu pas qu'il transmette sa folie ?

— Il n'est pas fou. C'est un roi qui exige son dû.

— C'est la même chose, dit Vadin.

— Alors, nous prierons les dieux qu'ils nous donnent un poulain ayant le bon sens de Rami. Avec quand même un peu de feu, Vadin. Tu ne peux pas être contre.

Vadin répondit à la raillerie de Mirain par un regard sombre et glacé ; puis il eut un grand sourire.

— *Un peu* de feu, monseigneur, concéda-t-il. Et dans ce cas, tu ferais bien de pacifier ton royaume avant l'hiver.

Mirain haussa des sourcils interrogateurs.

— Parce que, expliqua Vadin, je ne monterai pas Rami quand elle sera grosse, et elle mourrait de me voir partir à la guerre sur une autre monture.

— Alors, pour l'amour de Rami, nous passerons bientôt à l'action.

Mirain ne plaisantait pas, pas tout à fait.

— Ce matin, j'ai envoyé des cavaliers lever le ban.

— Tu plaisantes.

Le regard de Mirain ne cilla pas.

— Tous ?

— Tous, dans un rayon de trois journées de cheval.

— Espèce de vau… Tes anciens auront une ou deux petites choses à te dire.

— En effet.

Quelque part derrière le masque royal rôdait un large sourire malicieux. Vadin émit un grognement.

— Quand prendrons-nous les armes ?

— Quand Lumilune sera dans son plein.

Vadin poussa un hurrah, qui fit dresser la tête à Rami. Le sourire de Mirain se libéra, s'épanouit. Le Fou se cabra, piaffa et dansa, agitant la tête comme un poulain en cours de dressage. Rami l'observa avec un dédain de reine ; se ramassa, caracola autour de lui, puis bondit, prenant son vol, rapide, légère et magnifique comme seule une jument seneldi peut l'être. Avec un hennissement mi-joyeux, mi-indigné, le Fou s'élança à sa poursuite.

Ils rentrèrent tard et trempés par la pluie, l'estomac plein de solides nourritures paysannes, dispensées par une fermière. Elle s'était montrée généreuse, crevant de fierté que le roi en personne ait choisi sa maison pour s'abriter.

Mirain quitta la ferme, le cœur encore plus léger qu'en entrant. Mais en approchant du château, son humeur s'assombrit. Son visage se ferma, toute sa jeunesse comme envolée, son regard à nouveau étrange. Vadin détourna les yeux.

La pluie avait vidé le marché, et confiné dans la grande salle du château les moins intrépides des courtisans. Il aurait dû y avoir du vin, des jeux, une ou deux filles passées en contrebande, et quelques accords de harpe derrière le paravent des dames. Mais on n'entendait qu'un brouhaha grave et régulier. Les gens étaient rassemblés par groupes dans les coins de la salle comme sous les auvents du marché ; la musique des dames s'était tue, mais leurs voix aiguës dominaient celles des hommes.

Sous le regard sombre et étincelant de Mirain, le brouhaha cessa. Tous baissèrent les yeux, ou les dirigèrent vers la porte derrière le trône. Il passa devant eux à grands pas, rejetant derrière lui sa cape trempée de pluie. Personne n'osa se mettre sur son chemin.

Dans le petit solarium derrière la salle, se tenait le Conseil des Anciens, les conseillers assis ou debout en cercle. Vautours en effet, pensa Vadin, dos rond dans leur robe noire, entourant leur proie, petite silhouette en haillons éclaboussés de boue, aux cheveux en désordre. Vadin sursauta en réalisant que, bien qu'en armure avec un fourreau vide au côté, il s'agissait d'une femme.

Elle releva la tête à l'entrée des arrivants. Une profonde blessure, à moitié cicatrisée, barrait son visage de la tempe au menton.

— Encore des nôtres ? murmura-t-elle d'une voix enrouée. Ils sont en meilleure forme que moi.

— Surveille ta langue, femme ! dit sèchement le président des anciens.

— Tais-toi, dit Mirain avec douceur.

Il mit un genou en terre devant la femme, et prit ses mains glacées dans les siennes.

Elle le fixa, les yeux vitreux d'épuisement.

— Abandonne la partie, jeune homme. Que le roi soit un dieu ou un démon, son conseil est une bande d'imbéciles radoteurs. Nous n'avons rien à en attendre.

— Tu désespères donc ? lui demanda-t-il.

Elle éclata d'un rire bref et dur.

— Tu es jeune. Tu sembles de haute naissance. Je l'étais aussi autrefois. Je gouvernais, maîtresse d'Asan-Abaidan, fief que je tenais du Seigneur Yrian, mon suzerain. C'était avant la mort du vieux roi. Nous en avons un nouveau m'a-t-on dit, un jeune garçon à peine sorti de l'enfance paraît-il, mais déjà légendaire, demi-dieu ou demi-démon, et élevé dans le Sud. Tant mieux pour lui, pensions-nous à Abaidan ; s'il nous laisse tranquilles, qu'importent son nom et son lignage ?

« Abaidan est un fief petit mais prospère, à la frontière orientale des terres du Seigneur Yrian, mais pas assez proche pour tenter ses voisins, et à une dure journée de cheval des Marches. Nous avons entendu parler de pillages dans le Nord et dans l'Ouest, chose assez commune et qui n'a rien d'alarmant. Pour notre confort plus que pour notre sécurité, nous avons armé nos paysans et doublé la garde de notre château, mais nous ne prévoyions pas de gros problèmes.

« Pourtant, à la dernière Lumilune descendante, les pillards se sont enhardis. Des réfugiés sont apparus sur les routes, fuyant vers l'est. Nous les avons accueillis. Nous avons de la chance : les puits de notre château sont profonds et jamais à sec, et nous avions beaucoup de provisions. Nous avons pu donner asile à ces malheureux.

Elle se tut. Elle ne voyait plus Mirain, ni rien de ce qui l'entourait. Au bout d'un moment, elle se remit à parler, d'une voix égale, son histoire bien rodée de l'avoir tant racontée.

— En l'absence de Lumilune, et avec Grandlune à trois jours de son plein, un cavalier m'apporta un billet de mon seigneur. Il disait que les raids avaient pris fin. Nos fugitifs se réjouirent et se préparèrent à rentrer chez eux. Pourtant, le Seigneur Yrian ne semblait pas totalement rassuré. Il soupçonnait que ce n'était qu'une accalmie et il priait tous ses vassaux de le rejoindre, armés pour livrer combat.

« Cela se passait le matin. Le lendemain soir, nous étions prêts : moi, mon fils, qui ne voulait pas rester en arrière, le vieux maître d'armes de mon mari, et autant d'hommes qu'on put en rassembler sans laisser le château sans défense.

« Le flot des réfugiés commençait à se tarir. Pourtant, en nous dirigeant vers le soleil couchant, nous rencontrâmes un grand nombre de gens, tous en fuite, et tous trop terrorisés pour nous écouter. Alors même que les messagers de notre seigneur se mettaient en route pour lever le ban, une armée avait traversé la frontière. Elle était immense, toutes les tribus des Marches s'étaient rassemblées, mettant de côté leurs querelles et leurs différends. Les seigneurs frontaliers qui s'étaient enhardis à résister avaient été écrasés, mais ils étaient très rares. Les autres — presque tous — étaient à la botte de l'ennemi.

« A ce moment, certains des miens auraient bien fait demi-tour et suivi le mouvement. Je les obligeai à avancer par mes paroles, et, quand cela ne suffisait pas, du plat de mon épée. Notre seigneur avait besoin de nous plus que jamais. Allions-nous le trahir par notre lâcheté ?

Vadin lui mit un verre dans les mains. Elle but machinalement, sans savourer le vin au miel.

— Nous avons marché, reprit-elle. Même de nuit, avec Grandlune suspendue au-dessus de nous comme un œil dilaté, nous avons marché. Je perdis neuf hommes sur les trente que j'avais au départ. Peut-être qu'un ou deux étaient trop faibles pour soutenir le rythme que j'imposais. A minuit, cinq autres avaient disparu, égarés dans le noir, et nous approchions du lieu de rassemblement. Les routes étaient désertes. Nous étions seuls.

« Pourtant, quand nous sommes arrivés en vue du camp militaire, nous avons poussé un cri d'étonnement. Il était tout illuminé par les feux de l'armée, et en son centre, était planté l'étendard de notre seigneur. Tous les vassaux d'Yrian devaient s'être rassemblés autour de lui.

« Plus nous approchions, plus notre joie augmentait, car nous voyions d'autres bannières près de celle de notre seigneur. Le Seigneur Cassin était là, le Prince Kirlian aussi, et bien d'autres encore, trop nombreux pour les nommer. Pensant rejoindre un détachement, petit mais vaillant, nous nous trouvions devant une puissante armée. Quel que soit le nombre des ennemis, pensai-je à part moi, ils ne peuvent pas espérer vaincre des forces si importantes.

« Malgré ma fatigue, je marchais tête haute. Le roi lui-même allait peut-être venir et anéantir ses ennemis.

Elle pencha la tête sur son verre, à demi oublié dans sa main.

— Je chargeai mon sergent de trouver un emplacement de camp pour nos hommes, et, emmenant mon fils avec moi, je me dirigeai vers la tente de mon seigneur. Malgré l'heure tardive, je savais qu'il voudrait être informé de mon arrivée. Le Seigneur Yrian est sensible aux petites attentions.

« Comme je m'y attendais, il veillait encore, et sa tente était pleine à craquer de ses autres vassaux. Je vis le Seigneur Cassin et le Prince Kirlian dans sa célèbre armure d'or. Et…

Sa gorge se ferma. Elle fit un effort pour la rouvrir.

— Et je vis le Prince Moranden.

Le silence continua à vibrer comme après un carillon de cloches. C'était la nouvelle qui avait frappé au cœur le marché et le château.

Elle rejeta ses cheveux en arrière.

— Je vis le Prince Moranden. Il trônait comme un monarque, coiffé d'un casque couronné de roi, et mon seigneur Yrian s'inclinait devant lui.

« Ma vue se brouilla. J'étais venue pour combattre le rebelle. Maintenant, il était clair que je devais le suivre. Tout l'Ouest ne s'était-il pas soumis à son autorité ?

« J'aurais dû me retirer, aller chercher mes hommes et partir discrètement. Mais la prudence n'a jamais été mon fort. “Monseigneur, dis-je à celui qui avait reçu mon serment, avons-nous donc perdu un autre roi ?”

« Même alors, je pouvais encore m'échapper. J'étais près de l'ouverture de la tente. Mais mon fils était allé saluer un ami, un très jeune garçon que son père, aussi stupide que moi, avait amené avec lui à la guerre. Non loin d'eux se trouvait un de mes vieux ennemis. Dès qu'il entendit mes paroles, il s'empara de mon fils, ce qui revenait à s'emparer aussi de moi.

« Le Seigneur Yrian s'était retourné en m'entendant. Etrange, pensai-je, il n'a pas l'air d'un traître. “Ah, Dame Alidan ! s'écria-t-il. Tu arrives à propos. Vois, c'est le roi lui-même qui est venu pour nous guider.”

« J'enrageai d'entendre mes paroles déformées à ce

point et j'insistai. "J'avais entendu dire que le roi était jeune et étranger. Est-il mort ? Avons-nous un nouveau seigneur ?"

« "Voilà notre seul vrai roi", dit monseigneur Yrian, avec autant de révérence que s'il n'avait pas prêté serment au garçon d'Han-Ianon.

« Je regardai celui devant lequel il s'inclinait. Je connaissais le prince ; nous le connaissions tous. J'avais même soupiré pour lui autrefois, quand j'étais une jeune veuve, et qu'il se tenait près d'Yrian pour recevoir mon serment d'allégeance. Mais maintenant, il avait été exilé par un roi dont la justice était célèbre, il s'était révolté contre le successeur choisi par ce roi, et il y avait dans ses yeux quelque chose qui me déplaisait, malgré le sourire qu'il m'adressait. "Le vrai roi, dis-je. Peut-être. Je n'ai pas vu l'autre. Et il n'a pas déclaré la guerre à son propre peuple."

« "Il ne s'agit pas de guerre", dit-il en souriant. Oh, il était bel homme, et il le savait. "Je ne fais que revendiquer mes droits. Tu es très belle, Dame Alidan. Voudras-tu chevaucher à mon côté pour reprendre ce qui m'appartient ?"

« Entendons-nous bien : même dans le meilleur des cas, quand j'étais une vierge parée pour mes noces, je n'ai jamais été mieux que passable. Et ce soir-là, j'étais vêtue comme maintenant et d'humeur épouvantable en plus. J'étais tout sauf belle.

« Je le regardai dans les yeux, je sus qu'il mentait — et s'il mentait en cela, il mentait peut-être en tout. "Je crois, dis-je, que je vais décliner ta proposition. Tu pourras sans aucun doute trouver des femmes plus belles. Des femmes qui ne condamnent pas la trahison." Je ne saluai pas. "Bonsoir, monseigneur Yrian, messeigneurs. Bonne chance dans l'entreprise que vous avez choisie."

« Je me retournai pour sortir, mais on me barrait la route. Bien que pressée de toutes parts, je tentai de dégainer mon épée. Et je vis mon ennemi — puissent tous les dieux l'emporter dans leur enfer le plus profond ! — égorger mon fils de sa dague.

« J'avais mon épée à la main. Je crois en avoir marqué un ou deux avant qu'on me l'arrache. Un couteau me balafra la joue ; bien que inondée de sang, je tentai de reprendre mon arme. J'aurais peut-être réussi, ou je serais peut-être morte, si la voix tonnante du prince ne les avait pas fait reculer. Ils obéirent à regret, mais ils obéirent, comme tous les chiens doivent le faire. "Laissez-la partir", ordonna-t-il. Et comme ils protestaient, il leur fit honte. "Vous la craignez donc tant ? Ce n'est qu'une femme. Que peut-elle faire ? Désarmez-la et laissez-la partir."

« Naturellement, je n'avais plus mon épée. Ils me prirent ma dague. Ils ne me laissèrent pas approcher de mon fils, et ils refusèrent que j'aille retrouver mes hommes et ma monture. Seule et à pied, je repartis vers l'est.

« J'ai marché. Parfois, je dormais. J'ai rattrapé les fugitifs ; j'ai marché avec eux, puis je les ai dépassés. Je me suis abritée quand je pouvais, comme je pouvais, ne parlant à personne. Ma seule pensée était de rejoindre le roi.

« Un jour, j'ai trouvé de la nourriture et un lit dans une grange. Il y avait un senel, vieux mais robuste. Je l'ai volé. Il m'a permis de déjouer les poursuites et m'a amenée jusqu'ici. A la porte d'Han-Ianon, j'ai retrouvé la parole.

« "Moranden a franchi la frontière", ai-je dit aux gardes. "Tout l'ouest du pays s'est soulevé pour le suivre", ai-je crié au marché. "Bientôt, il marchera sur l'est, ai-je dit au château. Prenez les armes et luttez si vous aimez votre roi !"

Elle tourna la tête de droite et de gauche, les yeux flamboyants dans son visage défiguré.

— Et voilà qu'au conseil du roi je n'entends que des momeries teintées d'incrédulité. Nul doute que j'ai perdu l'esprit, me disent-ils. Il n'y a pas d'armée dans l'Ouest. Les seigneurs ne se sont pas retournés contre leur roi. J'hallucine, je mens. Je suis présomptueuse, et scandaleuse en plus, femme habillée en homme et montant un senel volé sans autre harnachement qu'un bout de corde. Mes divagations ne sont pas faites pour des oreilles royales.

— Est-ce exact ? demanda doucement Mirain.

Les anciens ouvrirent la bouche pour protester, mais, s'étranglant d'indignation, ne purent émettre un son.

Elle lui saisit le bras.

— Peut-être qu'ils t'écouteront, toi, dit-elle, avec un ardent espoir. Tu es un homme, tu as l'air censé. Oblige-les à écouter, ou tout Ianon est perdu !

— Je n'ai nul besoin de les contraindre.

Il la fixa dans les yeux, ajoutant :

— Je suis le roi.

Elle garda les mains sur son bras un long moment. Jusque-là, elle l'avait à peine regardé, ne voyant que sa douleur, sa rage et l'urgence de la situation. Elle s'efforça de concentrer sur lui ses yeux fatigués, pour qu'il devienne réalité, qu'il cesse de n'être qu'une oreille lui donnant du courage, et qu'il devienne le roi pour lequel elle avait tout perdu.

— Je t'ai cherché. Je t'ai cherché à travers tout ton royaume. Pour voir… si…

Sa voix mourut.

— Pour voir si je valais la peine que ton fils meure.

Elle ferma les yeux de douleur ; l'épuisement les maintint fermés, mais elle se força à les rouvrir. A sa consternation, elle se mit à rire. Elle se ressaisit sombrement.

— J'aurais dû le savoir, majesté.

Elle voulut s'agenouiller devant lui, mais il l'obligea à rester sur sa chaise. Sa force la surprit.

— Monseigneur…

— Tu es mon hôte ; tu n'as pas d'hommage à me

rendre. Viens. Tu as besoin de nourriture, de soins, de sommeil.

Elle se raidit pour lui résister.

— Je ne peux pas. Pas avant de savoir… Me crois-tu ?

— J'ai fait lever le ban. Quand Lumilune sera dans son plein, nous partirons en guerre.

Les anciens en restèrent bouche bée. Mirain et Alidan ne leur prêtèrent pas la moindre attention. Elle lui saisit les mains et les baisa l'une après l'autre, puis, lentement, très lentement, elle s'abandonna à la fatigue.

— Tu es mon roi, dit-elle, ou pensa, ou désira penser.

Son dernier souvenir fut le visage de Mirain, et sa main, chaude à brûler, sur sa joue déchirée.

CHAPITRE 20

Avant même le plein de Lumilune, les troupes levées par le roi commencèrent à affluer en ville et au château.

— Trois mille, estima Mirain, debout sur les remparts au même endroit que son grand-père.

Immobile au-dessus de la chaîne orientale, Lumilune était encore à deux jours de son plein. L'air sentait le gel, annonçant le long hiver du Nord. Il frissonna et resserra sa cape autour de lui.

Assise sur le parapet, Ymin improvisait une mélopée bizarre sur sa harpe. Derrière elle, Vadin, que l'attente énervait, faisait les cent pas.

— Trois mille, répéta-t-il, faisant écho au roi. C'est respectable en apparence. Mais ils devraient être deux fois plus nombreux.

— La rumeur en attribue encore plus à Moranden, dit Mirain, et prétend qu'il marche lentement vers l'est, pillant et brûlant tout sur son passage. Je ne peux pas demander aux seigneurs de laisser leurs terres sans protection.

Vadin aboya un bref éclat de rire.

— Tu ne peux pas ? Ils sont dans l'expectative. Moranden, ils le connaissent ; tout le monde ne l'aime pas, mais il est célèbre pour sa force. Tu es peut-être le roi légitime, mais tu n'as pas fait tes preuves, et tu n'es pas né ici. De cette façon, si tu gagnes, tous les petits barons mesquins pourront dire qu'ils t'ont aidé ; et si tu perds, ils pourront prétendre que tu les as forcés, montrant tous les hommes qu'ils ont gardés à la maison et se servant d'eux comme d'une menace en cas de discussion.

— Je ne forcerai personne à me suivre.

— Quand tu parles sur ce ton, murmura Ymin, je sais que tu as envie d'être contredit.

Mirain éclata de rire, mais répondit avec gravité.

— Je ne veux conduire personne à la guerre contre sa volonté. Mieux vaut trois mille hommes loyaux que vingt mille qui se retourneront contre moi à la première occasion.

— Tu es un rêveur, gronda Vadin.

— C'est certain. Mais je suis aussi un mage. Je rêve vrai.

— Un roi ne peut pas n'avoir que des amis.

— Il peut essayer. Il peut même être vraiment présomptueux, et rêver de gouverner un royaume plein d'amis.

— Est-il un homme qui puisse le faire ? demanda doucement Ymin, continuant à effleurer les cordes de sa harpe.

Le visage de Mirain était noyé dans l'ombre, mais la lune accrocha un reflet dans ses yeux.

— Quand j'ai été conçu, mon père a fait une prédiction à mon sujet. Quand j'aurais gagné le trône qui m'était destiné, j'arriverais à un carrefour de ma destinée. Soit je mourrais au sortir de ma jeunesse, passerais le royaume à mon meurtrier et serais oublié, soit je triompherais de lui et je tiendrais le monde entier dans ma main.

— Tu fais tout ce que tu peux pour réaliser la première partie de la prédiction.

— Je fais tout ce que je peux pour être fidèle à mon peuple et à moi-même.

— Surtout à toi-même, dit-elle.

Elle haussa les épaules.

— Tu es le roi. Tu fais ce que tu veux. Nous autres, nous ne pouvons que l'accepter, ou mourir en essayant.

— Tu parles comme mes conseillers. Ils sont horrifiés, non seulement que je pense à partir en guerre, mais aussi que j'aie levé des troupes sans les consulter. Pour les réduire au silence, j'ai dû invoquer ma dignité de roi. Maintenant, ils sont convaincus que je suis un futur tyran, et fou en plus.

— Je ne dirais pas que tu es un tyran. Et je ne te traiterais pas de fou. Pas précisément.

— Merci, dit-il, ironique.

Une quatrième silhouette vint les rejoindre. La lune éclaira une longue cicatrice pâle sur sa joue.

— Alidan, dit Mirain.

Elle s'inclina devant lui, puis s'avança vers le parapet, laissant sa cape ballonner autour d'elle. Elle avait choisi de porter une robe de femme, mais serrée à la taille dans un ceinturon avec épée et dague. Les seigneurs et les roturiers la regardaient de travers ; elle les ignorait, comme elle ignorait tout le monde, à part les trois personnes avec lesquelles elle se trouvait en ce moment.

— Regardez, dit-elle. Grandlune se lève.

Les Tours de l'Aube scintillaient, bleu pâle comme à travers une eau claire. Au-dessus d'elles, s'incurvait le grand arc de la lune, arche d'un bleu fantomatique qui éteignait les étoiles autour d'elle. Dans son plein, elle était éclatante ; si proche de la mort, elle ressemblait à un grand œil malade qui foudroyait la Vallée de Ianon.

Alidan lui tourna le dos, présentant son visage au vent. Machinalement, elle porta la main à sa joue.

— On dit, monseigneur, que tu as des pouvoirs, dit-elle. Un pouvoir. Que tu sais tout ce qui est caché. Que tu peux faire descendre le feu du ciel. Pourquoi n'anéantis-tu pas tes ennemis et qu'on en finisse ?

Un reflet lui fit baisser les yeux. Grandlune brilla

dans la main de Mirain, le feu du Soleil devenu bleu-blanc. Une ombre le couvrit, son poing se refermant. Il parla dans la nuit, d'une voix douce et étrange, comme s'il n'était pas vraiment là, de très loin et en rêve.

— Le pouvoir que j'ai, je le tiens de mon père, qui m'en a fait don. Pour connaître, agir et guérir ; gouverner peut-être. Le feu lui appartient.

Elle l'entendit à peine.

— Si tu les écrasais maintenant, tu conserverais ton royaume et la vie de tes sujets. Ianon serait de nouveau libre.

— Ianon ne serait pas libre. Dix mille hommes seraient morts, et je n'aurais toujours pas prévalu.

Alidan étrécit les yeux pour voir son visage. Malgré ses efforts, elle ne vit qu'une tache noire et floue se détachant sur la pénombre, et dessinant vaguement son profil.

— C'est un immense gaspillage que cette guerre. Tu n'as même pas besoin de détruire l'armée ennemie, seulement les chefs. Tu répandrais certainement plus de sang en leur faisant la guerre.

— Je ne peux pas utiliser mon pouvoir pour détruire.

— Tu ne peux pas ou tu ne veux pas ?

Il garda le silence un long moment. Il pensait sans doute à Umijan, et à un homme qui était mort, attiré vers une lame qui lui était destinée. Il dit enfin :

— C'est une guerre ancienne, entre mon père et sa sœur. Sa victoire à lui est la vie. Sa victoire à elle est la destruction. Si j'utilisais le don qu'il m'a fait pour anéantir tous mes adversaires, je ne ferais que servir son ennemie.

— Mort par le feu, mort par l'épée, quelle différence y a-t-il ? C'est toujours la mort.

— Non, dit Mirain. Contre le feu, rien de mortel ne peut prévaloir. Et je suis à demi mortel. Je vaincrais mes ennemis, mais je serais réduit en cendres, et mon âme appartiendrait à la déesse.

Il poursuivit, d'un ton ironique mais étrangement lointain :

— Vois-tu, avant tout, je pense à ma propre sécurité. C'est la loi de mon père. Pour les œuvres de lumière, je peux faire tout ce que ma volonté et mes forces me permettent. Mais si je me tourne vers la nuit, c'est moi qui serai détruit.

— Et si cela arrive…

— Si cela arrive, le Fils du Soleil ne sera plus, et la déesse aura gagné cette bataille dans cette interminable guerre. Car je ne suis pas seulement le fils du dieu qui m'a fait roi, je suis aussi son arme. L'Epée d'Avaryan, forgée contre la Nuit.

Alidan frissonna. La voix était calme, voix de jeune homme, à peine l'aîné du fils qu'elle avait perdu, mais ce calme même était terrifiant. De la main, elle chercha son bras à tâtons ; il était rigide sous la cape.

— Monseigneur. Mon pauvre roi.

— *Pauvre ?*

Le mot remonta des profondeurs de la gorge de Mirain et pourtant il la réconforta. Car ce grondement était totalement humain, arraché aux lointains qui l'emprisonnaient.

— Pauvre, dis-tu ? Oserais-tu t'apitoyer sur moi ?

— Il ne s'agit pas de pitié, mais de compassion. Porter un tel fardeau, un tel destin, une telle divinité ! Et pour quoi ? Pourquoi toi ? Laisse ton père livrer ses propres batailles.

Ces paroles étaient hérétiques, et certainement blasphématoires. Et il était prêtre. Mais l'ombre qu'était sa tête se courba ; sa réponse fut encore plus douce que les paroles précédentes.

— Je le lui ai demandé. Souvent. Trop souvent. S'il répond jamais, ce n'est en vérité pas une réponse ; il dit que c'est sa volonté et qu'il s'agit de mon royaume. Et que même les dieux doivent obéir aux lois qu'ils ont faites.

— Comme le doivent les rois, dit Ymin.

Ce n'était pas une question.

— Comme le doivent les rois.

Un son échappa à ses lèvres. Peut-être un rire. Peut-être un sanglot.

— Et voici la première de toutes les lois : Que rien ne te vienne facilement. Que tout homme lutte pour ce qu'il est. Sans transgresser aucune des autres lois.

— Ce qui, naturellement, en rendant la lutte plus difficile, renforce la première loi, dit-elle.

— L'univers parfait, jusque dans ses imperfections.

Mirain resserra sa cape autour de lui.

— Il fait froid sur les remparts.

— Même pour toi ? demanda Alidan.

— Surtout pour moi.

Il tourna le dos au parapet.

— Descendrons-nous ?

Dix écuyers du roi partiraient à la guerre avec lui, avec Adjan à leur tête, pour s'assurer qu'ils ne feraient pas honte à son enseignement. Les élus, encore accablés de cet honneur et de la terreur qu'il suscitait en eux, s'étaient vu accorder une soirée de permission.

— Sortez, avait grogné Adjan, et laissez les autres tranquilles. Mais tenez-vous bien, et rentrez au point du jour. Les retardataires resteront en arrière.

Ils virent Vadin quand il entra à la taverne pour voir Ledi, et ils avaient déjà trop bu pour se rappeler qu'il les intimidait.

— Bois un coup avec nous, supplia Olvan, lui mettant sa chope dans la main sans réaliser qu'il en renversait sur la table. Juste un. Ça te fera du bien. Ça te réchauffera le sang, termina-t-il avec un clin d'œil appuyé.

Vadin voulut refuser, mais Ayan lui tenait l'autre main, et ils le suppliaient tous de rester. D'ailleurs, il ne voyait pas Ledi dans la salle bondée et bruyante. Quelqu'un le tira sur le banc ; il céda à l'inévitable et but d'un trait ce qui restait dans la chope. Ils acclamèrent. Il s'aperçut qu'il souriait. Il avait retrouvé sa Ledi, dans un moment il monterait la voir, et ses amis s'étaient rappelé leur amitié.

Pourtant, ce n'était plus pareil. Avec Ledi, c'était mieux. Plus profond, plus doux. Parfois, au plus fort de l'amour, il avait l'impression de voir son âme, qui était comme un verre empli de lumière, d'une beauté inexprimable. Mais écrasé entre ces jeunes gens turbulents, étourdi par les fumées du vin, de la bière et du tabac, il ne pensait qu'à s'esquiver. Non qu'il eût de l'aversion pour aucun de ses compagnons. Certains même, il avait failli les aimer. C'était seulement... il les trouvait puérils, comme des enfants qui jouent aux grandes personnes. Ils ne pensaient donc jamais qu'ils seraient totalement malheureux le matin venu ?

Il sourit, dorlota une chope en attendant que Ledi le voie. Les autres devenaient très tapageurs. Tapant des talons et des mains, Nuran exécuta une danse de guerre sur la table.

Soudain, Olvan poussa un cri. Nuran perdit le rythme et s'écroula en riant sur une rangée de genoux. Olvan le remplaça d'un bond.

— Ecoutez tous !

Il avait la voix forte et le don de l'éloquence. Le silence se fit, et pas seulement parmi les écuyers, mais aussi dans une grande partie de la salle.

— Sommes-nous les hommes du roi ?

— Oui ! hurlèrent les assistants.

— Allons-nous combattre pour lui ? Allons-nous tuer le traître ? Allons-nous l'affermir sur son trône ?

— *Oui !*

— Alors, écoutez-moi.

Il mit un genou en terre, ou plutôt sur la table, et baissa la voix.

— Alors, nous devons lui montrer notre loyalisme. Faisons quelque chose qui prouvera à tout Ianon que nous sommes à lui.

Le martèlement des poings fit trembler la lourde table sur ses pieds.

— *Tout* Ianon ! hurla joyeusement le chœur des écuyers.

Mais Ayan fronça les sourcils.

— Qu'est-ce qu'on peut faire ? Nous arborons déjà ses couleurs. Il nous a donné son nouveau blason, le badge du Soleil que nous portons tous sur notre cape. Nous chevaucherons avec lui, nous le servirons, et nous prendrons soin de ses armes. Que pouvons-nous faire d'autre ?

— Quoi d'autre ? s'écria Olvan. Mille choses, mon amour. Mais une suffira. Montrons-lui à quel point nous l'aimons. Faisons-lui le sacrifice de notre barbe.

Les mâchoires s'affaissèrent.

— Sacrifier notre…

Ayan s'interrompit. Il caressa le duvet clairsemé qui avait lutté si dur et si longtemps pour pousser.

— Olvan, tu es fou.

— Je suis l'homme de mon roi. Qui a du courage ? Qui me suivra ?

— Toutes les filles vont se moquer de nous, dit Suvin.

— Elles ne se moquent pas du roi.

Nuran frappa dans ses mains.

— Je suis avec toi. Qui a un couteau bien aiguisé ?

L'un tombé, tous les autres dégringolèrent après lui, Ayan, le dernier, hésita et céda uniquement par amour pour Olvan. Vadin ne dit rien, et ils ne lui demandèrent pas de les imiter. Quand ils sortirent en courant dans la cour, pour tirer de l'eau, demandant à grands cris des lampes et de la mousse à laver, il suivit en silence, entouré d'un cercle de braillards.

Olvan se rasa le premier, Ayan ensuite, de l'air d'un condamné approchant du billot. Kav, qui avait la main plus sûre, mania le couteau, transformant les amants en étrangers. Ayan était joli comme une fille. Olvan, carré, solide et barbu jusqu'aux yeux, avait dessous un beau visage énergique. Ayan le regarda, ne le reconnut pas, et eut aussitôt le coup de foudre.

Les autres se bousculèrent pour aller au sacrifice. Kav rasa Nuran, puis se couvrit d'eau et de mousse. Sa barbe était déjà celle d'un homme, épaisse et entrelacée de cuivre ; tous rugirent quand elle tomba. Il rugit en retour. Nuran l'avait coupé.

— Du sang pour les dieux ! glapit quelqu'un.

Vadin frissonna. Ils se tournaient vers lui.

— Ho, l'homme du roi ! Entre dans notre confrérie !

Maintenant, d'autres se rasaient la barbe, transformant cette plaisanterie en un noble sacrifice, cent victimes jonchant déjà un autel que personne ne pouvait voir. Soûls comme ils l'étaient, ce serait un miracle qu'on n'en trouve pas un égorgé au matin.

Vadin se raidit contre les mains qui se refermaient sur ses bras.

— Non, dit-il. Assez, c'est assez. Il connaît mon esprit. Je n'ai pas besoin…

Ils rirent, mais leurs yeux luisaient. Ils étaient nombreux, et ils étaient forts. La bière les excitait, les rendait cruels.

— Allez, mon gars. Tu seras notre capitaine. N'es-tu pas celui pour qui le roi a pleuré ? N'es-tu pas celui qu'il aime ?

Il se débattit. Ils rirent. Il jura. Ils le couchèrent par terre et s'assirent sur lui. Kav leva son couteau, aiguisé de frais, scintillant. Vadin s'immobilisa.

— Non, Kav, dit-il.

Son vieil ami le regarda avec un visage étranger. Kav ne sortait pas avantagé du sacrifice ; sans sa barbe magnifique, il était encore moins beau qu'avant, grande brute au menton proéminent comme un bloc de granit. Il se baissa, posa la lame contre la joue de Vadin, si froide qu'elle brûlait. Vadin serra les dents.

Aboyant un éclat de rire, Kav passa le couteau à sa ceinture.

— Laissez-le partir, dit-il, et il le répéta jusqu'à ce qu'ils obéissent en grommelant.

Vadin se leva avec raideur, ménageant un genou contusionné. Les écuyers avaient reculé. Maintenant, ils savaient tous ce que Vadin avait su dès qu'il s'était assis parmi eux. Il n'était plus des leurs. Ils avaient choisi d'être les hommes du roi ; Vadin était totalement à Mirain, contre sa volonté, mais corps et âme. Il inclina la tête devant Kav, lui fit même un sourire, et s'éloigna. Ils n'essayèrent pas de le retenir.

La vieille gardienne du rideau prit la pièce de Vadin, mais ne s'écarta pas pour le laisser passer. Elle le scruta comme un étranger.

— Qui ça sera ?

Il fronça les sourcils. De toutes les nuits où Kondyi pouvait devenir sénile, elle avait choisi celle-là.

— Qu'est-ce que tu crois ? Ledi, évidemment.

— Tu ne peux pas l'avoir.

— Qu'est-ce que tu veux dire, je ne peux pas l'avoir ? Elle m'a promis de réserver sa nuit pour moi.

— Tu peux pas l'avoir, répéta Kondyi. Elle est partie. Un homme est venu l'acheter. Il l'a payée un soleil d'or.

Vadin avait envie de hurler. Il traîna la mégère par le cou, la secouant à la faire glapir de terreur.

— Qui ? *Qui ?* Par tous les dieux, je le tuerai !

Elle ne voulut pas le lui dire. Elle ne le pouvait peut-être pas. Si elle feignait au début d'être devenue gâteuse, le traitement qu'il lui fit subir l'amena à un cheveu de le devenir ; recroquevillée sur elle-même, elle geignait et le suppliait de s'en aller. Enfin le tavernier les rejoignit, accompagné d'un autre homme, et Vadin retrouva un peu de bon sens. Il tourna les talons en jurant et plongea dans la nuit.

La porte extérieure de Mirain était fermée, la porte intérieure barrée. Heureux homme. Il était avec son élue, elle l'aimait, elle lui appartenait, et personne ne pouvait l'acheter. S'éloignant de la barrière qui semblait le railler, il entra dans l'obscurité de sa chambre, se débarrassant tout en marchant de ses beaux atours. Il les avait revêtus joyeusement quelques heures plus tôt, pensant à Ledi, qui le regarderait en souriant et déclarerait qu'il était le plus beau de ses amants ; puis ils transformeraient en jeu le déshabillage.

Il trébucha. Un juron lui échappa. Il avait oublié le tas de bagages posé à la porte, attendant le matin. Il l'écarta d'un coup de pied, jura une fois de plus quand son genou froissé protesta. Il était dangereusement proche des larmes.

Quelque chose bruissa dans le noir. Il se pétrifia, portant la main à son épée, corps et esprit soudain figés. La lame quitta le fourreau en sifflant.

Une étincelle devint une flamme, tremblotant dans la lampe près de son lit. Ledi cligna des yeux, voyant une arme au bout d'une longue traînée d'ornements scintillants. Elle était nue comme au jour de sa naissance, à part un collier de perles, bleues comme des fleurs célestes. Elle se leva et l'embrassa, épée et tout.

— Pauvre amour, tu me cherchais ? J'ai essayé de t'envoyer un message, mais d'abord je n'ai pas eu le temps, et après tu étais parti et on ne m'a pas laissée faire.

Il plongea son visage dans la douceur de ses cheveux.

— Kondyi — que le diable l'emporte — Kondyi disait que tu étais vendue.

— C'est vrai.

Il se redressa brusquement ; elle sourit, radieuse.

— Oui, Vadin. Un homme est venu avec de l'or ; Kondyi et Hodan ont marchandé, mais ils ont fini par accepter sa proposition. Moi, je me suis débattue, j'ai crié et je les ai maudits. Mais qu'est-ce que je pouvais faire ? Je n'étais qu'une esclave, après tout. Alors, l'homme m'a emmenée ; il était très gentil et nous ne sommes pas allés loin. Seulement jusqu'au château. Je commençais à avoir peur. L'homme m'a laissée dans une pièce pleine de femmes très dédaigneuses ; elles avaient toutes des airs de reines, et pourtant elles m'ont dit qu'elles étaient des servantes. Elles m'ont obligée à me laver partout, puis elles ont cherché si j'avais de la vermine et pire encore, et je commençais à en avoir assez.

Vadin rengaina machinalement, jeta épée et ceinturon sur ses bagages, laissa Ledi le traîner vers le lit et s'asseoir sur ses genoux. Elle lui embrassa la poitrine à l'endroit du cœur, et soupira.

— Bien sûr, je savais pour quoi elles me prenaient. Une putain ordinaire.

Elle lui posa les doigts sur les lèvres pour arrêter ses protestations.

— C'est ce que j'étais, mon amour, mais j'essayais d'être une catin propre, et je n'acceptais pas tous les hommes qui me demandaient. Maintenant, m'ont dit les femmes, je devais apprendre d'autres manières. Je n'avais pas été achetée pour faire mon métier au château.

Elle se tut un moment. A la fin, Vadin ne supporta plus ce silence.

— Et pour quoi donc t'a-t-on achetée ?

— Elles n'ont pas voulu me le dire. Pendant un bon moment. Elles m'ont montré des choses. Comment m'habiller, et elles m'ont donné de belles robes pour m'exercer. Comment coiffer mes cheveux. Comme si je ne savais pas tout ça ! Mais ici, c'était différent. Elles m'ont montré comment avoir l'air d'une dame. Et comment en servir une. Une très grande dame, Vadin. Tu connais la Princesse Shirani ?

— Evidemment, dit-il. C'est l'une des servantes du roi.

— Je sais. Elle l'aime à la folie. Pauvre petite, son père le Prince Kirlian fait partie des rebelles, elle ne vit que pour un regard du roi, et elle est sûre qu'elle mourra parce qu'elle est la fille d'un traître. Je lui ai dit de ne pas avoir peur. Le roi sait qui est fidèle et qui ne l'est pas.

— Mais comment se fait-il que Shirani t'ait achetée ? Un homme, je comprendrais ; tu es célèbre. Mais une princesse vierge…

Ledi éclata de rire.

— Bien sûr qu'elle ne m'a pas achetée. Je suis un cadeau. Je l'ai appris après, tu comprends. Une femme est entrée et a demandé à la princesse si je ferais l'affaire, et elle, la pauvre enfant, a dit que j'étais parfaite. La femme n'a pas eu l'air amusée. Elle m'a dit qu'on me réclamait ailleurs, et que je devais faire attention à mes manières. J'avais bien envie de me montrer telle qu'elle me croyait, vulgaire, mais je n'ai pas voulu faire ça devant ma nouvelle maîtresse. J'ai pris mon air le plus distingué et j'ai suivi la femme.

Elle se remit à rire.

— C'était merveilleux et j'étais terrifiée. Elle m'a amenée à un homme, qui m'a amenée à un garçon, qui m'a amenée au roi. Il était debout devant une douzaine de seigneurs, et il m'a embrassée comme si j'avais été sa parente, en me demandant si j'aimais mon nouvel état. Alors il m'a dit… Vadin, il m'a dit que j'étais libre. Je pouvais servir la princesse si ça me plaisait, mais je pouvais aller ailleurs si je voulais, et il me donnerait tout ce qu'il me faudrait. Il a dit : “Je le pense. Tout ce qu'il te faudra.” Alors j'ai dit… j'ai dit que j'étais heureuse, si seulement il me laissait te voir. Il a dit que je pouvais te voir autant que je voulais. Puis il m'a embrassée et il m'a renvoyée.

Vadin avait le souffle coupé. Mirain l'avait achetée. Elle était libre. La liberté du roi pouvait élever une femme de l'état d'esclave à celui de reine. Non que Mirain eût élevé Ledi aussi haut ; elle ne l'aurait pas supporté, et Vadin n'était pas prince. Seulement le serviteur d'un roi, comme Ledi était la servante d'une princesse.

Son silence la troubla. Elle leva la tête de sa poitrine, le visage craintif, prête au pire.

— Tu n'es pas content. Tu as tes femmes ici. Moi j'étais pour tes nuits en ville, quand tu avais envie d'un visage neuf et d'amour vénal ; de quelqu'un que tu pouvais laisser quand tu voulais et oublier quand ça te plaisait. Je m'en irai si tu l'exiges, monseigneur. Je ne te harcèlerai pas.

Il resserra ses bras autour d'elle et la foudroya du regard. Elle avait les yeux dilatés, fixes, retenant leurs larmes.

— C'est ça que tu veux ? T'en aller ?

— Je ne resterai pas si tu ne veux pas de moi.

— Il t'a achetée pour moi, tu le sais, dit Vadin. Il savait que je n'accepterais jamais un cadeau de sa main. Alors il t'a affranchie et t'a mise au service de Shirani, et il t'a laissée décider si tu voulais de moi. Rusée canaille.

— Il est le roi.

Une reine n'aurait pas pu le dire avec plus de calme et plus de conviction.

— C'est vrai, acquiesça Vadin. Ça ne l'empêche pas d'être machiavélique. Et il te porte aux nues.

Cela la remplit de confusion ; Vadin l'embrassa.

— Ledi, mon amour, nous ferions bien d'être prudents, ou il ne se contentera pas de nous voir coucher ensemble ; il voudra nous marier.

— Oh, non, ce n'est pas possible. Tu es un seigneur, un champion, et l'ami du roi. Tandis que moi…

— Tu es une dame, tu es sage et tu es l'amie du roi. Ne vois-tu pas comment fonctionne sa pensée ? Si j'étais parvenu à économiser assez pour acheter ta liberté, tu ne serais qu'une affranchie. Mais comme c'est lui qui t'a achetée, tu pourras avoir le rang qu'il décidera. Et parmi les femmes libres, uniquement celles du plus haut lignage peuvent servir une princesse.

— Oh, s'écria-t-elle, il est vraiment pervers !

Son sourire à elle ne l'était pas moins.

— Dis-moi, monseigneur, est-ce qu'une femme noble peut prendre ses ébats avec un homme qui n'est pas son mari ?

— Ce n'est pas universellement approuvé, mais ça se rencontre.

— Je ne suis pas universellement approuvée non plus. Et je n'ai pas l'intention de l'être. Tu es prévenu, Vadin.

— Parfaitement prévenu.

Ses yeux ne quittaient pas son corps nu, et son esprit non plus. Elle l'allongea d'une poussée. Il sourit ; elle joua avec la barbe qu'il avait bien failli perdre.

— Je suppose, dit-il, que je vais être obligé de te supplier pour conserver tes faveurs.

— Peut-être, dit-elle, se blottissant contre lui. Et peut-être pas. Je n'ai jamais été une bonne catin. Je choisissais mes amants plus pour l'amour que pour l'argent, et bien des nuits, je ne travaillais pas du tout.

— Mais quand tu travaillais, ah !

Son souffle s'arrêta dans sa gorge quand elle lui fit une caresse coquine.

— Sorcière.

— Bel enfant, dit-elle, elle qui n'avait qu'une saison de plus que lui.

Il sourit de toutes ses dents ; elle rit et poursuivit ses sortilèges.

— Mirain !

Ce cri leur réchauffait le cœur dans la fraîcheur de l'aube, l'armée remontant la Vallée dans un flot continu d'hommes et de bêtes, de fourgons et de chariots, entre deux haies de gens venus les voir partir, femmes, enfants et vieillards, domestiques et gardiens, et aussi les anciens qui gouverneraient le royaume en l'absence de Mirain. « Mirain ! » criaient-ils, soit en chœur, soit en ordre dispersé. Et quand la cohue prit la forme d'une armée, un nouveau cri sortit des poitrines, roulant comme un battement de tambours.

— An-Sh'Endor ! An-Sh'Endor !

De l'intérieur des murs, il résonnait comme le rugissement de la mer. Vadin, tiré de mauvaise grâce de son lit bien chaud, resserra d'un coup sec et superflu la sangle de Rami. Sous ses yeux pleins de reproches, il se fit l'effet d'un monstre. Il se mit en selle aussi doucement que possible et regarda autour de lui. Imbécile ; Ledi n'était pas venue assister à son départ. Elle avait une princesse à servir, et elle détestait les adieux. Elle ne voulait même pas admettre qu'il pourrait ne pas revenir. Mais elle l'avait habillé et armé, et elle avait natté ses cheveux pour la guerre, puis lui avait donné un souvenir : un baiser long comme l'éternité et pourtant beaucoup trop court. Les lèvres l'en brûlaient encore.

Il l'écarta résolument de son esprit, afin de n'être pas tenté de tout abandonner pour courir dans ses bras. Le Fou était infernal, agaçant le destrier sévèrement harnaché d'Adjan par sa liberté qu'aucun mors ne bridait. Il avait déjà lancé une ruade à un palefrenier, qui avait eu la présomption de vouloir lui passer un licol.

Enfin Mirain apparut, rayonnant et exalté après ses prières dans le temple, tout d'écarlate et d'or vêtu, flamme vivante dans l'aube naissante. A sa vue, des cris s'élevèrent parmi son escorte et les quelques citoyens attardés à l'intérieur des remparts, écho assourdi des acclamations extérieures. Il les gratifia d'un sourire, avançant à grands pas vers son senel, mais s'arrêtant devant ses écuyers. Ils avaient l'air d'une bande de chiens battus, épuisés par leur nuit de débauche, leur peau lamentablement nue exposée à tous les regards. Vadin avait entendu la fin du discours que leur avait fait Adjan à la suite de leur folie, et il était cinglant.

Mais sous le regard de Mirain, ils se redressèrent. Ils relevèrent la tête. Leur regard s'affermit, leurs yeux brillèrent. Quand il les salua, avec une nuance d'ironie assurément, mais plus qu'une nuance de respect, ils semblèrent prêts à exploser d'amour et de fierté.

Mirain se remit en marche dans un éblouissement d'écarlate, sauta sur le dos du Fou. La porte s'ouvrit. Le vent matinal s'y engouffra, chargé des vivats de la foule. Mirain sortit, et Vadin leva sa nouvelle bannière, soleil d'or sur champ de gueules. Les acclamations devinrent frénétiques.

Arrivé en terrain plat après la pente abrupte descendant du château, Mirain fit pivoter le Fou et tira son épée qu'il fit tournoyer au-dessus de sa tête. Tout le long de la colonne, des étincelles jaillirent, épées et lances brandies en réponse. Une trompe sonna. Dans le claquement des sabots et le roulement des fourgons et des chariots, l'armée s'ébranla.

— Maintenant il est dans son élément, dit Ymin.

Elle chevauchait à l'avant-garde, avec Vadin, Alidan et le savant d'Anshan, sa harpe sur l'épaule et sans arme au côté. Ses yeux ne quittaient pas Mirain, à présent loin en arrière au milieu des fantassins. Il avait attaché son casque à l'arçon de sa selle ; elle vit l'éclair de ses dents blanches comme il riait de quelque plaisanterie.

— C'est un meneur d'hommes né, dit Vadin. Est-il aussi un général, c'est ce qui reste à voir.

— Il le sera.

Alidan remua sur sa selle. Son étalon rongeait son frein ; elle lui lâcha un peu la bride jusqu'à ce qu'il se remette au pas.

— Il peut choisir d'être n'importe quoi.

— N'oubliez pas qu'il a été entraîné à Han-Gilen, dit Obri le chroniqueur. Les gens des Cent Royaumes ne sont peut-être pas des durs comme ceux du Nord, mais ils engendrent de fameux chefs. J'ai toujours pensé qu'une armée du Nord avec un général du Sud formeraient une combinaison invincible.

— Il n'est pas du Sud ! s'écria Alidan.

— C'est l'enfant de Sanelin, et notre roi.

Le visage d'Alidan ne s'adoucit pas. Ymin lui sourit.

— Et toi, Dame Alidan, tu es sa plus loyale adoratrice.

Vadin fronça les sourcils.

— C'est ce genre de discours qu'il veut désespérément éviter. Continuez comme ça, et il se fera tuer juste pour prouver qu'il est mortel.

— Oh, mortel, il ne l'est pas.

Alidan les quitta, galopant devant eux sur la route déserte.

CHAPITRE 21

L'armée avançait à un rythme régulier, entre des champs que les paysans se préparaient à moissonner. C'étaient les femmes et les enfants, les vieillards et les infirmes, plus quelques hommes — très peu — en âge d'aller à la guerre qui gardaient leurs armes à portée de la main. Ils s'arrêtaient pour regarder passer la colonne, s'inclinant très bas devant la silhouette éclatante du roi.

Pourtant, le poison s'était répandu jusqu'au cœur de Ianon. Un jour, dans un champ, au milieu des paysans inclinés, quelqu'un cria :

— Imposteur ! Bâtard de prêtresse !

Une compagnie entière quitta les rangs en grondant. Talonnant le Fou, Mirain leur barra la route et les força à reprendre leur place dans la colonne. Il arrêta son étalon devant eux, les yeux flamboyants.

— Nous allons combattre des paysans ou des guerriers ? L'ennemi est plus loin. Gardez votre courroux pour lui.

Le Fou s'élança.

— En avant vers les Marches !

Les Tours de l'Aube se dressèrent devant eux, et passèrent. Certains avaient fait cette route sous le commandement de Moranden, partant pour une guerre qui était un faux-semblant ; pas celle-ci. Plus loin, ondulaient les vertes collines d'Arkhan, et le fief de Medras et les eaux glacées de l'Ilien avec ses affluents comme des bras grands ouverts : l'Amilien qui coulait dans la faille du Col du Soleil et s'enfonçait dans les monts orientaux, et l'Umilien dont les flots sombres et profonds s'engageaient dans le labyrinthe du Col de la Nuit, au sud et à l'est de Ianon. Mais Mirain tourna vers l'ouest après le confluent et traversa les fjords pour entrer dans Yrios.

Là, ils virent enfin les traces de l'ennemi, terribles et implacables. Les champs étaient noirs et calcinés, les fermes n'étaient plus que ruines. Les villages étaient peuplés de morts. On aurait dit que le feu s'était propagé en ligne droite dans les collines, détruisant tout sur son passage, s'arrêtant net là où s'achevait la plaine. Il ne restait ni homme ni bête, et en fait d'oiseaux, seulement les charognards qui festoyaient de ce qu'avait laissé le feu.

— Ça remonte à des jours, dit Vadin, réprimant un haut-le-cœur, arrêté près d'un tas de cendres qui avait été une étable.

La puanteur de la fumée, forte mais éventée, le prenait à la gorge ; les cendres étaient froides. Mirain avançait au milieu des ruines, indifférent à la suie qui noircissait sa cape, le regard étrange, comme aveugle.

— Quatre jours, dit-il.

Son pied effleura une forme blanc grisâtre : l'arche d'une côte, un petit crâne humain. Il le souleva tendrement, mais il s'effrita entre ses doigts. Il le lâcha avec un son étranglé qui ressemblait à un sanglot. Il fit demi-tour. Il y avait des larmes sur ses joues, et de la fureur dans ses yeux.

— Tout ce pays est couvert d'une ombre. Je n'y trouve aucun signe de mon ennemie. Mais elle est là. Par son absence même, je la trouverai.

— Elle ? s'étonna Kav, qui était tout près, échangeant un regard avec Vadin.

Mirain l'entendit.

— La déesse, dit-il sur le ton de la malédiction.

Venez. En avant. Avant que d'autres de mes sujets ne meurent pour la nourrir !

Dépassant l'endroit du crâne, il dirigea l'armée vers le Nord-ouest, suivant la large route des destructions. Elle semblait ne pas avoir de fin. Les maraudeurs n'avaient pas tout brûlé ; par endroits, les moissons étaient couchées, comme piétinées par leur passage, et au milieu se dressaient parfois des ruines et des vergers aux arbres abattus, leurs fruits emportés ou écrasés, enfoncés dans le sol à coups de talons.

— Impossible de reconnaître ici le passage d'un roi venu revendiquer son trône, dit Alidan, la voix durcie par l'horreur. Comment espère-t-il régner s'il détruit tout derrière lui ? Il doit être fou.

Le soleil se couchait, la nuit tombait ; ils avaient dressé leur camp sur la rive orientale de l'Ilien, à bonne distance d'un village de cadavres. Sans y être conviés, Alidan, Ymin et Obri s'étaient rendus dans la tente de Mirain, où ils avaient trouvé Vadin, comme d'habitude, Adjan, un ou deux capitaines, et le robuste Prince Mehtar, qui avait offert sa fille au roi. Assis au fond et à l'écart, Mirain fermait les yeux, donnant l'impression qu'il aurait préféré être seul.

Ce fut le Prince Mehtar qui répondit à la remarque d'Alidan.

— Pas fou. Provocateur. Il nous dit par là : "Venez, suivez-moi, voyez ce qui vous arrivera quand vous me rattraperez."

— Mais massacrer des innocents — ses propres sujets...

— Bien sûr que c'est dur à supporter, Dame Alidan, dit Mehtar. La guerre n'est pas faite pour les femmes.

Elle fit mine de se lever ; au prix d'un gros effort, elle se rassit, gardant pourtant la main sur la garde de son épée.

— Un bandit montagnard emporte tout ce qu'il peut et détruit le reste. Mais un homme qui agirait en roi devrait protéger ses terres et ses sujets, et réserver ses forces pour l'ennemi.

Mirain remua sur son siège, attirant sur lui tous les regards.

— Moranden agirait en roi. Mais vous oubliez sa mère et celle qu'elle sert. Elles se soucient peu des gens du commun, sauf comme objets de sacrifice. Ce n'est pas lui qui commande, mais elles.

— Comment le sais-tu ? demanda Mehtar.

Mirain le regarda. Le prince était grand et autoritaire, et, bien que respectueux du rang et du lignage de Mirain, enclin à voir en lui le frêle jeune homme plutôt que le roi. Sous son regard appuyé, il n'insista pas.

— Je le sais, dit Mirain. Je crois...

Il choisit ses mots avec soin, comme s'ils lui écorchaient la bouche, mais qu'il ne pût pas s'empêcher de les prononcer.

— Je le hais pour ce qu'il a fait. Et pourtant, j'ai pitié de lui. Être condamné à cela, à voir son pays dévasté sans avoir le pouvoir de l'empêcher — c'est une souffrance que je ne souhaite à personne.

Sentimental, dirent clairement les yeux de Mehtar, quoique sa langue se tût.

— Cela changerait-il quelque chose si je rageais devant vous en réclamant son sang à grands cris ?

Mehtar continua à garder le silence. Malgré l'encombrement de la tente, Mirain se leva et se mit à faire les cent pas. Puis, sous les yeux étonnés des assistants silencieux, il contourna la toile et sortit. Au bout d'un moment, Ymin le suivit.

Il était resté près de la tente, mais l'air lui rafraîchissait le visage. Elle vit ses gardes, deux de ses fiers écuyers rasés, mais ils se tenaient à l'écart, dans l'ombre. Mirain était quasiment seul.

Il prit une profonde inspiration. Sa tente était dressée sur une colline ; tout autour brillaient les feux de camp. Lumilune descendante mais encore vigoureuse, l'air sentait la gelée. Grandlune ne se lèverait pas avant l'aube, étant proche de sa disparition, moment où la déesse était le plus puissante. C'était son jour sacré, comme le plein de Lumilune marquait l'apogée de la puissance d'Avaryan.

Il frissonna. Il n'avait pas froid physiquement ; sa cape était doublée de fourrure, et il était chaudement vêtu dessous. Ymin s'approcha, tout près mais sans le toucher, le visage tourné vers les étoiles. Elle avait une conscience aiguë de ses yeux fixés sur elle ; elle le laissa la regarder à son aise, sachant que c'était un réconfort pour lui.

Il réprima un éclat de rire. Elle se tourna vers lui, formulant mentalement une question. Au bout d'un moment, il y répondit.

— Me voilà dans ce camp, terrorisé par ma destinée, et toutes mes craintes se calment dans la contemplation d'un visage de femme. Il semble que je sois un homme, après tout.

— En as-tu jamais douté ?

— Non, dit-il. Non. Mais cela trahit une tendance à perdre la tête.

— Puisque tu en ressens le besoin, approchons-nous d'un feu, dit-elle. Alors, tu pourras me contempler tout ton soûl, et je te rendrai la pareille.

— *Moi*, je ne suis guère intéressant à contempler.

Il lui effleura la joue de l'index.

— A Asanion, ils tissent une étoffe douce et somptueuse. Ils l'appellent velours. Ta peau est un velours noir.

— La tienne aussi. Tu es loin d'être laid, mon cher seigneur.

— Mais loin d'être beau.

— Moranden est beau. Sa beauté l'a-t-elle sauvé ?

— Elle le sauvera peut-être.

Sa voix reprit sa froideur.

— Il est là, quelque part. Je ne l'ai pas encore trouvé, mais je le sens. L'ombre le garde.

— La déesse l'a marqué au fer rouge. Tu as guéri la

plaie. Tu fais maintenant partie de lui-même, dans une certaine mesure, bien qu'il ne le sache pas.

— Pas assez pour l'aider. Beaucoup trop pour ma paix intérieure.

— Je crois que nous devrions vraiment chercher ce feu.

Fugitif et faible, ce fut quand même un éclat de rire. Il lui prit la main, la baisa, et la retint un moment dans la sienne, baissant la tête. Avant qu'elle ait pu dire un mot, il disparut et rentra dans la tente, où les grands guerriers étaient serrés les uns contre les autres, comme des enfants qui ont peur du noir.

Ce fut Vadin qui les mit dehors, Prince ou non, et ordonna aux gardes de veiller à ce que personne ne vienne troubler le sommeil du roi.

— Mon sommeil ? s'enquit Mirain, plissant le front.

— Ton sommeil, répondit Vadin avec fermeté. Tu crois que je ne sais pas comment tu passes tes nuits ? Ruminer ne te met pas plus en forme pour la bataille, empêche la magie d'agir, et tu ne peux pas établir ta stratégie tant que tu ne sais pas où est ton ennemi.

Mirain le laissa le dépouiller de son kilt et défaire ses tresses, mais son esprit ne se soumit pas si facilement.

— Il nous berne et il nous raille. C'est la vengeance d'Odiya, plus douce d'avoir tant tardé. Quand il lui plaira, elle lâchera la laisse à son fils, et nous tomberons tout droit dans la trappe.

— Pour un mage dont les sorts de l'ennemi sont trop puissants pour les pénétrer, tu en sais beaucoup sur ses pensées.

— Elle n'est pas plus forte que moi. Elle se cache, c'est tout. Et je peux me servir de mon intelligence comme n'importe qui. Je sais ce que je ferais à sa place.

— Tu ne dévasterais pas ton royaume sur ton passage.

— Tu crois ?

Mirain était là où Vadin l'avait mis, allongé à plat ventre sur un étroit lit de camp, mains croisées sous le menton. Vadin se mit à masser les muscles contractés de ses épaules, et il soupira de plaisir, voluptueux comme un chat.

— Si j'entretenais la même haine qu'elle, et nourrissais des griefs si anciens, je crois que je ne trouverais aucun prix trop élevé pour assouvir ma vengeance.

— C'est bien là ton problème. Tu t'obstines à voir tous les côtés des choses.

— Toi aussi.

Vadin attaqua un nœud de muscles avec une telle force que Mirain grogna.

— Je les vois. Je ne les excuse pas. Et je n'ai pas pitié d'un homme au nom duquel des villages entiers ont été incendiés jusqu'aux fondations. Il est homme et il est prince. Il ne devrait pas le tolérer.

— Ah, c'est que tu as été élevé en seigneur à Ianon. Nous autres bâtards d'étrangers, nous sommes moins implacables.

— Etranger, marmonna Vadin. Bâtard.

Il foudroya le dos lisse et musclé, sans une cicatrice. Elle étaient toutes devant, ou plus bas, là où un cavalier portait les stigmates de sa vie en selle.

— Tu n'as pas vomi ton déjeuner au premier village détruit que nous avons rencontré.

— Eh bien, c'est que Ianon produit des esprits forts, et le Sud des estomacs forts. J'ai vu aussi cruel ou pire pendant la guerre contre les Neuf Cités. Ils ne se contentent pas de tuer et brûler les innocents. Ils ont élevé la torture à la hauteur d'un art.

— Tu as eu pitié d'eux aussi ?

— J'ai appris. Ce fut une dure leçon. J'étais très jeune à l'époque.

Qu'était-il donc maintenant ?

Sans âge, se dit Vadin, répondant lui-même à sa question. Et de plus en plus à mesure que cette campagne se prolongeait, sans ennemi et sans bataille, avec des terres mortes devant et derrière lui. L'armée perdait son mordant. L'horreur et l'indignation ne pouvaient pas les exciter éternellement. Mirain les retenait par sa magie, se dépensant sans espoir certain de retour.

Les mains de Vadin se firent plus légères sur les muscles maintenant détendus, caressant plus qu'elles ne pétrissaient. Les yeux de Mirain s'étaient fermés, mais son esprit veillait toujours ; sa respiration se ralentit, s'approfondit.

— Ecoute, murmura-t-il. Ecoute, Vadin.

Silence plein des bruits d'une armée endormie. Un loup hurlait à la lune. Mirain dit lentement d'une voix douce :

— Non, mon frère. Ecoute ce qui se passe en toi.

Rien du tout. Silence total.

— Oui. Silence plein. Ça ne tardera plus. N'oublie pas ce que je te dis. N'oublie pas…

Il dormait, ses dernière paroles faisant sans doute partie d'un rêve. Vadin tira sur lui la grossière couverture qu'il exigeait, semblable à celles des simples soldats, et éteignit toutes les lampes sauf celle posée près du lit de camp. A sa lueur tremblotante, il déploya sa propre couverture et s'allongea, un sombre sourire aux lèvres. Il devenait rapidement aussi fou que son maître. Prié de pratiquer la magie, il avait obéi, sans même penser à résister, et encore moins à s'effrayer.

Quand enfin l'esprit de Vadin se détendit, il rêva d'obscurité, de silence, et d'une peur sans nom. Mais ce n'était pas lui qui avait peur. Il était blotti dans la main d'Avaryan, sur le sein de la Dame de la Nuit.

CHAPITRE 22

Une brume légère tomba à l'aube. Le soleil en fit de l'or avant de la chasser, découvrant deux rangs de collines jumelles au nord et au sud. Elles s'incurvaient au loin, délimitant une plaine sans arbres, au milieu de laquelle, vive et rapide, coulait l'Ilien.

A l'ouest, au-dessus des collines et débordant sur la plaine planait une noirceur qui ne se leva pas. Elle était trouée d'étincelles : autant de pointes d'épées, de fers de lance et d'yeux ennemis. Le rêve de Vadin était devenu réalité à la lumière du jour.

Mirain sortit de sa tente dans la chaleur du soleil. Il avait pris le temps de s'habiller, de natter ses cheveux, d'endosser son armure. A sa vue, des acclamations dispersées retentirent. Mais la plupart des regards étaient tournés vers l'ouest.

— Quelle puissance, murmura quelqu'un près de Vadin. Plusieurs milliers — dix mille — que les dieux nous protègent ! Et ils transportent leur propre nuit avec eux.

— Mais nous, dit Mirain, d'une voix qui porta loin, nous portons la lumière.

Il haussa encore le ton.

— Avaryan est avec nous. Aucune nuit ne nous vaincra. Et maintenant, aux armes !

Les trompettes répétèrent l'appel. Le sortilège ennemi s'évanouit ; l'armée revint à la vie.

— Bien joué, monseigneur, dit Adjan avec calme. Dès qu'ils seront armés, tu ferais bien de les nourrir et d'envoyer les éclaireurs en reconnaissance. La horde là-bas n'a pas l'air prête à se battre de si bonne heure.

— En effet, acquiesça Mirain. Vadin, occupe-toi du déjeuner. Capitaine, les éclaireurs sont à tes ordres.

Armés, nourris, et en bon ordre de bataille sur le versant occidental de la crête, les hommes du roi s'immobilisèrent et attendirent. L'armée ennemie semblait immobile sous son linceul. Comme le soleil montait dans un silence persistant, un sentiment d'horreur s'insinua dans les rangs. Raid ou escarmouche, siège ou combat en rase campagne, tous pouvaient les affronter. Mais cet ennemi à demi invisible, sorti d'une nuit fantomatique, qui ne donnait aucun signe d'agression ni même de vie, leur fit oublier leur courage. De plus en plus nombreux, ils cherchèrent le regard du roi.

D'abord, il s'assit devant sa tente pour déjeuner et conférer avec ses commandants. Même de l'extérieur du camp, sa cape écarlate se voyait nettement. Comme la matinée s'avançait, sans nouvelles de ses éclaireurs et sans initiative de l'ennemi, il fit signe à Vadin, laissant les capitaines argumenter s'il fallait se battre maintenant, plus tard ou jamais. Le Fou, qu'aucune longe ou entrave ne pouvait retenir, avait libéré Rami de son piquet et la précédait sur la colline. Les palefreniers les avaient étrillés jusqu'à ce qu'ils luisent sous le soleil, et avaient natté leur crinière, y entremêlant les banderoles rouges de la guerre.

Le roi et l'écuyer descendirent à leur rencontre. Le Fou baissa la tête pour souffler sur les mains de son camarade, et piaffa. L'instant d'après, Mirain était sur son dos.

Adjan trouva le roi au milieu de la cavalerie d'Arkhan, en train d'admirer les extrémités de la fringante jument d'un soldat. Il tourna aussitôt les yeux vers le capitaine mais prit son temps pour terminer la conversation avec grâce et, se retirant avec naturel, emporta avec lui le bon vouloir de ses hommes. Mais une fois derrière les lignes, il donna libre cours à son impatience.

— Eh bien ? Quelles nouvelles ?

— Un éclaireur est revenu, répondit Adjan. Tous les autres sont morts. Il est assez mal en point lui-même.

— Grièvement blessé ?

— Flèche dans l'épaule. Simple blessure musculaire ; les docteurs s'en occupent. C'est son esprit…

Le Fou allongeait le pas, passant du trot au galop.

C'était bien ce qu'Adjan avait dit. L'éclaireur était assis dans la tente-hôpital, assez gaillard, et un apprenti lui pansait l'épaule. Mais ses yeux étaient trop dilatés, et une mince pellicule de sueur luisait sur son front. Quand le roi s'approcha, il se leva d'un bond, renversant l'infirmier.

— Sire ! Tous les dieux soient loués !

Abstraction faite de sa terreur, il était assez bel homme, solide et carré, quoique plus petit que la plupart des hommes de Ianon, à peine plus grand que Mirain lui-même. Ce n'était pas un novice, ni le genre d'homme sujet aux terreurs nocturnes. Pourtant, il se jeta aux pieds de Mirain, lui serrant les genoux et pleurant comme un enfant.

Mirain le releva.

— Surian, dit-il d'un ton tranchant.

En entendant son nom, l'homme se calma un peu.

— Surian, ressaisis-toi.

Au prix d'un effort visible, l'homme obéit. Mirain posa une main sur son épaule valide.

— Soldat, tu as un rapport à faire.

Il prit une inspiration saccadée. Sous la main et le regard de Mirain, il trouva les mots qu'il lui fallait.

— Sur ton ordre, je suis parti pour reconnaître le flanc sud-est de l'armée ennemie. Il y avait six hommes avec moi. Chacun restant à sa place et faisant signe que tout allait bien à intervalles réguliers. Nous n'avons pas rencontré d'opposition. Si l'ennemi avait envoyé des éclaireurs, ils accomplissaient leur mission mieux que nous.

« On avançait avec prudence. Une flèche est partie, et on s'est arrêtés. Non, on *a été* arrêtés. C'était un acte de volonté que de continuer à avancer. L'ennemi était toujours une forme floue dans l'ombre ; quand j'ai essayé de les compter, mon esprit s'est brouillé, et tout s'est éteint. Je n'ai jamais été lâche, sire, mais je jure qu'à ce moment-là, j'aurais pu prendre les jambes à mon cou, et au diable l'honneur et le devoir.

« L'un de mes hommes a craqué, est sorti à découvert et s'est enfui. Une flèche a fendu l'air ; sans archer visible derrière elle.

« Ce devait être un signal, parce qu'une pluie de traits nous est tombée dessus. Où qu'on soit et quoi qu'on fasse, on était frappés. Monseigneur, je le jure par la main d'Avaryan, j'en ai vu une se *recourber* autour d'un rocher pour s'enfoncer dans l'œil d'un homme.

— Oui, dit Mirain, acceptant les faits avec calme. Ils sont tous morts. Mais toi, tu vis.

Surian déglutit avec effort, encore tremblant sous le choc, la douleur et l'horreur du souvenir.

— Je… je vis. Je crois, sire, qu'on m'a laissé vivre exprès. Non, j'en suis sûr. Pour te transmettre un message et une raillerie.

— Elle nous connaît à fond, murmura Mirain, et nous, nous tâtonnons dans le noir pour la connaître.

Surian le regarda fixement, craignant de comprendre. Il eut un sourire défaillant, mais sincère.

— Tu t'es bien comporté. Repose-toi maintenant. Tant que je vivrai, la nuit ne vous fera aucun mal.

Le soleil atteignit son zénith et commença à décliner vers l'ombre artificielle. L'ennemi n'avait toujours pas bougé. L'armée de Mirain, sur le qui-vive depuis trop longtemps, commença à se relâcher.

— Imagine plusieurs jours comme celui-là, dit Vadin.

— Notre ennemi en est bien capable.

Mirain avait ordonné de refaire manger les hommes, pour les distraire autant que pour les fortifier, mais Vadin n'était pas parvenu à le convaincre de rompre son propre jeûne. Il faisait les cent pas, un fruit grignoté oublié dans sa main.

— Mais si nous attaquons, ce sera en aveugles. Peut-être même au sens propre. La situation n'est pas assez désespérée pour ça.

— Alors, qu'est-ce que tu comptes faire ? demanda le Prince Mehtar, ôtant son casque et le tendant à son écuyer, tout en mordant dans un demi-pain tartiné de fromage. On ne peut pas rester là jusqu'à ce qu'on crève de faim, attendant d'être balayés par l'ennemi.

— Comme si on aspirait tous à être piétinés, dit Alidan, vidant une chope de bière aussi gaillardement qu'un homme d'armes. Il faut trouver mieux que ça, monseigneur.

Mirain dirigea un regard foudroyant vers le sol, où ses allées et venues avaient tracé un chemin dans l'herbe rare de la colline.

— Oui, il le faut. Mais je n'ose pas suivre mon instinct et conduire la charge contre l'ennemi. Ce qu'ils ont fait à une douzaine d'éclaireurs, montagnards et chasseurs de Ianon, ils peuvent le faire aussi à mes trois mille guerriers.

— Mourir vite ou mourir à petit feu, nous mourrons de toute façon, dit Mehtar, si cette armée est aussi nombreuse qu'elle en a l'air.

— Justement, l'est-elle ?

Mirain s'immobilisa au bout de son sentier, tournant les yeux vers l'ouest sous sa main en visière.

— Réfléchissez. Les Marches ont des hommes en

abondance, de même que les seigneurs qui m'ont trahi, mais pas assez pour couvrir ces collines et s'étendre encore aussi loin qu'il le semble.

— Oui, dit Vadin, et ça m'a fait réfléchir. Ce sont des hommes que nous connaissons, des hommes comme nous, certains sans doute forcés de se battre par leur seigneur, d'autres suivant Moranden par conviction. Mais si nous avons du mal à supporter cette ombre à cette distance, comment peuvent-ils rester dessous ?

— Illusion dit Mirain, et hallucination : le cœur noir de la magie. Ils ne voient pas d'ombre ; ils pensent que le soleil est libre, et leur esprit aussi, alors même qu'ils ont uniquement les pensées que les mages leur permettent. Ils rêvent qu'ils sont là pour débarrasser le trône d'un imposteur et le royaume d'une menace ; ayant reçu l'ordre de massacrer et d'incendier, ils ne voient pas des villages pleins de femmes et d'enfants, mais des camps remplis de mes soldats. Et la sorcière dont les sortilèges les gouvernent — la sorcière rit. Son rire fait vibrer mes os.

Il pivota sur lui-même. Ils gardaient tous le silence. Certains pensèrent qu'il était peut-être fou.

— Non, dit-il, seulement inspiré par le dieu. Nobles seigneurs, nobles dames, notre ennemi nous provoque à combattre ou fuir. Je n'ai jamais été doué pour la fuite. Combattrons-nous ?

— Ce sera donc une mort rapide, dit Mehtar, approbateur.

— Peut-être pas, monseigneur. La sorcière nous provoque par sa force. Prouvons-lui que la force n'est pas tout. Appliquons la tactique du loup : attaque, retraite, frappe, esquive.

Adjan étrécit les yeux, réfléchissant.

— C'est faisable. Ça fatiguera l'ennemi, qui ne peut pas être beaucoup plus nombreux que nous, et ça fera plaisir aux nôtres. Mais nous ne pouvons pas trop nous découvrir, ou nous perdrons trop d'hommes, et l'adversaire pas assez.

— Dix capitaines, dit Mirain. Dix chefs d'un courage éprouvé avec des hommes triés sur le volet. Adjan, Prince Mehtar, voulez-vous commander deux de ces détachements ?

— Oui, répondit Mehtar pour tous les deux. Donc, plus que huit à trouver. Dois-je m'en charger, sire ?

— Sept, rectifia Mirain. Je commanderai un peloton. Pour le reste choisis à ta guise. Nous attaquerons d'ici une heure. Choisis bien et choisis vite.

Mehtar ouvrit la bouche, puis la referma prudemment, et s'inclina de même.

— A tes ordres, Majesté.

Chaque capitaine prit la tête de deux groupes de neuf hommes. Mirain commandait neuf hommes, plus cinq de sa propre garde, auxquels s'ajoutaient Vadin, Tuan et Jeran de la Grande Course d'Umijan, et enfin Alidan. Ils formèrent les rangs derrière la ligne principale, en silence mais sans trop se cacher, tous montés sur des seneldi choisis pour leur courage et leur rapidité.

Vadin regarda autour de lui. Alidan était sur sa droite, anonyme en casque et armure surmontée de la cape écarlate de la garde royale. Elle avait l'air à la fois compétente et redoutable, et montait son farouche étalon mieux que beaucoup d'hommes. A sa gauche chevauchait Mirain, resplendissant dans son armure d'or. Derrière eux, et de chaque côté, il vit les autres détachements, rangés, montés et prêts.

C'était comme une mêlée aux Jeux d'Eté, et pourtant si différent. Ici, c'était réel. Des hommes allaient mourir pour ce roi, siégeant avec désinvolture sur sa haute selle, jouant distraitement avec une banderole capricieuse. Sur son ordre, ils combattraient ; sur son ordre, ils mourraient.

Le cœur de Vadin battait à grands coups. Ses narines palpitaient à l'odeur piquante de sa propre peur. Il n'avait pas peur de la mort ; elle l'avait tenu dans ses bras. Mais il craignait la souffrance, crainte sous-tendue et traversée par quelque chose de léger, farouche et doux-amer ; quelque chose comme la joie, comme la passion : l'odeur inimitable de la bataille. Tout était plus net, plus clair, plus merveilleux et plus terrible. Il rit, et parce qu'on le regardait, il rit encore plus fort. Au milieu de son éclat de rire, son œil saisit une flamme dorée. Mirain avait levé la main.

Les lignes s'ouvrirent ici et là. Rami banda ses muscles. Les détachements s'élancèrent, un par un, tous dans des directions différentes. Celui de Mirain galopait droit au centre, traversant la plaine, sautant l'Ilien, montant la colline derrière. Là, il n'y avait pas de couverture ; ils étaient nus devant le ciel et devant l'ombre en attente.

Vadin se raffermit sur sa selle. Le galop de Rami était facile et régulier. Sa crinière argentée flottait sur sa main. Une banderole rouge sang se rabattit en arrière et lui frappa le poignet.

L'ennemi attendait. Il voyait comme on voit au crépuscule : des formes, des yeux, mais pas de traits. Les yeux n'avaient pas plus d'expression que les armes dirigées contre lui.

Il dégaina. Son épée était légère dans sa main, bien que sa lame fût étrangement terne, son luisant assourdi par le crépuscule.

Le détachement resta groupé derrière Mirain. Mais certains devaient batailler avec leurs montures, qui piaffaient, viraient et faisaient des écarts. Un homme cravacha son cheval de son fourreau, son visage sous le casque semblable à un masque de démon, dents découvertes, yeux cernés de blanc. L'horreur toucha Vadin comme le vent, violente et glacée mais à fleur de peau. Baissant les yeux, il vit avec quelque surprise que son corps était comme revêtu d'un scintillement doré, pâle reflet de la splendeur rayonnante qu'était Mirain.

Ils étaient tout près maintenant. Pas de flèches

sifflant hors des rangs ennemis, pas de lances volant dans les airs. Goût de bile dans sa bouche, fort comme la peur. *C'est un piège.* Il serra les dents. Rami franchit d'un bond les derniers mètres, prête à se battre. Vadin brandit son épée.

L'ennemi tremblota comme un mirage, fondit, s'estompa, s'évanouit. Vadin entendit des cris de colère et de terreur. Les seneldi hennirent. Les flèches se mirent à pleuvoir.

Le Fou lança un hennissement de rage et de défi.

— En avant ! s'écria Mirain, pour lui et pour ceux qui pouvaient l'entendre. *En avant !*

Ombres, tout n'était qu'ombres. La lame de Vadin ne rencontrait que le vide. Pourtant il continua à frapper, à avancer. Les flèches sifflaient à ses oreilles ; l'une perça sa cape qui flottait au vent. Il rit.

Avec un choc si violent qu'il faillit le désarçonner, sa lame rencontra un corps. Le sang jaillit, rouge comme les banderoles de Rami.

Comme si cela avait brisé le sortilège, il recouvra soudain la vue. Bien que toujours floue dans la pénombre du crépuscule, une armée se déployait devant et autour de lui, rangée sous des bannières qu'il connaissait. Ils avaient peu de cavaliers ; les hommes des Marches n'étaient pas célèbres pour leurs bêtes. La plupart des seneldi traînaient des chars.

Ceux-là, il ne pouvait les affronter, même dans le feu de l'action. Mirain esquivait, frappant chevaliers et fantassins ; Vadin lança Rami à sa suite. L'ennemi se battait bien et avec fougue, mais leurs yeux avaient quelque chose d'étrange, comme s'ils ne voyaient pas vraiment. Ils frappaient seulement si on les avait frappés ; ils n'attaquaient pas. Tout le long de leurs lignes, des groupes de combattants alternaient avec des plages de calme insolite. Même les chars n'avançaient pas pour réduire les assaillants en charpie sanglante, mais restaient où on les avait placés, les yeux des cochers braqués droit devant eux.

A Geitan, on avait dit à Vadin qu'il était rarement béni celui qui pouvait chanter en combattant. Mais c'était en combattant contre des hommes libres de chanter, de lutter, de tuer à tour de rôle. Ici, c'était un simulacre, une horrible sorcellerie. Il découvrit les dents en un soudain accès de rage.

— Battez-vous, bon sang ! hurla-t-il. Foncez ! Abattez-nous !

Les yeux ne cillèrent pas. Il tourna son épée dans sa main et se mit à frapper du plat autour de lui, assommant sans blesser. Il sentit Mirain tout proche, concentrant en lui le pouvoir, plus fort, toujours plus fort, à se faire exploser.

Mirain relâcha le pouvoir. La lumière l'entourant monta comme un brasier, éveillant les yeux à la vie, à la peur, à la folie guerrière. Avec un cri strident, un cocher lança son char contre les assaillants.

L'ombre tomba dans un bruit de tonnerre. Rami fit demi-tour d'elle-même, galopant comme elle ne l'avait jamais fait, ventre à terre, oreilles aplaties contre le crâne. Elle surgit de l'ombre comme un démon de l'enfer, narines et yeux rouges comme le feu. L'eau argentée de la rivière fulgura sous elle. Au-delà, elle ralentit, redevint une jument seneldi, haletante, l'encolure couverte d'écume.

Vadin cligna des yeux dans le brillant soleil. Ses doigts étaient toujours crispés sur la poignée de son épée ; il les ouvrit douloureusement, essuyant la lame sur sa cape. Le sang se fondit dans l'écarlate royale. D'un mouvement convulsif, il la remit au fourreau.

La sortie de Mirain avait atteint son but. L'ennemi était en plein désordre, trop obsédé par la disparition du sortilège pour monter une contre-attaque. Mais ils avaient payé un lourd tribut. Les hommes de Mirain erraient au hasard de leur côté de la rivière, des seneldi sans cavalier courant parmi eux. Ils évoluaient avec ordre dans leur confusion, exécutant une retraite rapide et régulière, sans quitter l'ennemi des yeux, mais ils étaient beaucoup moins nombreux qu'à l'aller.

Le détachement de Mirain se rassembla autour de lui. Vadin compta et gémit. Sur dix-huit hommes, douze manquaient. Les six restants avançaient comme des blessés, souvent sur des chevaux blessés comme eux.

Alidan arriva la première près du roi et de son écuyer, sans son casque, ses tresses défaites, la main droite couverte de sang jusqu'au poignet. Mais elle n'était pas blessée. Montés tous deux, Mirain l'étreignit avec soulagement.

Il fit la même chose avec tous les autres. Ils avaient tous l'air d'hommes qui viennent de traverser trois fois neuf enfers, gris et comme assommés, regardant sans comprendre la lumière du jour.

— On a essayé de vous suivre, messeigneurs, leur dit Alidan. L'ombre s'est transformée en hommes qui nous ont combattus ; on a rendu coup pour coup. Mais vous étiez trop rapides pour nous. Messeigneurs, vous brilliez comme des dieux. Vous vous enfonciez de plus en plus dans les lignes ennemies, et à la fin, nous n'avons plus pu forcer nos montures à avancer. Nous avons essayé de maintenir la ligne derrière vous. Elle s'est brisée. Nos seneldi ont fait demi-tour. Majesté, tout châtiment que tu décideras…

— Châtiment ?

Mirain eut un rire douloureux.

— J'ai fait exactement la même chose, et je vous ai abandonnés en plus. Non, mes amis. Vous avez fait ce que peu d'hommes mortels pouvaient faire.

Il regarda Alidan et rit, avec moins d'affliction et plus de gaieté.

— Des hommes mortels, et une femme.

Ils revinrent lentement au camp. Ils étaient à peine à mi-chemin de la rivière et de la ligne de bataille — cette ligne qui s'incurvait contre toute discipline pour recevoir son roi — quand une trompe sonna. Le Fou pivota brusquement, Mirain tirant son épée.

Les lignes ennemies s'ouvrirent. Il en sortit un unique cavalier, monté sur un senel gris fumée, tout de gris vêtu lui-même, un torque de fer gris autour du cou. Cela, et sa bannière grise sans armoiries, annonçait que c'était un héraut, sacré devant les dieux et les hommes, ne devant allégeance à personne qu'au seigneur de son choix. Il posa un regard neutre sur l'armée, mais quand il arriva à Mirain, ses yeux s'étrécirent et s'assombrirent.

— Hommes de Ianon, dit-il.

Il avait une voix magnifique, grave et vibrante, entraînée à porter loin sans effort.

— Partisans de l'usurpateur, de celui qu'on appelle Mirain, bâtard d'une prêtresse, et prétendant félon au trône des rois de la montagne, entendez la parole de votre véritable seigneur. Déposez vos armes. Livrez-le, et vous serez libres.

— Jamais ! s'écria Alidan d'une voix stridente, reprise en écho par des voix graves.

Le héraut attendit patiemment que le silence revienne, puis il reprit la parole.

— Vous êtes fidèles, à défaut d'être sages. Mais votre roi légitime vous rappelle ce que vous avez choisi d'oublier, à savoir que vous êtes ses sujets. Ce n'est pas le cœur léger qu'il lancerait contre vous son armée, pour une bataille qui se terminerait inévitablement par votre destruction.

— Et les villages ? vociféra un homme d'une voix de bronze. Et les enfants, massacrés et brûlés dans leurs maisons ?

Le héraut poursuivit, calme, imperturbable.

— Le roi propose une solution différente, à la fois antique et honorable. Deux hommes revendiquent le trône qu'un seul peut occuper. Qu'ils se battent, corps à corps, et vie pour vie, en combat singulier, tout le butin allant au vainqueur. Ainsi, un seul homme mourra, Ianon ne sera plus divisé, et le trône sera raffermi. Qu'avez-vous à répondre, hommes de Ianon ? Accepterez-vous la proposition de mon seigneur ?

Mirain s'avança d'une longueur de senel. Ce mouvement imposa le silence à l'armée. Face au héraut, il ôta son casque qu'il suspendit à l'arçon de sa selle.

— Moranden le confirmera-t-il par serment ? Que le vainqueur remportera le trône, sans traîtrises et sans autres massacres ?

Les narines du héraut palpitèrent.

— Ne l'ai-je pas dit ?

Arrogant parvenu, disaient ses yeux ; c'était un homme qui croyait en son seigneur.

Même derrière lui, Vadin entendit le sourire de Mirain dans sa réponse.

— Condescendras-tu à lui transmettre ma réponse ?

— Il te donne jusqu'au coucher du soleil pour faire ton choix.

— Il est généreux.

Le Fou avança d'une nouvelle longueur. Mirain parla, d'une voix forte et vibrante.

— Dis-lui que oui. Oui. J'accepte.

Le héraut s'inclina ; simple courtoisie, rien de plus.

— L'initiateur du duel a le privilège de choisir le lieu et l'heure, son adversaire a le choix des armes et le mode de combat, seul ou assisté d'un second. Mon seigneur t'invite à le rencontrer ici même, entre les deux armées, demain au lever du soleil.

Mirain s'inclina plus profondément, répondant à la simple courtoisie de commande par une attitude véritablement courtoise.

— Ainsi ferai-je. Nous combattrons seuls, surveillés par un seul juge et un témoin de chaque côté. Quant aux armes…

Il fit une pause. L'armée attendait, épuisée par la tension.

— Dis à ton commandant que je choisis de n'avoir *aucune* arme. Mains nues et corps nu, le plus ancien mode de combat.

Il s'inclina une dernière fois.

— Demain au lever du soleil. Puissent les dieux faire triompher la vérité.

CHAPITRE 23

— Sans arme !

Même Adjan avait crié avec les autres, choqué au point d'en oublier sa dignité. Mirain fit la sourde oreille, à lui comme aux autres, alla d'abord aider les guérisseurs, et ne regagna sa tente qu'ensuite. Les protestations l'avaient suivi, et se prolongèrent pendant que ses écuyers le désarmaient. Le sang s'était infiltré jusqu'à sa sous-tunique et y avait séché. Il y eut un silence tendu, tant que ses assistants n'eurent pas constaté qu'aucune goutte de ce sang n'était le sien. Pris d'une répulsion soudaine, il arracha sa tunique et la lança aussi loin de lui que possible.

Ce qui fut, à dessein ou par hasard, dans les mains d'Adjan.

— Monseigneur, dit le maître d'armes, avec quelques vestiges de son sang-froid habituel, le combat singulier est une façon antique et honorable de résoudre les conflits. Mais un combat à mains nues — sans arme, sans armure, sans aucune défense…

Mirain le regarda. Le regarda simplement, comme un étranger l'aurait regardé, un étranger qui était roi.

— Si cela peut rassurer ta pudeur outragée, je porterai un pagne.

— L'ombre, marmonna quelqu'un. Il est allé à sa rencontre et il l'a combattue. Et elle l'a rendu fou.

Vadin foudroya l'homme du regard jusqu'à ce qu'il s'enfuie. Cela déclencha un véritable exode. Vadin demeura, avec Adjan, et Obri le chroniqueur qui n'était qu'une forme contre la paroi de la tente, et aussi Alidan et Ymin. Olvan et Ayan, s'éloignant discrètement, se mirent à préparer le bain du roi. Ils remplirent la grande baignoire de cuivre et il se laissa plonger dans l'eau, docilité qui n'avait pourtant rien de passif. Il continuait à fixer Adjan.

— Eh bien, capitaine, un pagne te contentera-t-il ?

— Une armure complète ne serait rien de plus qu'adéquate. Avec épée, lance et bouclier.

— Et pour second, l'un de vos géants du Nord.

Mirain baissa les yeux sur son propre corps. Il avait grandi depuis son arrivée à Han-Ianon. Il ne serait pas si petit que ça, tout compte fait. De taille moyenne dans le Sud, sans doute, mais quand même petit pour Ianon ; compact et musclé, avec la souplesse d'un cavalier ou d'un épéiste.

Et ensorcelé sans aucun doute, pour avoir accepté un combat à mains nues contre le guerrier le plus formidable de Ianon.

— Non, dit Mirain, réprimant son impatience. *Non.* Décoincez vos cerveaux, mes amis, et réfléchissez. Je suis habile aux armes, je le sais ; à l'épée je pourrais même passer maître. Mon destrier n'a pas son pareil dans tout le royaume. *Mais...*

Il sortit de son bain, sans faire parade de son corps mais sans embarras superflu.

— Moranden est un homme fait, dans toute la force de la jeunesse, entraîné aux arts de la guerre depuis son plus jeune âge. Il peut manier une épée plus lourde, une lance plus longue ; et s'il ne peut pas me dépasser à la course, son destrier peut tenir tête à mon Fou. Tandis que je tenterais vainement de le toucher, il pourrait me frapper à son heure, comme un homme harcelé par un petit enfant.

— Il peut faire la même chose sans armes, dit

sèchement Adjan. Ses bras sont la moitié plus longs que les tiens ; il te domine de la tête et des épaules. Et il est fort. Le Python, l'appelaient ses ennemis ; il frappe comme un serpent, rapide et mortel, avec la force que lui donne sa taille.

— Dans l'Ouest, dit Mirain, il est une petite créature, si petite qu'elle tiendrait dans mes deux mains, avec une longue queue souple et de grands yeux liquides de jolie femme. Ses griffes sont gainées de velours. On l'appelle Danseuse de la Prairie, Chanteuse de la Nuit, ou, plus souvent, *Issan-ulin*, Tueuse de Serpents. Il n'est pas de créature plus rapide, plus féroce ou plus rusée qu'elle. Même le seigneur des serpents, le roi huppé, dont le poison est le plus mortel de tous — même lui est souvent victime de cette petite chasseresse.

— Elle a des griffes et des dents, dit Adjan, imperturbable. Toi, qu'est-ce que tu as ?

— Des mains, répondit-il. Et de la tête. Viens, capitaine. Tu es un combattant réputé. On dit que tu es le meilleur maître d'armes de cette partie du monde. Vois si tu peux m'abattre.

Le vieux soldat le regarda avec insistance. Il était détendu, souriant, à son aise. Mais un œil exercé pouvait discerner la tension qui l'habitait.

Adjan était célèbre pour la rapidité de sa main, qu'elle tînt ou non une arme. Comme les autres reculaient jusqu'à la paroi, il se déplaça légèrement, presque imperceptiblement, feinta à droite, lança la main gauche devant lui, mouvement trop rapide pour que l'œil le suive.

Mirain semblait ne pas avoir bougé ; mais le poing d'Adjan ne rencontra que le vide.

Adjan fronça les sourcils. Il avança d'un ou deux pas. Mirain ne bougea pas.

— Sérieusement maintenant, frappe-moi.

Cette fois, le mouvement de Mirain, qui s'inclina latéralement, fut clairement visible. Il éclata de rire.

— Attrape-moi, Adjan. Ça doit t'être facile ; je suis presque dans tes bras.

Oui et non.

Adjan abaissa les mains. Il composa son visage.

— D'accord. Tu n'es pas attrapable. Mais à quoi cela peut-il te servir dans un duel, à moins que tu ne décoches un coup en bonne place ?

Mirain recula avec une grâce féline.

— Tu es en colère. Je t'ai ridiculisé. Attaque-moi, capitaine. Fais-moi toucher les deux épaules et force-moi à écouter ta sagesse.

Rien n'aurait plu davantage à Adjan, mais il se méfiait, et il avait raison. Il l'avait déjà dit en regardant Mirain s'entraîner devant les écuyers. Au cours de toutes ses années de luttes et d'enseignement, il n'avait vu qu'une seule fois une rapidité égale à celle de Mirain. Chez Moranden, quand le prince était arrivé à l'âge adulte. Dans trois, quatre ou cinq ans — quand Mirain aurait terminé sa croissance et perfectionné sa technique, il serait un guerrier dont on chanterait les exploits dans les ballades.

S'il survivait au prochain lever du soleil.

Adjan attaqua. Mirain le laissa venir, se déplaça légèrement, portant son poids sur la pointe de ses pieds. Soudain, Adjan voltigea, pieds par-dessus tête, et s'affala au milieu du lit de Mirain. Et Mirain, agenouillé près de lui, soutenait sa tête ébranlée.

— Adjan, pardonne-moi, je t'en supplie. Je n'avais pas l'intention de te lancer si loin.

Adjan referma brusquement la bouche, puis il aboya un rire.

— Me lancer, moi ? Me lancer ? Je suis deux fois plus lourd que toi.

Mirain se mordit les lèvres, ses yeux hésitant entre le rire et la contrition.

— C'est vrai. Et j'ai en grande partie utilisé ton poids contre toi. Un peu plus, et j'aurais pu te tuer.

Le maître d'armes se releva en chancelant.

— Bien sûr que tu aurais pu. C'est d'autant plus bête de ma part. J'aurais dû me douter que tu pratiquais l'art de l'Ouest.

— La mort douce. Oui, je le pratique. Je l'ai appris avec un maître, de par la volonté de ma mère. Elle savait que je serais comme elle : stature de l'Ouest, visage du Nord. Et les gens de l'Ouest, si petits par rapport au reste de l'humanité, ont appris à tourner leur petitesse à leur avantage. Comme ils ne peuvent pas vaincre par la force brute, ils vainquent par l'art. J'ai vu un enfant d'Asanion, et une fille en plus, plus jeune et plus petite que moi, renverser un homme presque aussi grand que Moranden, et le tuer quand il a refusé de se rendre.

— J'ai vu aussi quelque chose de comparable. Ce qui m'incline à croire ce qu'on raconte des Asaniens, à savoir qu'ils ont commerce avec les diables.

— Exactement ce qu'on dit de moi.

Mirain se releva.

— Comprends-tu maintenant ? Armes à la main, je n'ai rien que Moranden ne puisse pas égaler ou surpasser. Sans armes, j'égalise les chances. Il est grand ; il compte sur sa force. Moi, je compte sur la mienne.

— Je maintiens que tu es fou. Si tu voulais entendre raison, trouver un autre champion…

Adjan s'interrompit.

Brusquement, il s'inclina jusqu'à terre, en un geste de totale obéissance du guerrier envers son roi.

— Quelle qu'en soit l'issue, monseigneur, ce sera un duel dont on fera des ballades. Il n'est pas en mon pouvoir de t'empêcher de t'y rendre.

Mirain baissa la tête, l'air soudain immensément las.

— Laissez-moi, je vous prie, dit-il. Tous.

Ils obéirent à contrecœur. Ymin s'attarda, mais le trouva inflexible. Elle se retira lentement, laissant retomber derrière elle le rabat de la tente.

Vadin ne s'en alla pas. Il se rendit invisible, se retirant

dans le coin le plus sombre, s'interdisant même de penser. Cela réussit ; Mirain ne lui jeta pas un regard, ne lui ordonna pas de sortir.

La tente semblait plus grande maintenant qu'ils étaient tous partis, éclairée par une unique lampe, chaude, silencieuse au cœur de la nuit. Les écuyers avaient emporté la baignoire ; Mirain s'assit à l'endroit où elle avait tassé les tapis sous son poids, et se mit en devoir de faire ce dont il ne leur avait pas laissé le temps : défaire ses tresses et peigner ses cheveux. Ils bouclaient davantage à la racine que plus bas, et s'ils avaient été coupés courts, ils auraient jailli en une explosion de boucles. Un bouclier pendait au pilier central, poli comme un miroir. Il rencontra le reflet de ses yeux. Vadin, invisible, incapable de se retenir, s'insinua pouce par pouce dans l'esprit de Mirain, suivant ses pensées comme s'il les avait exprimées tout haut. Pensées paisibles, un peu ironiques, comme l'inclinaison de sa tête pour contempler son visage. Les Occidentaux avaient des visages ovales et lisses, des corps sveltes et bien découplés, des cheveux qui frisaient avec abandon ; ils avaient la peau claire, dorée et parfois ivoirine, et des cheveux souvent blonds comme les blés. Mirain n'avait hérité d'aucune de ces caractéristiques, à part les cheveux frisés. Il était tout noir, et indubitablement ianyen : pommettes hautes, nez busqué, lèvres minces et bien dessinées.

— Imagine l'alternative, dit-il tout haut. Visage de l'Ouest et corps du Nord. La force de combattre Moranden en guerrier contre guerrier armé, sans artifice ni traîtrise.

Il soupira.

— Et ça ne m'empêcherait pas de n'être toujours qu'un adolescent, ayant encore à grandir en taille et en technique.

Il noua ses cheveux d'un bout de ficelle, et croisa les bras autour de ses genoux. C'était le cœur du problème. Moranden était fort, habile, implacable en son inimitié ; et une sorcellerie puissante le soutenait. Qu'est-ce qui pouvait empêcher sa mère et sa déesse de lui donner un art égal à celui de Mirain ?

— Père, murmura-t-il. Père, j'ai peur.

Quand il était tout petit, il pleurait parfois parce que sa main le brûlait tellement, et parce qu'il n'avait pas un père qu'il pût voir, toucher et embrasser. Il y avait sa mère, qui était la mère que tout enfant pouvait souhaiter, et le Prince Orsan, qu'il appelait son père adoptif, et la princesse ; et aussi Halenan, et plus tard Elian, son frère et sa sœur par l'affection sinon par le sang. Mais pour père, il n'avait que cette brûlure, le feu distant du soleil, et les rites du temple.

En grandissant, il apprit à ne pas pleurer. Mais il se plantait devant sa mère et demandait :

— C'est impossible. Je sais comment les enfants sont faits ; Hal me l'a dit. Comment mon père peut-il être un esprit de feu ?

— C'est un dieu, avait-elle répondu. Pour un dieu, tout est possible.

Il avait serré les dents, têtu.

— Il faut un homme, Mère. Il vient avec une femme et…

Elle avait ri et lui avait posé un doigt sur la bouche pour le faire taire.

— Je sais comment on fait. Mais un dieu n'est pas comme un homme. Il n'a pas besoin d'être là. Il suffit qu'il pense à une chose, et elle arrive.

Mirain avait froncé les sourcils.

— C'est horrible. Te donner toute la peine et la souffrance de me porter, sans le plaisir.

— Oh, avait-elle dit en un souffle, émerveillée et ravie, j'ai eu du plaisir. Plus que du plaisir. De l'extase. Il était là, tout autour de moi, et j'étais son amour, son épousée, son élue. J'ai su à quel moment tu as commencé à exister en moi, à une joie si douce que j'en ai pleuré. Oh non, Mirain, comment pourrais-je désirer les misérables plaisirs de la chair alors que j'ai connu un dieu ?

— *Moi*, je ne le connais pas, avait dit Mirain, boudeur, dressant sa volonté contre la force de la joie maternelle.

Elle l'avait pris dans ses bras, bien qu'il fût un grand garçon de sept printemps, exerçant déjà son influence sur les enfants entraînés au combat.

— Bien sûr que tu le connais. Ce matin même je t'ai vu en lui et lui en toi, quand tu chevauchais ton poney près de la rivière.

— Ce n'était pas un dieu. C'était… c'était…

Les mots lui manquèrent.

— J'étais heureux, c'est tout.

— C'était ton père. Lumière et joie, et présence forte et radieuse. Tu n'as pas senti que le monde t'aimait et que tu l'aimais en retour ? Comme s'il y avait quelqu'un avec toi, se réjouissant de ta joie, te soutenant quand tu faiblissais ?

— J'aimerais mieux quelqu'un que je peux voir.

— Tu m'as, moi. Tu as le Prince Orsan, et Hal et…

— Je ne veux pas d'eux. Je veux un père.

Elle avait ri. Elle était pleine de rire, cette Prêtresse d'Han-Gilen. Certains la désapprouvaient, trouvant que l'élue du dieu aurait dû être grave et austère, et d'une sainteté visible. Mais Sanelin était une créature de lumière. Et lui, étant son fils, découvrit avec consternation qu'il ne pouvait pas bouder devant elle. Déjà le rire montait en lui. C'était absurde de pleurer pour un père alors qu'il en avait déjà un, supérieur à tous les autres, toujours en lui et avec lui. Et quand il avait besoin d'une présence physique, il n'avait rien moins que le Prince d'Han-Gilen, cet homme de haute taille au visage sévère et aux yeux rieurs, avec des cheveux comme le feu même du soleil.

Sanelin était morte ; le Prince Orsan était à de nombreuses lieues de lui. Mais le dieu était là quand Mirain le cherchait, au cœur de son âme, présence trop intime pour avoir un nom ou un visage. Et il ne le réconfortait pas en paroles. C'était beaucoup plus profond que ça.

Pourtant sa peur augmenta.

— Père, je pourrais mourir demain. Je mourrai sans doute. Je suis mal équipé pour affronter un tel ennemi.

Devait-il craindre la mort ? Ce n'était qu'un passage, suivi d'une joie ineffable.

— Mais mourir maintenant, ma destinée inaccomplie — sachant que ma mort laisse mon royaume ouvert aux serviteurs de ton Ennemie — comment le supporter ?

Ah, ce n'était donc pas la mort qu'il craignait. Il craignait de ne pas vivre pour contrecarrer la déesse. Il avait vraiment le sens de sa propre valeur.

— Et qui me l'a donné ?

Pour le rendre fort. Pas pour le rendre arrogant.

— Ça ne fait aucune différence alors. Si Moranden me tue, le trône ne risque rien ; sa mère ne régnera pas à travers lui par l'intermédiaire de ses magiciens et de ses prêtres, convertissant tout Ianon au culte de la déesse.

Cela ferait une différence. Une fois que Moranden aurait son trône, peut-être résisterait-il à sa mère ; peut-être qu'il se révélerait trop faible pour ses desseins. Ou peut-être, et c'était le plus vraisemblable, ce que Mirain présageait se réaliserait-il.

— *Peut-être* est un mot inquiétant dans la bouche d'un dieu.

Un dieu pouvait choisir de penser comme un homme, pour accomplir ses desseins. Et il pouvait choisir de lui prêter son aide quand elle était nécessaire, si elle était sollicitée correctement.

— Père ! Seras-tu avec moi ?

Le dieu était toujours avec son fils.

— Tu me réconfortes, dit Mirain, avec une nuance ironique.

Mais pas complètement.

— Bien sûr que non. Je sais ce que cette bataille représente pour toi. Un nouveau coup contre ta sœur.

Mirain rejeta en arrière sa luxuriante chevelure, frémissant soudain d'une colère passionnée.

— Mais pourquoi ? Pourquoi ? Tu es dieu. Elle est déesse. Livre tes batailles dans ton royaume. Laisse-nous vivre !

La présence du dieu sembla sourire, d'un sourire plein de tristesse ; ses pensées se manifestèrent sous la forme de mots, prononcés d'une voix douce et grave, pareille à celle de son fils et pourtant différente. *Je te l'ai déjà dit et je te le répète. Quand nous avons créé votre monde, nous avons conclu une trêve. La guerre entre nous détruirait tout ce que nous avions fait ensemble. Plutôt que de risquer cette catastrophe, nous nous sommes juré qu'à partir de ce moment, toutes nos batailles seraient livrées par les créatures que nous avions faites.*

Les lèvres de Mirain se retroussèrent en un rictus.

— Ah, Père, tu es cruel. Parle clairement. Dis que vous jouez avec nous comme le chat joue avec la souris.

Non. Pas du tout.

— Toi non, mais l'autre ? C'est à l'annihilation qu'elle aspire. Pourquoi ne romprait-elle pas la trêve pour triompher ?

Elle n'aspire pas à l'annihilation. Pas plus que moi. Elle détruirait ce qui me plaît et répandrait sur le monde le manteau de la nuit qu'elle a créée, et le gouvernerait, unique déesse et unique reine.

— Et toi ?

J'aurais l'équivalent. Lumière et nuit divisées, chacun à sa place assignée.

— Avec toi pour seul dieu et seul roi ?

C'est toi qui l'as dit, pas moi.

— Oui, dit Mirain avec amertume. C'est toujours moi qui le dis. Je t'aime, je ne peux pas m'en empêcher.

Mais, Père, je suis mortel, je suis jeune, et je n'ai pas ta sagesse pour toujours savoir ce que je dois faire.

Il faut gagner ta bataille. Le reste suivra en temps voulu.

— Gagner ma bataille, répéta Mirain. La gagner.

Il se jeta sur son lit.

— Par tous les dieux, ce que j'ai peur !

La flamme de la lampe vacilla ; une petite bise glacée s'insinua dans la tente et s'enfuit. Vadin se retrouva debout au-dessus de Mirain, tremblant de tous ses membres sans savoir pourquoi, sans savoir s'il était terrorisé par le dieu qui flamboyait en lui, ou par le roi qui tremblait, recroquevillé sur le lit. Un dieu sans visage et sans voix vivante, un roi qui ressemblait à un enfant épouvanté. Paradoxes. Vadin était un homme simple, un guerrier montagnard. Tout cela le dépassait.

Il avait traversé la mort pour resurgir à la lumière vivante. Il était marqué par le pouvoir de Mirain, qui était celui du dieu.

Il mit un genou en terre. Les tremblements de Mirain s'étaient calmés ; il s'était pelotonné en boule, petit presque à faire pitié. Très légèrement, Vadin lui toucha l'épaule.

— Va-t'en, dit-il.

La voix était calme et froide.

Vadin ne bougea pas. Le moment s'éternisa, rythmé de lentes inspirations. Mirain se recroquevilla un peu plus.

Sans avertissement, il se redressa d'un seul coup, et repoussa violemment Vadin, qui s'effondra à plat dos.

— Va-t'en, bon sang ! Va-t'en !

Vadin retrouva son souffle, cligna des yeux embués de larmes par la surprise et le choc.

— Pourquoi ? demanda-t-il, raisonnable.

Mirain le releva. Le roi était plus fort qu'il n'en avait le droit, et aussi dangereux qu'un léopard à l'affût. Mais Vadin ne parvint pas à se souvenir d'une circonstance où il avait eu peur de lui, alors même que les puissantes petites mains le secouaient comme une botte de paille. Il se détendit, serra les dents, et attendit que la tempête passe.

Mirain le lâcha. Il chancela, retrouva son équilibre.

— Pourquoi m'en aller ? répéta-t-il. Parce que je t'ai vu réagir humainement, pour une fois ?

— N'ai-je pas droit à un peu de solitude ?

Vadin prit une profonde inspiration, les côtes douloureuses après sa chute, après la violente réaction de Mirain. Il scruta le visage enflammé de fureur.

— Es-tu certain de vouloir être seul ?

— Je…

Chose rare : Mirain ne trouvait pas ses mots.

— Tu m'occupais l'esprit.

— Vraiment ?

Et en quoi était-ce la faute de Vadin ?

— Tu n'en avais pas le droit.

— Pas même le droit que peut avoir un ami ?

Le silence vibra étrangement. Vadin avait parlé sans réfléchir, sous l'influence déclinante du dieu. D'abord, Mirain n'avait entendu qu'à travers le crépitement de sa colère. Quand le silence se fit en lui, ses yeux se dilatèrent. Vadin sentit les siens se dilater aussi. Son cœur s'accéléra. Il contracta les poings à se faire mal.

Mirain parla doucement, lentement.

— Répète, Vadin. Répète cela, sans être poussé par mon père.

La gorge de Vadin se serra. Il eut envie de maudire le dieu et toute cette folie. Il dit :

— Un ami. Un ami, puisse ton propre père te maudire, et si tu es la moitié du mage que tu prétends être, tu dois savoir que j'ai perdu mon pari il y a une éternité. Et un ami n'a-t-il pas le droit de rester où l'on a besoin de lui ? Surtout, ajouta-t-il sombrement, quand c'est un dieu qui l'inspire ?

— Je n'ai besoin de personne.

Paroles hautaines, des plus malavisées, et particulièrement mensongères. Vadin ne daigna pas les relever.

— Ami, dit-il.

Puis, avec plus d'embarras :

— Frère. Je ne t'en estime pas moins parce que tu as peur. Seuls les fous, les petits enfants, et peut-être les dieux, n'ont jamais connu la peur.

— Les dieux… les dieux peuvent avoir peur.

Mirain aiguillonna sa colère, se cabra, retrouva sa fierté et en fit une arme.

— Crois-tu pouvoir faire quoi que ce soit pour m'aider ? Toi qui ne sais même pas former les lettres de ton nom ?

Vadin éclata de rire. Au plus profond de sa terreur, Mirain était toujours digne de respect, parce que sa terreur était celle d'un guerrier et d'un mage. Mais que, dans sa sagesse, il insultât Vadin pour une ignorance dont tous les seigneurs de Ianon étaient fiers…

— Quoi, monseigneur, ai-je mal compris ? Vas-tu te présenter à ce duel armé d'une plume et de tablettes ? Je ne peux pas écrire un mot, c'est vrai, mais je peux aiguiser ta plume pour en faire une flèche.

Mirain releva le menton. Malgré son audace, Vadin connut un instant de doute, de crainte d'être allé trop loin.

— Tu te moques de moi, dit le roi, retrouvant son calme et sa froideur.

— Ecoute-moi, dit Vadin avec emportement. Demain, tu vas sortir d'ici pour aller te battre, seul. Personne n'a trop d'espoir en ta victoire, et peut-être que tu mourras. Et tu as tellement peur que ta vue se brouille, mais tu le feras parce que tu le dois. Parce que tu ne peux pas faire autrement. Et tu te laisserais dévorer par tous les démons de l'enfer plutôt que d'avouer que tes entrailles sont sur le point de se liquéfier.

— Non, dit Mirain. C'est déjà fait.

Vadin se tut le temps d'un battement de cœur. Il n'était pas certain d'oser sourire.

— Alors, naturellement, tu veux être seul avec ta

honte. Tu ne peux pas laisser voir au monde que tu es un homme et non pas un héros de ballade.

Il frappa dans ses mains.

— Imbécile ! Dans quel état seras-tu au matin si tu passes la nuit à ruminer, à trembler, et à te reprocher d'avoir peur ? *Veux*-tu donc perdre ce duel ?

— Vadin, dit Mirain avec une patience appuyée. Vadin, mon frère récalcitrant, je sais aussi bien que n'importe qui quelles sont mes chances contre le grand champion de Ianon. Je sais aussi quand je dois arrêter mes ruminations. Et je connais les arts qui assureront mon sommeil. Si, ajouta-t-il, acide, tu me laisses les pratiquer.

— Tu recommences à jouer avec la vérité.

Vadin esquiva un coup porté sans trop de force, et saisit la main de Mirain. Le roi se raidit, mais ne se débattit pas.

— Tu as gagné mon âme, Mirain. Elle t'appartient pour en faire ce que tu veux. Même pour la jeter, si tel est ton bon plaisir.

— Ce serait un fameux gaspillage.

A une demi-longueur de bras, Mirain dut renverser la tête en arrière pour voir le visage de Vadin. Le roi ne sourit pas, son expression ne s'adoucit pas, mais son regard était plus clair et ferme qu'il ne l'avait été depuis longtemps.

— Tu m'as appelé par mon nom.

— Je m'en excuse, monseigneur.

— Naturellement.

C'était la façon de s'exprimer de Vadin, son ton même. Un léger sillon se creusa entre les sourcils de Mirain, démentant le sourire qui s'épanouissait sur ses lèvres.

— Tu ne me donneras plus du « monseigneur » en privé. C'est déjà assez regrettable que j'aie à le tolérer des autres.

— Tu aurais dû y penser avant de revendiquer l'héritage d'un trône.

— Belle prévoyance à retardement.

Mirain eut enfin un sourire, quoiqu'un peu contraint.

— Tu me fais du bien. Comme l'un des puissants remèdes d'Ivrin le Guérisseur.

— Grands dieux ! Je suis tellement odieux ?

— Pire.

Mais l'humeur de Mirain avait changé, passant de la sombre et familière extravagance à quelque chose de presque désinvolte.

— Amer, dirais-je, mais revigorant. Veux-tu être mon témoin demain ?

— Est-ce de bonne politique ? Le Prince Mehtar...

— Au diable le Prince Mehtar, dit Mirain, d'une voix si douce que c'en était inquiétant.

Il prit les mains de Vadin, et les retint avec une force telle que son ami ne put pas se dégager.

— Si je survis, je serai assez fort pour traiter avec lui. Si je meurs, ça n'aura pas d'importance. Et je préfère de beaucoup t'avoir devant moi, plutôt que cherchant à me protéger par-derrière.

Vadin rougit jusqu'aux oreilles.

— Alors, qui est-ce qui ment maintenant ?

Mirain lâcha les mains de Vadin, mais se rapprocha encore, et brusquement, il étreignit étroitement l'écuyer.

— Mon frère, je l'avoue : j'ai besoin de toi. Seras-tu mon témoin ?

Oui, pensa Vadin, sachant que Mirain l'entendrait. Un peu raide, un peu timide, il lui rendit son étreinte. Il pensa à Ledi, sans savoir pourquoi. C'était sa femme. Mirain était... était...

— Ton frère, dit Mirain.

Il recula en souriant.

— Veux-tu que je te l'amène ?

Vadin ne douta pas un instant que Mirain pût le faire, mais il refusa de la main.

— Non, merci. Inutile de te fatiguer à faire de la

magie. Je ne me porterai pas plus mal d'un peu d'abstinence.

Mirain haussa les épaules, pas convaincu, mais il n'insista pas.

— Bonne nuit, mon frère, dit-il.

— Bonne nuit, répondit Vadin. Mon frère.

Ymin était assise par terre devant la tente de Mirain, ombre grise à la limite du feu de camp. Mais quand Vadin sortit sous le ciel, il la vit aussi clairement qu'elle le vit. Leurs yeux se rencontrèrent. Ses yeux, pensa-t-elle, n'étaient pas ceux d'un jeune homme, encore moins ceux d'un simple guerrier de Ianon. Elle dut raffermir sa volonté pour soutenir leur regard.

Il la salua de la tête. Reconnaissance, encouragement, sourire fugitif. Elle se leva. Son cœur, sotte créature, battait à grands coups. Quand elle jeta un coup d'œil derrière elle, l'écuyer avait pris sa place et son poste.

Etendu sur son lit, les bras croisés sous la tête, Mirain contemplait la lampe au-dessus de lui. Sa robe tomba à ses pieds, et elle s'allongea près de lui, la tête sur sa poitrine. Il l'entoura de ses bras. Le pouls de Mirain s'était accéléré, mais il était encore calme, pas encore prêt. Elle resta silencieuse, sans dire un mot, ne pensant à rien qu'à la paix.

Il dit, d'une voix douce et grave, et pourtant très forte :

— Dame d'amour, sais-tu que tu es dangereusement belle ?

— Dangereusement, mon cher seigneur ?

— Terriblement. Je suis un affreux couard, chère dame. Tout m'épouvante.

— Même la bataille ?

— La bataille plus que tout. Je n'ai pas de courage, seulement son apparence. Un instinct, aveugle et assez fou, qui me pousse vers ce que je redoute le plus.

— Je crois que c'est là le vrai courage, dit-elle.

Savoir quelle horreur on affronte, la redouter, et pourtant s'y mesurer sans faiblir.

— La bravoure n'est-elle donc que de la lâcheté réprimée ?

— Oui.

Elle releva la tête pour scruter son visage.

— Mais je ne dirais pas que tu es lâche, Mirain An-Sh'Endor.

— Mais je le suis !

Il se mordit les lèvres.

— Je le suis, répéta-t-il. Je suis aussi un imbécile, un fou et tout le reste. Je ne le sais que trop bien. Et je veux l'oublier. Un moment. Jusqu'à ce que je sois obligé de m'en souvenir.

— A Ianon autrefois, dit-elle, avant que notre peuple n'adopte les coutumes de l'Ouest et du Sud raffiné, quand le roi veillait avant la bataille, il y avait un rituel. Il donnait de la force au roi, et, à travers lui, à son royaume ; et il lui donnait souvent la victoire.

Immobile, il dilatait les yeux, ne voyant que son visage à la lueur de la lampe.

Elle poursuivit, avec calme et douceur.

— Après le coucher du soleil, tandis que son armée montait la garde, le roi restait dans sa tente, seul, ou avec un ami aussi proche qu'un frère. Là, il livrait son combat secret contre ses craintes, pour lui et pour son peuple. Vers la fin, un autre entrait, non seulement pour combattre à son côté, mais pour lui permettre d'oublier. C'était toujours une femme, ni vierge ni matrone, mais qui, par ses vœux et sa volonté, s'était mise à part du reste de son sexe, pour jouer un rôle beaucoup plus noble. Celui, sacré, de la force du roi.

— Et aussi de chanteuse ?

— Cela aussi. Parfois.

— Alors, il semble que j'aie sagement choisi le soir de mon couronnement. Une seule femme pour tout ce que je désire.

Sa voix s'étrangla.

— Mais ce soir, point n'est besoin d'inventer titres et rituels. Dis-le simplement. Tu penses que j'ai besoin d'une femme.

— N'est-ce pas le cas ? demanda-t-elle, imperturbable, tout en sachant que cela l'exaspérait.

Effectivement exaspéré, il frappa pour blesser.

— Pourquoi penses-tu que c'est de toi que j'ai besoin ? Il est peut-être temps que j'en choisisse une plus proche de ma propre taille. Et qui ne soit pas en âge d'être ma mère.

Elle eut son rire inimitable, musical, sans aucune souffrance qu'il pût percevoir.

— C'est peut-être le moment, et c'est peut-être sage, mais je suis là, tout à fait disponible. Et tu es beaucoup trop délicat pour te satisfaire d'une fille à soldats.

Il déglutit, outragé.

— Comment oses-tu ? glapit-il d'une voix étranglée, si discordante qu'elle dissipa sa colère.

Il fut pris de fou rire, d'un rire irrépressible qui le détendit jusqu'aux moelles et le laissa pantelant dans les bras d'Ymin.

Elle cessa de rire en même temps que lui, mais continua à sourire, les yeux rieurs.

— Il y avait vraiment un rituel, dit-elle.

— Et je semble… vraiment… en avoir besoin. Que le diable t'emporte, Ymin !

Il brûlait sous ses mains. Brusquement, il s'écarta et se leva d'un bond.

— Pourquoi reviens-tu toujours vers moi ? Qu'as-tu à y gagner ? Fais-tu cela parce que cela fait partie de ton office — de ton devoir ? Ou… est-ce que tu…

— Tu as de la beauté. Ce n'est pas une beauté ordinaire ; c'est une beauté plus puissante, plus étrange. Elle fait vibrer le sang. Tu as la force. La force de la jeunesse qui mûrira en une splendide virilité. Tu as cet air indéfinissable que l'on qualifie de royal. Et, poursuivit-elle, lui prenant les deux mains et les posant sur son cœur, tu as ce qui me fait t'aimer.

Il baissa les yeux sur elle, son visage redevenu soudain immobile et froid.

— Je ne suis pas l'amour de ta vie, dit-elle. Et je n'ai pas l'ambition de l'être. Mais ce que je peux te donner, ce que je t'ai toujours donné, je te le donnerai encore, cette nuit entre toutes.

Il faillit pleurer. Il faillit rire. En cela, elle avait magnifiquement réussi : il avait oublié toutes ses craintes. Pourtant, il l'avait troublée, trouble aussi doux qu'il était douloureux. Elle conserva un air serein, un sourire éclatant, des pensées optimistes, fortes, indomptables. Elle ne pensa pas à ce qu'ils savaient tous les deux. C'était peut-être la dernière fois qu'ils s'aimeraient.

Mais, mage et Fils du Soleil, il vit, il sut. Elle lui avait lâché les mains ; il en souleva une et lui caressa la joue.

— Je ne veux pas te donner de l'affliction, dit-il avec une grande douceur.

— Alors, donne-moi de la joie.

La joie s'épanouit en lui. Ymin la sentit. Elle le prit dans ses bras et l'attira sur son sein.

CHAPITRE 24

Au crépuscule, l'ombre entourant le camp ennemi sembla fondre et disparaître. A la nuit tombée, les sentinelles postées sur la crête ne discernaient plus qu'un camp, peu différent du leur, avec ses feux régulièrement disposés brillant dans l'obscurité.

L'espace séparant les deux camps était noir, même pour ceux dont les yeux voyaient la nuit ; la rivière murmurait doucement. Alidan descendit furtivement le talus, avec des précautions de chasseresse, vêtue de nuit, ses tresses enroulées autour de sa tête, une dague attachée sur la cuisse, à la garde et au fourreau enveloppés de noir pour éviter les reflets métalliques. Ainsi s'était-elle glissée entre les sentinelles de Mirain, comme le vent glisse sur l'herbe. Arrivée sur la rive de l'Ilien, elle s'immobilisa, jetant un regard en arrière. La tente du roi était invisible au milieu des autres ; il dormait, en sécurité dans les bras de sa chanteuse, son écuyer de Geitan montant la garde à l'extérieur. Elle sourit en pensant à eux, puis soupira. Elle aurait voulu au moins dire adieu au roi ; mais il lui aurait interdit de partir, et elle ne pouvait faire autrement ; c'était un devoir.

L'Ilien gazouillait devant elle. Le camp ennemi s'étendait au-delà. Pourtant, elle n'y détectait aucune ombre à part celle de la nuit, aucun signe de vigilance à part les allées et venues des gardes. Ils faisaient paisiblement les cent pas, en armures qui luisaient aux lueurs dispersées des feux, certains équipés à la mode des Marches, d'autres vêtus en chevaliers des provinces occidentales de Ianon. L'un d'eux, proche de la rivière, portait sur sa cape les armoiries du Seigneur Cassin.

Alidan expira lentement et entra doucement dans l'eau, glacée sur sa peau nue. Serrant les dents, elle glissa de l'avant, rythmant ses mouvements sur celui du courant sur les pierres. Plus d'une fois, elle s'immobilisa, accroupie, mais aucun regard ne se tourna vers elle.

Finalement, elle reprit pied sur la rive occidentale. Les sentinelles faisaient les cent pas sans rien voir, l'air de monter la garde par devoir, mais sans craindre une attaque.

Elle banda tous ses muscles, un par un. En silence, mais sans perdre de temps, elle monta le talus en courant. Un garde arrêta ses allées et venues, scruta l'obscurité ; elle se figea. Il se remit à marcher.

Les feux tremblotaient devant elle ; les sentinelles passaient derrière. Avec moins de précautions, mais toujours avec prudence, restant dans l'ombre, elle se dirigea vers le pavillon dressé au centre du camp. Une bannière plantée devant flottait au vent, portant l'insigne de Moranden, la tête de loup, maintenant surmontée d'une couronne.

L'intérieur était illuminé, la lumière se reflétant dans les yeux des deux personnes qui s'affrontaient. Moranden était debout, raide et tendu comme par une main invisible. Sa mère trônait dans un fauteuil sculpté, vêtue avec son éternelle simplicité, que la magnificence de Moranden rendait encore plus impressionnante. Il avait le visage tourmenté, comme rongé jusqu'à l'os par une longue lutte désespérée, tandis qu'elle était calme et sereine.

— Je t'ai laissé faire joujou, mon enfant, dit-elle. J'ai laissé tes hommes te donner le titre de roi, alors qu'ils m'évitent et me traitent de sorcière, ou pire. Je te laisserai terminer ta partie de rois et guerriers avec ce jeune parvenu. Mais je n'ai pas l'intention de lui laisser la moindre chance de victoire.

— Comment pourrait-il gagner ? Je suis deux fois plus grand que lui. Je peux le mettre en pièces avant qu'il ait eu le temps de s'approcher de moi.

— Le Fils du Soleil est un imbécile, mais il n'est pas tout à fait fou. Il voit quelque avantage dans le mode de combat qu'il a choisi. Avantage qui devra sans doute quelque chose à la sorcellerie.

— Je veillerai à ce qu'il n'utilise pas la magie, et tu pourras vérifier qu'il respecte son serment. Mais rien de plus. Je ne veux pas de tes poisons ni de tes sortilèges. Je le tuerai en combat régulier.

— Non, dit-elle d'un ton sans réplique. Tu sauras quand je…

Il se pencha sur elle, si menaçant que même elle connut un instant d'appréhension. Il parla très doucement, très distinctement, de toute sa force concentrée.

— Femme, c'est assez. Tu pensais m'avoir totalement aveuglé, mais je sais ce que cette armée a fait à mon pays. *Mon* pays, femme. Elle l'a ravagé. Détruit. Pour que tu te venges d'un ennemi mort voilà plusieurs saisons, qui n'a jamais fait autre chose que d'abattre ta vipère de père et de t'élever aussi haut que ne le fut jamais une engeance de traître. Et de t'aimer, à sa façon. Ce fut cela, sa faute impardonnable. Il ne condescendit jamais à te haïr.

Elle le gifla. Ses ongles longs laissèrent des griffures au-dessus de sa barbe ; il ne leva pas la main pour les toucher, bien qu'il en coulât un fin filet de sang. Il ne semblait pas venir d'une blessure nouvelle, mais de la vieille cicatrice sous son œil, souvenir d'une autre bataille de cette guerre sans fin.

— Oui, dit-il, quand les arguments te manquent, tu frappes. La vérité t'a toujours rendue folle.

— La vérité !

Elle éclata de rire.

— Que sais-tu de la vérité ? Toi dont les prétentions au trône sont parfaitement injustifiées. Tu n'as jamais été un fils de roi, Moranden.

Il recula d'un pas. La gorge serrée par la bile, il articula péniblement.

— Calomnie perverse. C'était mon père. Il m'a reconnu.

Elle sourit, certaine maintenant d'avoir gagné, comme toujours.

— C'est le marché que j'avais conclu avec lui. Il pouvait me posséder s'il donnait son nom à l'enfant que je portais. Il était faible et j'étais belle. Il fit ce que je demandais.

— Mensonge, grinça Moranden. Ou, si c'est vrai…

Il découvrit les dents en un rictus.

— Tu as commis une faute, mère putain. De ton propre aveu, je n'ai aucun droit légitime au trône de Ianon. J'y renonce ; je partirai, j'abandonnerai ce simulacre de guerre et j'irai faire fortune ailleurs, très loin, et à l'abri de tes intrigues. Je ne serai plus une marionnette entre tes mains.

Il était plus fort qu'elle ne l'avait cru, et plus sensé. Elle le lui dit et ajouta :

— C'est une preuve de ton ascendance. La raison est rare dans la lignée royale.

— Le meurtre aussi, ce qui est regrettable pour moi. Mon père aurait dû t'étrangler le jour où il t'a connue.

— Ce n'est pas ton père.

— C'est le seul que j'aie jamais connu.

Moranden se redressa, rassemblant son courage et sa colère.

— Je combattrai à ma façon. Dans l'honneur. Si tu fais le moindre mouvement contre mon adversaire, je te tuerai de mes propres mains.

Sa voix s'enfla, la fouettant avec une force redoublée.

— Maintenant, va-t'en !

Elle se leva mais ne s'enfuit pas.

— Quand il pressera son genou sur ta gorge, souviens-toi de ce que tu m'as dit.

— Quand je le jetterai à terre et poserai le pied sur lui, prends garde, mère, que je ne te jette pas en pâture à ses chiens. Et le royaume après toi — ce royaume sur lequel je n'ai selon toi aucun droit.

— Tu as les droit d'un fils reconnu du roi.

Elle rabattit son voile sur ses yeux étincelants.

— Je gouvernerai Ianon avec toi ou sans toi. Après tout, il est peut-être temps que ce royaume soit gouverné par une reine.

— Tu as toujours besoin de moi pour te débarrasser du roi régnant.

— Non, dit-elle. Je n'ai nul besoin de toi. Mais moi aussi je suis faible. Je tolère ta folie parce que tu es l'enfant de mes entrailles. Parce que je t'aime, dit-elle d'un ton si passionné qu'il ne put faire autrement que la croire.

Accroupie dans le noir à un empan de la tente, Alidan respirait à peine. Son vertige ne venait pas seulement de la rétention de son souffle, ni même de l'épouvante de la découverte. Elle ne pensait plus à la vengeance. Il n'y avait plus que la nécessité ; mais que faire ? Le prince traître allait détruire le corps de Mirain. La sorcière abattrait son âme. Et elle n'avait pas le temps de les frapper tous les deux.

Lequel, alors ?

Dans l'obscurité régnant derrière ses paupières, elle revit son fils s'affaisser. Et elle vit le visage de Moranden à l'instant où Shian s'était écroulé. Figé, frappé de stupeur. Elle entendit ses paroles par-dessus les rugissements résonnant à ses oreilles.

— Sommes-nous tombés si bas que nous égorgeons les enfants ? Gardes, emparez-vous de cet homme !

Un roi faisait ce qu'il devait. Même s'il devait assassiner des enfants. Et le cours de l'Ilien n'était qu'une longue route vers la mort.

Et il s'était élevé contre ça.

Pourtant, il allait tuer Mirain.

Mais la femme dépouillerait le roi de sa volonté, ensorcellerait son âme.

Si elle pouvait.

Si Moranden pouvait…

Alidan rampa dans le noir, une main sur la poignée de la dague destinée au cœur de Moranden. Pour sauver Mirain ; pour sauver l'empire à venir.

La lumière jaillit. Alidan s'aplatit dans l'ombre. Une haute silhouette noire releva le pan de la tente ; la lumière de l'intérieur fit briller l'argent qu'elle portait à son cou.

lidan fut prise de vertige. Trahison sur trahison. Trahison sur trahison. Haine…

Le pan de la tente retomba. Ymin se dressa face à la mère et au fils. Stupéfaits. Elle garda son calme, comme n'ayant rien à craindre. Ils ne dirent pas un mot. Peut-être en étaient-ils incapables. Elle sourit, s'assit sur un tabouret capitonné, arrangeant avec soin les plis de sa robe, puis croisa les mains sur les genoux.

Moranden rompit brusquement le silence.

— Comment es-tu arrivée jusqu'ici ? Que nous veux-tu ?

— J'ai marché, dit-elle. J'ai peut-être chanté un sort ou deux. Et je veux te parler.

— Pourquoi ? Il ne te satisfait donc pas ?

Elle sourit à ses souvenirs.

— Il est le roi à tous égards.

— Et tu profites pleinement de la situation.

— J'en suis plus que satisfaite.

Elle le regarda avec attention.

— Tu as mauvaise mine, monseigneur.

— La guerre use un homme.

— Oui, dit-elle. Et la rébellion est cruelle n'est-ce pas ? On doit détruire tant de choses qu'on souhaiterait préserver.

Il se raidit sous le coup. Ses yeux cherchèrent sa mère, haineux, suppliants. Elle regardait sans un mot. Sa stupéfaction avait fait place à autre chose de moins facile à définir ; mais ce n'était pas de la consternation. Pas du tout. Elle souriait presque.

Elle ressemblait à Ymin, sereine, supérieure, assurée dans sa conviction que le monde lui appartenait, pour le façonner à sa guise.

Ymin soutint son regard.

— Tu sais qu'en cas d'échec de ton fils, tu n'as aucun espoir.

— Mon fils n'échouera pas.

— Ce n'est pas un enfant qu'il va affronter. C'est le fils d'un dieu. Il est beaucoup plus fort qu'il ne paraît ; le destin l'a désigné pour être roi.

— C'est mon fils qui sera roi de Ianon.

— Peut-être, dit Ymin.

Elle se tourna vers Moranden.

— Peut-être. Mais crois-tu que Mirain va s'attarder ici ? Cette campagne n'est qu'un commencement. Et quand il s'en ira prendre possession de tout son héritage, il aura besoin d'un homme pour gouverner Ianon. Et qui trouverait-il de mieux que son oncle ?

— Son cher oncle ? dit Moranden avec un rictus. Je ne suis pas un sage, ni le fils d'un dieu, mais je ne suis pas un imbécile. Je sais quelle affection je peux attendre de Mirain, bâtard de la prêtresse. Il me tuera avant de me laisser approcher de son trône.

— Crois-tu ? Vous n'avez eu que des malentendus, je te l'accorde, mais il a mûri depuis qu'il est monté sur le trône. Il peut te pardonner, si tu le lui permets. Il peut te donner tout ce à quoi tu as toujours aspiré.

Le visage de Moranden se convulsa, en proie à une émotion passionnée. Il montra sa mère de la main.

— Même sa tête au bout d'une pique ?

— Même ça, dit Ymin d'une voix égale.

Odiya rit, d'un rire léger et étrangement doux.

— Eh bien, vous jouez mieux qu'une troupe de saltimbanques ! Chanteuse, as-tu perdu l'esprit ? Ou est-ce seulement la folie du désespoir ? Ton amant n'a aucune chance de victoire, tu le sais aussi bien que moi. Mais tu ne rachèteras pas sa vie avec des promesses creuses.

— Elles ne sont pas creuses, dit Ymin.

Odiya se contenta de sourire. Ymin se leva. Relevant le menton, elle plaça sa voix de façon à faire vibrer le cœur de Moranden.

— Tu n'es pas un imbécile, monseigneur ; ni un simple jouet entre les mains d'une femme. Et pourtant, ta mère te gouverne. Sans toi, elle n'est rien. Sans elle, tu es un homme plein de force et de sagesse. Romps tes chaînes. Vois la vérité. Sache que tu peux être roi si tu fais preuve de patience.

Il hésitait. Elle le tentait. Elle l'attirait par la vision des splendeurs qui pourraient être. Liberté, joie, un trône enfin. Et plus d'Odiya pour le tourmenter.

Il se secoua vigoureusement, portant les mains à sa tête, la respiration oppressée.

— Non.

Il enfonça ses ongles dans sa chair, abaissa les mains. Les marques étaient moins douloureuses que les griffures de sa mère, que la froideur mordante de son regard.

— Non. Trop tard. Il était déjà trop tard le jour où mon père a choisi Sanelin Amalin pour héritière. Ce n'est que le dernier tableau d'un long ballet. Je dois aller jusqu'au bout. Je serai roi.

— Monseigneur..., commença Ymin.

— Madame, dit Odiya, le roi a parlé.

— Il a scellé sa destruction.

Mais la force d'Ymin s'était réduite à une simple attitude de défi. Elle était prise au piège ; son dos sentait que des gardes l'attendaient devant la tente, prêts à l'arrêter. Moranden l'aurait peut-être laissée partir. Mais Odiya ne renoncerait jamais à une captive si précieuse. Elle regarda autour d'elle, rapide, désespérée. Elle inspira, concentrant le peu de magie qu'elle avait, la faisant passer dans sa voix.

— Ménage-toi, dit Odiya.

Elle prononça un Mot. Ymin resta muette, sans même la volonté de résister. Odiya prit sa main sans force.

— Viens, mon enfant.

Ymin ne pouvait ni parler ni résister, mais elle pouvait sourire. Ce n'était pas le sourire d'une femme qui a abdiqué, et il n'exprimait aucune crainte, bien qu'elle vît sa mort dans les yeux d'Odiya. Elle soutint leur regard sans ciller. Elle les obligea finalement à se détourner. Son sourire s'élargit et se figea.

Alidan se ressaisit. L'horreur, après lui avoir brouillé l'esprit, le lui rendit parfaitement clair. Elle savait ce qu'elle allait faire, ce qu'elle devait faire. Odiya et sa captive sortirent de la tente. Pendant l'instant d'aveuglement entre la lumière et l'ombre, Alidan bondit. Démons et reptiles, corps trop fort et ondulant pour être humain, reflets d'yeux meurtriers. Le couteau s'enfonça dans la chair, rencontra l'os, ressortit. A l'oreille d'Alidan, quelqu'un retint son souffle. Une main de fer lui arracha sa dague puis lui serra la gorge. Trop de doigts, trop de mains la frappèrent, l'abattirent. La lumière d'un feu l'aveugla.

— Par tous les dieux ! vociféra un homme. Une femme !

— Holà ! La reine est blessée. Vite, un guérisseur !

— Assez ! dit une voix qu'Alidan connaissait trop bien maintenant, bien trop ferme pour une grande blessée. Ce n'est qu'une écorchure. Reculez, que je la voie.

Le cercle d'ombres s'élargit et se fondit dans la nuit,

mais leurs yeux s'attardèrent sur Alidan comme des mains brûlantes. Elle eut envie de couvrir sa nudité ; elle eut envie de rire ; elle eut envie de pleurer. Elle avait échoué. Elle s'était sacrifiée pour rien, pas même pour une vengeance insipide. Elles mourraient ensemble, elle et la chanteuse muette et immobile.

Une nouvelle ombre se profila au-dessus d'elle. Impression de grande beauté, aura de terreur, goût de sang.

— Déesse, murmura Alidan. Messagère de la déesse.

— Qui es-tu ?

Les mots résonnèrent dans sa tête.

— Une femme.

Elle sourit.

— Seulement une femme.

— Qui ? insista la reine qui ne l'était pas. Qui es-tu ?

— Perdue.

Le sourire d'Alidan s'évanouit. La sorcière se pencha vers elle, les yeux prêts à déchirer son âme. Alidan vit en eux la déesse, noire.

— Mais, protesta Alidan, elle n'est pas — elle n'est pas tout…

Inutile ; la sorcière ne pouvait pas savoir, ne saurait pas. Pas plus qu'elle ne saurait qui elle était, pourquoi et d'où elle venait. Du sang luisait, sinistre, sur sa longue robe noire, la souffrance durcissait son visage, fureur et pouvoir se lisaient dans ses yeux. Fureur terrible, car avec son sang, elle perdait de sa force. Et perdant sa force, elle perdait le pouvoir de faire agir ses sorcelleries. Pourtant, il lui en restait assez pour soumettre cette frêle insensée ; et cela présageait des tortures.

La terreur bégayait en marge de l'esprit d'Alidan ; la folie se lovait au centre ; les yeux d'Ymin brûlaient entre les deux. Des mots y flamboyaient. *Fuis. Immédiatement.* Folle sagesse. Aucun espoir d'évasion pour l'une ou l'autre.

La chanteuse trébucha. Son corps heurta celui

d'Odiya, du côté de sa blessure. Elle chancela, aveuglée par la souffrance. Les yeux d'Ymin et les pieds d'Alidan se rencontrèrent et prirent une décision. Alidan bondit dans la nuit.

La ronde des étoiles inclinant vers minuit, Vadin se glissa dans la tente de Mirain. Ymin était partie. Mirain dormait, détendu comme un enfant, souriant aux anges. Vadin s'allongea machinalement près de lui. Mirain, tiède et repu, se blottit contre lui, soupirant dans son sommeil. Mais Vadin veilla toute la nuit, surveillant ses rêves.

Mirain passa sans transition du sommeil au réveil. Un instant, il dormait profondément, et l'instant suivant il rencontra le regard de Vadin et sourit. C'était si rare que Vadin se figea sur place. Le roi était lucide et gai, presque heureux, libéré pour une fois de sa mauvaise humeur matinale. Ce jour, disaient ses yeux, serait peut-être celui de sa mort ou marquerait la première grande victoire de son règne. Quelle que fût l'issue, maintenant qu'elle approchait, il l'accueillait à bras ouverts.

L'aube pointait à peine, mais tous au camp étaient déjà levés et en pleine activité. Aucun ne semblait avoir dormi plus que Vadin. Et tous, soldats, écuyers, capitaines et seigneurs, avaient le visage sinistre et les yeux creux, comme si c'était eux, et non Mirain, qui risquaient d'être morts le soir venu.

Calme et désinvolte, il mangea de bon appétit ; il sourit, plaisanta, et les fit rire malgré eux, mais ces rires se turent dès qu'il eut le dos tourné. Nuran et Kav le prirent en main, lui donnèrent son bain et le rasèrent. Pendant qu'ils étaient ainsi occupés, quelqu'un siffla légèrement de la porte ; Adjan, le visage figé, accrocha le regard de Vadin. Sans hâte mais sans hésiter, il sortit dans l'aube glacée.

— Qu'est-ce…

Il se tut. Adjan soutenait une autre silhouette, sur qui,

bien qu'elle chancelât sous une longue cape, Vadin put mettre un nom.

— Alidan ! dit-il, à voix basse malgré sa stupeur.

Elle était nue sous la cape, les cheveux en désordre, collés par la boue et le sang. Mais le pire, c'étaient ses yeux. Le regard était calme, sensé, et dénué de tout espoir.

Il se força à la douceur.

— Alidan, qu'est-il arrivé ?

— J'ai laissé ma marque sur la sorcière de l'Ouest, répondit-elle avec calme. Elle n'aura plus de pouvoir pour trahir mon roi.

Vadin fut glacé d'anxiété. Il ne put pas même se réfugier dans l'incompréhension. Il savait ce qu'elle disait, et il commençait à soupçonner ce qu'elle n'avait pas encore dit. Elle se réjouissait de ce qu'elle avait fait : traîtrise noire, trahison de tout honneur, et peut-être le seul espoir de salut pour Mirain. Mais sa joie s'était transformée en ombre.

Adjan le lui dit, bref et brutal.

— Ils ont la chanteuse. Si elle a de la chance, ils ne lui infligeront pas la mort lente.

Les pieds de Vadin le portèrent machinalement près des cendres du foyer. Elles étaient mortes.

Adjan et Alidan étaient des présences brûlantes et douloureuses dans son dos. Son estomac se révulsa, tentant de se vider. Au prix d'une gros effort de volonté, il domina sa nausée.

— Pourquoi ? demanda-t-il à Alidan. Pourquoi as-tu fait ça ?

La femme ferma les yeux. Il faisait encore trop noir pour bien voir son visage ; dans la pénombre, sa silhouette était rigide, sa voix calme.

— Nous n'étions pas ensemble. Je voulais nous débarrasser du rebelle. A la place, j'ai blessé sa mère. La chanteuse voulait le persuader de se rendre. Mais sa mère l'a emporté. Elle était folle, dit Alidan, qui pour se venger, était entrée toute nue dans le camp ennemi et avait trempé sa lame dans un corps de sorcière. Elle mettait son espoir dans son pouvoir de chanteuse, et dans le souvenir de quelques nuits d'amour d'autrefois. Moranden est le père de sa fille, le saviez-vous ? Lui, il ne l'a jamais su. Et maintenant, il ne le saura jamais.

— Que le diable l'emporte, murmura Vadin. Mieux que personne à Ianon — elle savait ce que ça ferait à Mirain. Elle le savait !

— Si elle avait réussi..., commença Alidan.

— Si elle avait réussi, elle l'aurait couvert de honte à jamais ; elle aurait prouvé que même son amant n'avait aucun espoir de remporter la victoire.

— Cela aurait évité de verser le sang et lui aurait gagné un allié puissant.

Vadin rejeta en arrière sa tête douloureuse. Logique de femme. Au diable l'honneur, au diable la gloire, au diable la virilité — rien ne comptait, que la victoire. Il brandit les poings ; Alidan ne bougea pas. Elle dit :

— C'était un sacrifice. Maintenant, la femme d'Umijan doit mourir. Maintenant, le vieux roi sera vengé. Tu parles de honte ; comment qualifies-tu la folie de mon seigneur, qui a laissé la liberté à la meurtrière de son grand-père ?

— Elle ne sera peut-être pas seulement libre ; il se peut aussi qu'elle nous gouverne.

Vadin croisa les mains derrière son dos, pour s'empêcher de frapper cette folle.

— Cache-toi et reste cachée. Je tiendrai Mirain dans l'ignorance de ces faits aussi longtemps que je pourrai.

Il gémit tout haut.

— *Grands dieux !* Elle devait faire partie de ses arbitres. Adjan, pouvons-nous la sauver avant le lever du soleil ?

— Non.

Adjan était plus calme que Vadin, et beaucoup plus menaçant.

— Leur camp est entouré d'un mur de sentinelles. Ils ont laissé passer une femme ; ils gardent l'autre. C'est leur meilleure arme, et ils le savent.

— Mais peut-être qu'elle se retournera contre eux.

Obri le chroniqueur fut soudain à côté de Vadin, comme s'il s'était toujours trouvé là, pas perturbé le moins du monde par la taille et par l'humeur des Ianyens.

— Puis-je proposer une idée ?

Vadin émit un grognement ; Obri l'interpréta comme un assentiment.

— Le roi s'est mentalement préparé, non ? Son esprit est concentré sur la bataille qui l'attend. Qu'on le laisse dans l'ignorance. Je revêtirai la cape de l'arbitre, si quelqu'un veut bien la raccourcir de moitié pour moi.

Il sourit, et ses dents brillèrent dans la pénombre.

— Après tout, j'ai besoin d'assister au duel pour le raconter. La chanteuse est indisposée. Pauvre femme, elle est trop amoureuse. Elle a craqué. Son amie Alidan est près d'elle ; elles ne veulent pas affaiblir le courage du roi par leurs larmes.

— Mirain ne le croira jamais, dit Vadin. D'une autre femme, peut-être. Pas d'Ymin. Elle est de sang royal et son cœur est fort comme le fer de Ianon.

— Mais le roi est né dans le Sud, insista Obri, où hommes et femmes sont plus doux. Tant qu'il doit penser à la bataille, il sera moins porté sur les questions. Je veillerai à ce qu'il n'en pose aucune.

Comme Vadin restait inflexible, il ajouta :

— Fais-moi confiance, jeune seigneur. Je donnais déjà le change aux rois quand ton père était encore dans les langes.

— Que diable viennent faire…

Mais Vadin était conquis. Obri sourit, lui fit une révérence moqueuse comme d'habitude, et se fondit dans la nuit, laissant dans son sillage une ironie légère et l'image d'un nourrisson emmailloté dans des bandages de la tête aux pieds, comme la proie d'une araignée. Vadin frissonna.

— Va, dit-il sèchement à Alidan. Disparais. Et toi, capitaine, reste aussi loin du roi que tu pourras. Et prie que nous réussissions, ou nous sommes tous perdus.

Ils lui obéirent. Il en fut plutôt surpris. Puis il se composa et entra rejoindre Mirain.

Mirain sembla n'avoir pas même remarqué son absence. Ses écuyers finissaient de disposer les plis de sa cape écarlate. Ils n'avaient pas tout à fait fini quand il se retourna avec sa grâce inimitable et s'immobilisa. Son armure était à sa place, propre et polie. Il passa le doigt au bord de son bouclier, tripota un instant le plumet écarlate de son casque.

Brusquement, il se détourna. Tous l'observaient. Il releva la tête et leur sourit, lumineux et fort. Ils s'écartèrent pour le laisser passer.

Pendant la nuit, un autel avait été dressé au sommet de la colline la plus orientale : pierre brute étayée par de la terre et des mottes d'herbe. Le feu sacré brûlait dessus, alimenté par les prêtres, guerriers d'Avaryan armés et vêtus de l'or du Soleil. Avant l'arrivée de Mirain, ils avaient déjà commencé le Rite de Bataille. Anciens, à demi païens, ses rythmes pulsaient dans le sang : fer et sang, terre et feu, entremêlés des roulements des tambours et des lamentations aiguës des cornemuses. Ils placèrent Mirain sur l'autel, l'enduisirent de terre et de sang, l'entourèrent d'une haie de fer trempé dans le feu du dieu.

Debout sur la hauteur, le rite coulant au-dessus de lui, son esprit s'efforçant de se couler dans l'esprit de Mirain, Vadin regardait par les yeux du roi les collines où se préparait l'adversaire. Les feux de l'ennemi tremblotaient, pâlissant à mesure qu'Avaryan se levait, mais au centre, près du grand pavillon écarlate du commandant, un torrent de flammes rugissait vers le ciel. Des soldats étaient massés tout autour. Plus proche du feu, une silhouette solitaire, entourée d'autres silhouettes encapuchonnées, exécutait ce qui semblait une danse étrange et sauvage. C'était terrible à voir, noir ravaudé de rouge, et les mouvements saccadés étaient une parodie de la grâce, comme la danse d'un infirme. Vadin ne savait pas. Ne voulait pas savoir. Priait de toute son âme que ce ne fût pas ce qu'il redoutait.

Pendant qu'il regardait, les flammes s'élancèrent plus haut encore. Le danseur tournoyait ; la musique monta dans l'aigu, stridente, affolante. Le feu se tordait comme des mains griffant le ciel, mains de flammes rouges comme le sang, rouges comme le vin, rouges comme les chairs arrachées aux os par le fouet. Elles se tendirent vers le danseur, l'enveloppèrent, l'attirèrent au cœur du brasier aux accents d'une mélopée funèbre.

Le Soleil brûla son visage. Le visage de Mirain. Le prêtre abaissa le vase du feu sacré et tourna le roi vers l'est, vers la flamme montante d'Avaryan. Mirain leva les mains vers elle. Les paroles du rite coulèrent sur lui et à travers lui et s'y fondirent en un cri venant de l'âme, cri de bienvenue, cri de panique, et à la fin, cri d'acceptation.

— Qu'il en soit ainsi, chanta le prêtre.

Le cœur de Mirain, et celui de Vadin qui était son captif, bon gré, mal gré, répondit. *Qu'il en soit ainsi.*

Selon les Règles du Duel, le champion devait arriver seul au lieu du combat, uniquement accompagné de son arbitre et de son témoin. Ils chevauchaient derrière Mirain, la robe brune d'Obri, et les atours seigneuriaux de Vadin, cachés sous des capes blanc et ocre. Blanc pour la victoire, ocre pour la mort. Dans une main, Obri portait l'insigne de son office, simple bâton de bois terminé à un bout par de l'ivoire, à l'autre par de l'ambre.

Ils se taisaient. Obri avait tenu sa promesse. Mirain avait accepté la présence du chroniqueur ; il ne s'inquiétait pas de l'absence de sa chanteuse. Son esprit était totalement concentré sur le combat qui l'attendait.

L'armée avait formé ses rangs derrière lui, le premier à la limite du camp, assez proche pour voir, trop loin pour aider. A chaque pas de leurs montures, l'espace entre eux se creusait, le ciel s'éclaircissait, l'ennemi se rapprochait.

Aucune ombre ou illusion ne planait au-dessus des lignes de Moranden, comme si la sorcellerie avait échoué ou avait été abandonnée. Mais ses partisans étaient innombrables, représentant toutes les forces des Marches et des régions occidentales de Ianon. Pour envahir leurs terres, Mirain aurait dû avoir une seconde armée.

S'il remportait la victoire, il régnerait sur eux sans rival.

Une petite compagnie se détacha des rangs, et s'approcha de l'Ilien par l'ouest. Vadin fit avancer Rami entre Mirain et la rivière, se demandant comment il pourrait intervenir sans même une dague. Mourir pour Mirain, supposa-t-il.

Mais il ne vit pas d'armes parmi les cavaliers. Le héraut chevauchait devant, vêtu de blanc et d'ocre, le bâton d'arbitre à la main. Immédiatement derrière lui venait Moranden, monté sur son étalon rayé noir, droit et fier, vêtu comme Mirain de l'écarlate du roi en guerre. Et derrière Moranden, son témoin, Dame Odiya, très reconnaissable bien qu'elle fût recroquevillée sous ses voiles. Son vieil eunuque conduisait par la bride un senel lourdement chargé.

Vadin et le héraut arrivèrent ensemble à la rivière, mais aucun n'entra dans l'eau.

— Qu'est-ce que cela ? cria Vadin, par-dessus le bruit du courant. Pourquoi sont-ils si nombreux à venir sur le lieu du combat ?

— Vient qui doit, répondit le héraut, et nous apportons à ton roi ce qu'il semble avoir égaré.

L'eunuque s'avança, tirant le cheval récalcitrant jusqu'en bas du talus et lui faisant traverser la rivière. Vadin reconnut la charge enveloppée de noir, longue et étroite, rigide et pourtant souple, sur laquelle planait l'ombre de la mort. Mais il était comme l'on est en rêve. Il ne pouvait faire que ce qu'il fit : il laissa au cavalier la place de monter sur le talus, mais pas de s'approcher de Mirain. Et il attendit l'inévitable. Sans un mot et sans un regard, l'eunuque jeta la bride à Vadin, puis se retourna, éperonnant sa monture pour rejoindre sa maîtresse.

Très lentement, Vadin glissa à bas de Rami. Il n'avait pas prévu cela. Il n'avait pensé à rien depuis son réveil. Il savait seulement que Mirain ne devait pas voir. Il devait combattre. Il ne pouvait pas pleurer son amante. Ou rager parce qu'il l'avait perdue.

Pendant un instant de folie, Vadin sut qu'il devait s'enfuir au galop, avec cette chose silencieuse et morte. S'enfuir très loin, et l'enterrer très profond, et Mirain ne saurait rien.

Quelqu'un passa près de lui, quelqu'un en écarlate royale, assez petit pour se glisser sous son bras, assez rapide pour esquiver sa main. Mirain tendit les doigts vers les liens. De nouveau, Vadin essaya désespérément de le retenir. Il resta inébranlable comme la pierre, le visage figé. Les cordes cédèrent toutes ensemble, déversant leur contenu dans les bras de Mirain.

Sa mort n'avait pas été facile, rapide ni belle. Vadin le savait. Il l'avait vue mourir, poussée dans le brasier de la déesse, qui avait laissé de son corps juste assez pour distinguer son sexe, et l'on voyait qu'elle avait souffert avant de mourir, battue, fouettée, et pire encore peut-être. Mais ni le feu ni les tortures n'avaient touché son visage, à part les yeux. Sous ces deux plaies horribles, son visage était serein, n'exprimait ni horreur ni souffrance.

— Elle a dû les faire enrager, dit Mirain. Mourir en paix malgré eux.

Sa voix devait être touchée par la folie, parce qu'elle

était parfaitement sensée. Calme. Insensible. Il l'étendit par terre avec une grande douceur, rabattant sur elle les voiles noirs, comme si elle pouvait se réveiller et connaître la souffrance. Sa main s'attarda sur sa joue. Vadin ne put déchiffrer son visage ; son esprit était impénétrable comme une forteresse. Le plus fort assaut mental de Vadin ne parvint pas à en forcer la porte.

La voix du héraut chanta de l'autre rive de la rivière.

— Ainsi récompensons-nous les espions et les assassins. Réfléchis-y, ô roi qui a envoyé une femme pour abattre ton ennemi. Tu vois qu'elle a échoué. Tu n'échapperas pas à ce duel que commande l'honneur.

Mirain se baissa comme s'il n'avait rien entendu et baisa Ymin sur les lèvres. Il ne dit rien que quiconque pût entendre. Il se redressa, se retourna. Il parla doucement, mais tous l'entendirent comme s'il avait hurlé.

— Tu as manqué de sagesse en faisant une chose pareille, Dame Odiya. Car même si je pouvais te pardonner le meurtre de ma chanteuse, tu as montré une fois de plus à tout Ianon ce que tu ferais au pays et à son peuple. A l'avenir, Ianon pourra peut-être supporter ton fils, mais tu as perdu tout droit à sa miséricorde.

Elle répondit avec un calme inquiétant. Malgré sa blessure, elle parla d'une voix forte.

— Tu n'es pas le prophète que ta mère avait la prétention d'être, ni le roi que tu prétends. Tu n'es même pas un amant. Elle nous l'a avoué quand elle avait encore une langue pour parler.

Mirain releva la tête. Il rit, et ce fut terrible à entendre, car alors même qu'il se moquait d'elle, il pleurait.

— Tu mens mal, ô servante du Mensonge. Je vois ta honte ; je sens ton courroux contrarié. Elle n'a pas faibli. Elle est morte comme elle a vécu, brave et forte.

Sa voix descendit dans le grave, toujours belle, mais elle avait perdu son velours, maintenant dure comme le fer et le diamant.

— Je jure devant toi et devant tous les dieux qu'elle sera vengée.

Odiya resta indomptable. Il y avait cette mort entre eux, portant témoignage de son pouvoir. Elle mettait la vérité à nu : il ne pouvait pas protéger même quand il aimait. Elle répondit à sa moquerie par une raillerie amère.

— Viendras-tu te battre maintenant, Mirain qui n'a pas de père ? L'oseras-tu ?

— Je l'ose, ô reine des vipères. Et quand j'en aurai fini avec ton pantin, prends bien garde à toi.

Il tourna le feu de sa main vers Obri. Le chroniqueur fit faire un écart à sa monture pour contourner les voiles noirs, l'écarlate et le sang, l'engagea dans le courant et s'arrêta au centre de la rivière.

— Voilà le point à égale distance de nos deux armées.

Il parlait d'une voix égale, plus forte qu'on ne l'aurait attendu d'une homme si petit et ridé.

— Mais comme aucune coutume n'oblige que les champions s'affrontent au milieu d'une rivière, et puisque le choix du terrain appartient à l'invitant, qu'il choisisse où il veut combattre.

— Monseigneur veut vous affronter sur la rive occidentale, répondit le héraut.

— Ainsi ferons-nous, dit Obri, poussant sa jument de l'avant.

Avec le héraut, dans la concorde réservée du devoir, Obri descendit de cheval et, de son bâton, traça par terre un demi-cercle de vingt pas de diamètre auquel le héraut accola un second demi-cercle de même dimension. Le champ de bataille délimité, ils se retirèrent. Moranden se prépara à descendre de son cheval ; le héraut tint sa bride. Vadin était debout près de la tête du Fou.

Mirain sauta légèrement à terre. Sa tête n'arrivait même pas à l'épaule de Vadin. Les larmes lui piquèrent les yeux ; il battit des paupières pour les refouler. Grâces aux dieux, Mirain ne les avait pas vues, les yeux et les mains concentrés sur les agrafes de sa cape.

Vadin écarta ses mains et les détacha. Mirain eut un petit sourire ; Vadin jeta la cape sur la selle de l'étalon. Mirain déroula son kilt, qu'il posa sur l'étoffe écarlate, et caressa l'encolure du Fou.

Bras croisés, Moranden attendait dans le cercle. Mais Mirain s'attarda. Il serra dans ses bras le chroniqueur, si stupéfait que, pour une fois, il en resta sans voix. Puis il tendit la main vers Vadin avant que l'écuyer n'ait eu le temps de reculer, attira sa tête sans effort, et le baisa sur les lèvres. Le contact du roi fut comme l'éclair, fulgurant, puissant et brûlant.

Vadin inspira brusquement, douloureusement.

— Mirain, dit-il, Mirain, tâche de garder ton sang-froid. Tu sais ce qui arrive quand tu le perds.

— Ne t'inquiète pas, mon frère, dit Mirain, d'un ton calme et dégagé — d'un calme royal. Je porterai son deuil le moment venu, mais pour le moment, j'ai une bataille à gagner.

Il sourit soudain, avec une nuance d'ironie et quelque chose ressemblant à du réconfort.

— Que les dieux vous protègent, leur dit-il à tous deux.

Il entra dans le cercle. Le héraut était debout en son centre, bâton levé. Obri leva le sien et s'avança.

— Arrêtez !

Obri s'immobilisa.

Odiya ne pouvait pénétrer dans le cercle, mais se tenait à sa limite occidentale, à la place du témoin, appuyée sur l'épaule de son eunuque.

— Une question n'est pas encore réglée, dit-elle d'une voix claire et froide. Nous ne sommes pas devant un simple guerrier, mais devant un prêtre du démon Avaryan, formé à la magie par des maîtres. Doit-on le laisser se servir de son pouvoir contre un adversaire qui ne le possède pas ?

— Je ne m'en servirai pas, dit Mirain, d'un ton tout aussi clair et froid.

— Jure-le, ordonna-t-elle.

Il leva la main marquée du disque d'or. Malgré son orgueil et son pouvoir, elle flancha. Il eut un sombre sourire. Il se dépouilla de son torque et le déposa dans les mains récalcitrantes de Vadin, se redressant une fois libéré de son poids, et dit d'une voix égale :

— Je jure par la main de mon père dont je porte l'image, et dont je retire le torque en gage de mon serment, que cette bataille n'engagera que les corps, sans sorcellerie ni traîtrise. Prête ce serment à ton tour, prêtresse de la déesse formée à la sorcellerie par des maîtres. Jure ce que j'ai juré.

— C'est inutile, répondit-elle avec hauteur. Ce n'est pas moi que tu dois combattre.

— Jure, dit Moranden, le visage implacable. Jure, dame ma mère, ou quitte ce terrain. Liée et bâillonnée, liens et bâillon scellés par la sorcellerie de mon ennemi.

— En a-t-il le pouvoir ?

L'as-tu ? disaient ses yeux. Mais elle céda, avec toute l'apparence de la soumission. Elle prêta le serment solennel, se prosternant sur la terre qui était le sein de la déesse.

— Et puisse-t-elle me précipiter au plus profond de son enfer si je romps ce serment.

Avant que son eunuque ne l'eût aidée à se relever, ils l'avaient oubliée. Les arbitres se mirent dos à dos, chacun face au champion de l'autre, et attendirent. Avec une lenteur infinie, Avaryan monta sur l'horizon oriental. Enfin, l'immense disque couleur de sang s'arrêta au-dessus des collines. D'un même mouvement, les deux bâtons s'abaissèrent.

CHAPITRE 25

Les arbitres se retirèrent du centre jusqu'à la circonférence. Les champions s'avancèrent de la circonférence jusqu'au centre. Une immense clameur s'éleva des deux armées, cri de triomphe à l'ouest, cri de défi à l'est. Car Moranden se dressait aussi haut que les montagnes de sa naissance, massif et pourtant plein de grâce, avec des reflets d'or dans ses cheveux et dans les tresses de sa barbe. Près de lui, Mirain n'était pas plus grand qu'un enfant, frêle et lisse, avec encore des pouces et des kilos à gagner ; mais il n'égalerait jamais son adversaire en taille ni en poids. Et il avait renoncé à son unique avantage, l'épée et l'armure que constituait son pouvoir. Il n'avait pas même son torque pour défendre sa gorge.

Après avoir été au bord des larmes, Vadin était maintenant au bord du hurlement. Mirain regardait son adversaire comme un petit animal acculé, une ombre de sourire aux lèvres. De son côté, Moranden le fixait, réprimant un rictus dédaigneux. Et pourtant, comme ils étaient semblables, ces deux parents comparables par l'orgueil, hérissés et découvrant les dents — et s'engageant dans un combat à la vie à la mort. Et pour quoi ? Pour un mot, un nom et un bout de bois sculpté.

Ils furent lents à s'ébranler, comme si ce duel ne

concernait que les yeux. Enfin, au bout d'un moment qui s'étira une éternité, Mirain dit :

— Je te salue enfin, mon oncle.

Moranden le toisa de la tête aux pieds, comme il l'avait fait le jour de son arrivée. S'il éprouva quelque regret, il ne le montra pas.

— Es-tu prêt à mourir, petit ?

Mirain haussa les épaules.

— Je n'ai pas peur de mourir. Et toi ? ajouta-t-il, penchant la tête.

— Ce n'est pas moi qui tomberai ici. Tu ne veux pas reconsidérer ma proposition, enfant ? Accepte ce que je t'ai offert autrefois. Retourne dans le Sud et laisse-moi ce qui m'appartient.

— Un marchandage ? dit Mirain, amusé. Eh bien, laisse-moi poser mes propres jetons sur le tapis. Abjure et livre-moi ton armée. Jure-moi fidélité comme à ton roi. Et quand le temps viendra, si tu prouves que tu en es digne, tu seras roi. Roi de Ianon, comme tu as toujours désiré l'être, uniquement soumis à moi, ton empereur.

— C'est bien là le *hic*, dit Moranden. Soumis à toi. Comment parviens-tu à grimper sur le trône des rois de la montagne ? Te perches-tu sur des coussins comme un enfant autorisé à s'asseoir à table ? Avec un tabouret, naturellement, pour que tes pieds ne balancent pas dans le vide. Je suppose que personne n'ose rire.

— Oh, non, dit Mirain. Personne ne rit de moi.

Tout en parlant, ils tournaient l'un autour de l'autre, genoux pliés, Mirain avec un petit sourire crispé, Moranden sans expression du tout. Il était léger dans ses mouvements pour un homme si grand, et vif ; et quand il frappa, ce fut avec la rapidité du serpent.

Mirain esquiva le coup, mais de justesse. Son sourire s'évanouit, reparu, transformé. Exclu de l'esprit de Mirain par le serment qu'il avait prêté — et, les dieux lui soient témoins, après tant de temps et de résistance, c'était devenu une seconde nature, de sorte que ce vide était pénible à supporter — Vadin pouvait lire sur le visage, les yeux et le corps de Mirain aussi facilement que ce jeune roi savait lire un livre. Son esprit s'était resserré et concentré, évacuant doute, douleur et terreur. Il n'y avait en lui aucune crainte, seulement une détermination farouche, et l'amorce d'une certaine délectation. Il était fort, il était agile, et, ah !, comme il aimait se battre.

Mirain s'immobilisa, en attente. D'un geste large, Moranden décocha un coup lent et dédaigneux, comme on envoie une taloche à son chien. Mirain esquiva en riant.

Il ne reçut pas un sourire en retour, mais un rictus.

— Aha ! On m'oppose à un danseur. Danse pour moi, petit prêtre. Impressionne-moi par ton art.

— Mieux encore, mon oncle : dansons ensemble.

Mirain se rapprocha, provocant ; et comme Moranden ne faisait pas un geste pour le saisir ou le frapper, il s'approcha plus près, mortellement près, comme si son audace avait eu raison de sa prudence.

Moranden frappa.

Mirain dansota juste hors de sa portée, la main sur la hanche.

— Adjan est plus rapide que toi, dit-il.

— Adjan s'abaisse à danser avec des esclaves et des enfants. Tu sais courir, bâtard de prêtresse. Sais-tu combattre ?

— Si tu veux, dit Mirain, de l'air d'un roi accordant une faveur à un vassal.

Moranden se redressa, abandonnant sa posture de lutteur, genoux pliés ; Mirain attendit. Le prince fit rouler ses larges épaules, emplit ses poumons, les vida. Avec aisance, d'un mouvement fluide, il prit une posture qui coupa le souffle à Obri, debout près de Vadin. Vadin vit seulement que c'était une posture d'une grâce mortelle, comme celle du chat s'apprêtant à bondir. Cela ressemblait à…

— La mort douce, dit Obri.

Il perdait le sang-froid dont il était si fier, son détachement de savant. Il était comme tous, à part Moranden et sa sorcière de mère, il était amoureux de Mirain.

— Le rebelle la pratique. Bien sûr, puisqu'il est des Marches et de l'Ouest.

Mirain ne trembla pas et ne recula pas. S'il vit qu'il affrontait un maître de l'art qui lui était propre, il était trop guerrier pour le montrer. Son corps se déplaça vers son centre de gravité, et s'immobilisa dans une posture de défense.

— *Issan-ulin*, murmura Obri. Le serpent-pourfendeur. Prie tous tes dieux, Vadin alVadin, que l'histoire que ton seigneur a racontée à Adjan ne soit pas qu'une fanfaronnade. Prie tes dieux qu'elle le sauve.

La prière de Vadin fut muette. Il n'avait pas l'œil ou l'esprit de nommer les mouvements de cette danse subtile, mais sa volonté égalait celle de l'étranger. Faites que Mirain soit sage, faites qu'il soit fort. Faites qu'il se défende bien avant de mourir.

Moranden traquait sa proie en silence, silence d'autant plus menaçant qu'il avait tant parlé au début. Mirain le surveillait, comme l'*Issan-ulin* surveille le serpent, à la fois farouche et méfiant, sans frapper.

Moranden lança sa main en un geste circulaire ; son pied suivit en un mouvement synchronisé, aussi gracieux qu'il était mortel. Mirain reçut la main sur le bras, la dévia, chancela et sauta en arrière, esquivant le pied.

Il y eut une pause, pendant laquelle ils se mesurèrent du regard. Moranden feinta. Mirain glissa hors de portée.

Moranden bondit. Mirain lui saisit l'épaule, puis la cuisse qui se levait, et souleva, balançant Moranden par-dessus sa tête, faisant volte-face à l'instant où Moranden quittait ses mains.

Le prince avait tournoyé en l'air, atterrissant un

genou en terre et se relevant d'un bond. Au moment où Mirain se retournait, Moranden l'attrapa, enserrant sa taille d'un bras de fer, et refermant son autre main sur sa gorge. Moranden rit, d'un rire qui était à peine plus qu'un halètement, et le souleva plus haut, pour briser son corps.

Mirain se débattait, donnait des coups de pied, ouvrant la bouche pour aspirer un peu d'air, les yeux dilatés et vitreux. De toutes ses forces déclinantes, il donna un grand coup de tête dans la mâchoire de Moranden.

Moranden chancela ; Mirain tomba par terre et resta totalement sans défense pendant une éternité.

Son ennemi se dressa au-dessus de lui, levant le pied pour l'écraser. Mirain l'attrapa vivement, tint bon, le releva violemment. Moranden tomba sur le dos comme un arbre qui s'abat.

Mirain posa le genou sur la poitrine de son oncle et referma les mains sur son cou puissant, enfonçant ses deux pouces dans la trachée-artère. Moranden ne fit aucun effort pour le rejeter.

— Mon oncle, croassa Mirain, la gorge encore meurtrie, rends-toi et je te pardonnerai.

Les yeux de Moranden s'ouvrirent tout grands. Mirain soutint leur regard. Il haleta et se figea comme un homme victime d'un sortilège, ou comme un adolescent qui ne peut pas se résoudre à tuer. Vadin avait envie de hurler le nom d'Ymin. Mais sa gorge était paralysée, et Mirain était perdu. Avec un gémissement de protestation, il se jeta en arrière.

Son corps heurta brutalement le sol. Moranden se jeta sur lui de tout son poids. D'un effort désespéré, Mirain se déplaça de côté. Un poing le frappa comme un marteau, enfonçant son bras et son épaule dans la terre meuble, lui arrachant un cri aigu. La main de Moranden le saisit aux cheveux, libérant ses tresses enroulées en chignon, tordant douloureusement, le remettant debout d'une secousse. Il regarda Moranden dans les yeux. Avec une force brutale, le prince lui tira la tête en arrière.

Mirain semblait attendre la mort. Son bras gauche pendait, sans force ; son corps était agité de spasmes. Il souriait.

Moranden le rejeta loin de lui. Il chancela et tomba. Pourtant, il se releva, la joue sanglante d'avoir frappé des pierres. D'abord, il ne put pas se mettre debout. Avec une lenteur atroce, il se mit sur les genoux. Plus lentement encore, il se hissa sur ses pieds. Il avait les lèvres exsangues tant il souffrait.

Moranden l'observait à quelques pas de distance, bras croisés, rictus aux lèvres. Pourtant, il allait continuer un moment à jouer avec sa victime. A la harceler, à la tourmenter ; à lui apprendre tous les degrés de la souffrance. Alors — et alors seulement — il l'achèverait.

Mirain releva la tête. Ses yeux flamboyaient. Il sembla grandir, s'enfler d'une nouvelle force. Il leva les mains, la gauche à peine moins facilement que la droite, et glissa de l'avant. *Issan-ulin* une fois de plus, mais *Issan-ulin* piqué jusqu'à la fureur, avançant sur le Roi des Serpents.

Le mépris de Moranden vacilla.

— Oui, dit doucement Mirain. Oui, mon oncle. On ne joue plus. Maintenant, la vraie bataille commence.

Moranden lui cracha dessus.

— Imbécile et vantard ! Fils d'un dieu ou dieu toi-même, tu habites un corps qu'on trouve malingre même dans le Sud qui t'a élevé ; et tu as renoncé à ta magie. Tu ne peux pas faire plus que ne te permet ta chair. Et moi, dit-il, ouvrant tout grands les bras, je suis le Champion de Ianon.

— Vraiment ?

Mirain lui fit signe.

— Viens, ô Champion, viens me vaincre.

De nouveau, ils recommencèrent à se tourner autour. Aussi gracieux que sur une piste de danse, ils se rapprochèrent. Moranden était fort, mais Mirain était rapide dans la frappe, rapide dans l'esquive. Le coup de Moranden rencontra le vide, et il tituba.

Mirain frappa. Moranden chancela, agitant les bras pour retrouver son équilibre. Un poing effleura le front de Mirain, l'ébranlant sans l'abattre.

— Mon oncle, mon oncle, railla-t-il, où est ta force ?

Moranden siffla et se balança souple comme un serpent qui s'apprête à se détendre. C'était beau, c'était horrible, de voir ce grand corps musclé devenu d'une souplesse de contorsionniste. Lèvres retroussées, yeux luisants, mornes et froids où la mort se lovait.

Un instant, le courage de Mirain défaillit. Son visage se convulsa, comme si tous les coups reçus venaient l'assaillir en même temps. Moranden frappa.

Mirain para. Moranden avança, pieds ailés, mains fulgurant comme l'éclair. Cette figure aussi avait un nom dans l'Ouest. Loup cervier. Moranden était le loup féroce, Mirain le tendre agneau, courant en rond dans le cercle délimitant le terrain, devant les arbitres silencieux, les témoins muets et impuissants. Moranden passa devant sa mère, qui avait laissé tomber son voile, révélant un visage vieilli, couleur de cendre, profondément creusé par la souffrance que provoquait sa blessure. Elle sourit. Il ne la vit pas ou ne voulut pas la voir. Juste devant elle, Mirain se retourna, aux abois. La distance se réduisit encore entre les combattants ; ils s'empoignèrent à la limite du cercle, presque dessus.

Un reflet métallique brilla dans la main d'Odiya. C'était l'arme qui les avait tous mis en péril à Umijan, la dague noire de la déesse. Elle pivota en direction des combattants, hésita. Ils étaient enlacés comme des amants, membres enchevêtrés, n'offrant aucune cible distincte à la lame. Et le héraut regardait, sans faire un mouvement pour s'interposer.

— Fourberie ! s'écria Vadin. Trahison ! Arrêtez-la !

Il s'élança vers elle.

La lame bourdonna jusqu'à son zénith. Retomba. Sans main ni volonté pour la guider. Odiya dilatait des yeux immenses, stupéfaits et furieux. Debout près d'elle, son eunuque la soutenait d'une main. De l'autre, il tenait une lame sanglante.

— Trahison, oui, dit-il avec un calme parfait, à la fois pour Vadin et pour Odiya. Il est temps que le monde en soit débarrassé.

Elle découvrit les dents. Leva les mains. Un feu noir les emplit. Elle prononça un Mot. Le feu surgit, enflamma le corps desséché, le pétrifia. Mais l'eunuque riait.

— Tu vois, maîtresse, c'est moi qui gagne. Je suis enfin vengé. Tu ne sais même pas que tu es morte ?

Le feu bondit vers sa bouche ouverte. Voix et rire s'éteignirent. Mais alors même qu'il s'effondrait, Odiya se convulsa, son visage un masque de mort, son pouvoir s'écoulant de ses mains comme un sang noir, inutile, impuissant, inexorable. Elle leva les bras, comme pour griffer de ses ongles le ciel indifférent, les maudissant, rageuse, lui et son soleil meurtrier et la déesse dont le royaume s'étendait au-dessous de lui. Son pouvoir s'épuisait. Le poison se répandit dans son corps. Sa vie se renflamma, tremblota, chancela, se ranima, s'éteignit.

L'eunuque était mort quand il tomba, mais Odiya était morte avant de commencer à tomber.

Mirain et Moranden, debout, séparés, regardaient la scène, atterrés. Vadin, qui arrivait trop tard, brava la brume noire de la sorcellerie planant toujours au-dessus des morts, s'agenouilla près d'eux, fermant les yeux fixes du meurtrier et de sa victime, chacun d'eux étant à la fois l'un et l'autre. Le visage de la femme continuait à rager, même dans la mort. L'eunuque souriait avec une douceur terrible.

Moranden se pencha sur eux, un œil fermé par l'enflure, mais sans autre handicap apparent.

— Belle et perfide mégère.

Il lui cracha dessus, puis se baissa pour la baiser au front. Enfin, il pivota sur lui-même avec un rugissement étranglé.

Mirain, l'insensé, leva les mains.

— Mon oncle.

Il semblait n'avoir jamais été blessé, n'avoir jamais été à un cheveu de la mort, la dague noire de la déesse plongée dans son dos.

— Mon oncle, c'est terminé. Celle qui a voulu souiller ton honneur est morte. Viens. Faisons la paix. Règne avec moi.

Moranden rentra la tête dans les épaules. Il serra et desserra les poings. Secoué d'un spasme, il faillit tomber.

— Mon oncle, reprit Mirain, C'est elle qui t'excitait contre moi, qui se servait de toi comme d'un pion. A toi, à toi seul, je peux pardonner. Veux-tu partager le royaume avec moi ?

— Partager ! *Pardonner !*

La voix n'avait presque plus rien d'humain. Et le rire qui lui succéda l'était encore moins.

— Je la haïssais, misérable bâtard. Je la haïssais, mais je l'aimais, et à cause de toi, elle est morte. Que me laisses-tu, à part la vengeance ?

Moranden bondit. Il surprit Mirain à l'improviste. Mais pas complètement. Sous son assaut, le roi recula mais ne tomba pas. Et Mirain, lui ayant proposé la paix en cette extrémité, lui ayant manifesté l'indulgence d'un saint, n'eut plus aucune compassion. Il avait combattu avec passion et même avec colère dans le feu de la bataille. Maintenant, il avança sur lui en proie à une rage folle.

Moranden le regarda dans les yeux et y vit sa mort, comme Mirain vit sa mort dans les siens. Il rit de ce paradoxe et se fit un marteau de son poing. Mirain le saisit, pesa dessus de tout son poids, bousculant le grand corps massif, le déséquilibrant, tordant violemment le bras. Moranden hurla, lança son poing gauche. Mirain chancela sous le coup, ses lèvres fendues saignèrent. Il resserra sa prise, serrant les dents sous le sang et la terre. Il tordit plus fort.

L'os cassa. Moranden mugit comme un taureau. La force de ses soubresauts écarta le léger poids de Mirain, mais son bras était toujours prisonnier ; il souffrait le martyre. Il se jeta sur Mirain, tâtonnant de sa main valide, labourant le visage et le torse, cherchant les yeux. Il trouva les cheveux dénoués. Avec un grognement de triomphe, il les enroula sur sa main.

Mirain lâcha le bras blessé. Son visage, tendu sous la traction exercée sur ses cheveux, était dépouillé de toute humanité, masque terrible où les os pointaient sous la peau. Soudain, il s'avachit sur lui-même, le corps flasque. Moranden desserra un peu sa prise, penchant la tête pour regarder le visage amorphe. Deux mains jointes fulgurèrent, frappant sa mâchoire avec un craquement sinistre. Sa nuque craqua. Son corps s'arqua.

Une fois encore, Mirain se mit à cheval sur son torse. Sous lui, Moranden se débattait comme un poisson hors de l'eau, aussi violemment, aussi machinalement et aussi vainement.

Mirain avait les joues humides, et pas seulement de sang ; il sanglotait, et pas seulement de souffrance. De nouveau, il leva la massue de ses deux mains jointes et l'abattit de toutes ses forces, entre les deux yeux.

Il y eut un silence très long. Interminable. Mirain se releva en chancelant, s'éloigna du corps qui, enfin, ne bougeait plus. Les bras ballants aux côtés, aveuglé par ses cheveux en désordre, il pleurait comme un enfant.

Envoyant au diable le cercle, la Règle du Duel, Vadin franchit la ligne, tendant les mains vers les épaules tremblantes.

Mirain pivota, prêt à tuer. Mais toutes ses forces épuisées, il hésita, ses mains retombèrent. La raison revenait dans ses yeux.

— Vadin ?

Il avait du mal à parler.

— Vadin, je…

— Tout va bien, dit Vadin, la voix étranglée par les larmes qu'il refoulait. Tout va bien. Tu es vivant. Tu as gagné.

Mirain agitait la tête de droite et de gauche. Vadin lui entoura les épaules de son bras, le serra contre lui, essuyant la terre, le sang et les larmes d'un pan de sa cape. Mirain ne résista pas, apparemment oublieux des attentions de son écuyer.

— Je l'ai tué. Je ne… je voulais… je l'ai tué. Vadin, je l'ai tué ! dit-il d'une voix stridente.

Vadin rassembla son courage et le gifla. Le souffle coupé, Mirain releva la tête. Il ouvrit les yeux vers le ciel, vers Avaryan, clair, fort et immaculé dans un azur sans nuages.

— Je l'ai tué.

Maintenant il parlait avec calme, avec un chagrin raisonnable et maîtrisé.

— Il ira à son bûcher funéraire avec tous les honneurs. Les autres aussi. Même… même elle. C'était mon ennemie jurée ; elle a empoisonné mon grand-père, elle a assassiné ma bien-aimée, elle aurait détruit mon royaume. Mais c'était une grande reine.

Vadin ne pouvait rien dire ; il n'était pas le fils d'un dieu. Il n'avait pas le pouvoir de pardonner l'impardonnable.

Mirain baissa la tête, la releva. Il se redressa. Vadin le lâcha. Il fit face aux arbitres, tête haute, majestueux, malgré les larmes qui inondaient son visage.

— Faites votre office, ordonna-t-il.

Ils sortirent de leur transe. Le héraut se tourna vers l'ouest, bâton levé, pointe d'ambre en l'air luisant à l'amer éclat du soleil. Obri se tourna vers l'est, bout d'ivoire levé vers le ciel rayonnant de sa propre joie et proclamant la victoire de Mirain.

Ils se retournèrent vers le roi. Obri mit un genou en terre et lui baisa la main, hommage aussi rare qu'il était sincère. Mirain parvint à esquisser un sourire, qui s'évanouit aussitôt.

Très raide, le héraut serrait son bâton à s'en faire blanchir les phalanges. Il était en proie à une colère qui était mi-peur, mi-admiration, pour laquelle il se méprisait. Il se força à parler, les dents serrées.

— Tu as gagné. Tu dois me mettre à mort. C'est la loi. Je savais que Dame Odiya avait une arme.

Vadin eut envie de l'assommer. Ne voyait-il donc pas que Mirain était épuisé ? Il était allé jusqu'au bout de ses forces ; il n'en avait même plus pour se réjouir de son triomphe. Et pourtant, il lui restait tant à faire. Dix mille hommes hésitaient au bord de la guerre, leurs chefs encore sous le coup de la défaite de Moranden. C'était la seule chose, avec l'immobilité du héraut, qui les empêchait de charger.

Mirain posa sur le héraut des yeux où le feu du dieu était presque invisible sous la cendre.

— Toi et tout ton peuple, vous êtes maintenant liés à moi jusqu'à ce que la mort ou moi vous délivre. C'est un châtiment mieux adapté, et peut-être plus terrible, qu'une mort rapide.

Le héraut resta un long moment immobile. Puis il s'inclina de plus en plus bas, jusqu'à se prosterner. Sa voix résonna, forte comme si elle sortait de la terre même.

— Vive Mirain, roi de Ianon !

Les hommes de Mirain reprirent son cri en écho, frappant leur bouclier de leur lance, ébranlant le ciel par leurs acclamations.

L'Ouest restait silencieux. Inquiétant.

Puis, quelque part dans les rangs, une voix sonore s'éleva.

— Mirain !

Une autre voix reprit l'acclamation. Puis une autre. Et une autre. Cinq, dix, cent, mille. La vague sonore s'enfla, culmina, et déferla sur lui.

— Mirain ! Roi de Ianon ! Mirain !

Il s'éloigna des arbitres et de son témoin. L'armée de l'Ouest avançait vers lui, armes renversées, rythmant son nom. Mais il levait les yeux, fixant au loin les montagnes qui montaient à l'assaut du ciel. Une ombre planait au-dessus d'elles. Il leva sa main dorée.

— Un jour, dit-il, je t'enchaînerai.

Le Fou rompit enfin les liens que lui imposait sa volonté et fonça dans le cercle. Héraut, écuyer et chroniqueur s'écartèrent devant lui. A un cheveu de Mirain, les sabots ailés s'immobilisèrent. Les cornes s'abaissèrent, les narines palpitèrent à l'odeur de sang et de bataille. Obri posa légèrement la cape écarlate sur les épaules de Mirain ; Vadin rattacha le torque à son cou. Le Fou s'agenouilla. Mirain se mit en selle. Très doucement, le senel se releva.

De l'est, de l'ouest, de partout, les armées avancèrent vers eux, se rejoignirent, se mêlèrent. Une armée, un royaume. Et, au-dessus d'elle, un seul drapeau. L'étendard du roi de Ianon, portant en son centre un soleil.

Mirain plia sous le poids combiné de l'affliction, de la joie, de la royauté, et d'un triomphe arraché de justesse à la défaite. Et dans les profondeurs de son âme, la force regerma. Ses yeux s'éclairèrent. Il releva la tête, redressa les épaules, rejeta ses cheveux en arrière. Les armées rugirent son nom. Il sortit du cercle pour prendre possession de son héritage.

Achevé d'imprimer sur les presses de

BUSSIÈRE

GROUPE CPI

à Saint-Amand-Montrond (Cher)
en avril 2001

POCKET - 12, avenue d'Italie - 75627 Paris Cedex 13
Tél. : 01-44-16-05-00

— N° d'imp. 12506. —
Dépôt légal : mai 2001.

Imprimé en France